MERCI,
COLONEL FLYNN

FRANK G. SLAUGHTER

MERCI, COLONEL FLYNN

PRESSES POCKET

116, RUE DU BAC, PARIS

Le titre anglais de cet ouvrage est :

AIR SURGEON

Traduction de DORINGE

1

Debout sur le perron de l'hôpital de la garnison, Craig Thomas dominait sans les voir le dessin précis des rues et l'exacte phalange des bâtiments dont chacun projetait avec une rectitude disciplinée un coude d'ombre, et son regard se posait au-delà, sur les eaux de la baie ruisselante de clair de lune, car c'était un spectacle plus reposant pour des yeux fatigués.

La lumière au-dessus de l'entrée faisait luire à ses épaules les feuilles dorées indiquant son grade de major et les insignes de métal bruni à son col : sur le côté droit, les sobres lettres U. S., exactement à un pouce du bord comme le veulent de vigilants règlements militaires — sur le côté gauche le bâton ailé et les serpents entortillés du caducée.

Le chef du service chirurgical du camp Buchan était un homme grand, droit, élancé, à qui l'uniforme allait tout naturellement, sans qu'il eût besoin de tenir la tête haute, de relever le menton, ou de donner à ses épaules le maximum de largeur. Officier-né, ce mobilisé présentait un contraste frappant avec la plupart des médecins nouvellement promus, confortablement rondouillards, de qui le tour de taille et la démarche saccadée faisaient hocher la tête aux officiers de carrière, mi-narquois, mi-navrés. Mais l'attitude militaire irréprochable de Craig Thomas avait été acquise dans la vie civile comme un manteau propre à recouvrir des faiblesses dont il souffrait.

Un deuxième classe, se traînant lourdement vers les marches, tête basse, plongé dans quelque souci personnel, leva les yeux, et sa main s'envola, rigide, à la hauteur du front. Craig Thomas rendit le salut avec une brusque correction, la pointe de l'index touchant juste sa casquette au-dessus de l'œil droit, la main aussi rigide que l'avant-bras. Il enviait parfois la réponse aisée, détendue, presque marchandée, par laquelle certains officiers attestent leur supériorité. Mais, si d'autres pouvaient se permettre un geste dégagé, pas lui, qui depuis longtemps avait combattu en lui-même toute négligence. Il s'amusa pourtant en pensant au changement subit d'attitude chez le deuxième classe qui avait dû s'éloigner, le cœur battant, au souvenir de son allure traînante.

Plus d'une fois, du haut de ce même perron de l'hôpital de la garnison, Craig Thomas, admirant la symétrie du vaste camp, s'émerveillait de la force résolue qui avait réussi à transformer de la sorte un désert semé de quelques palmiers et à le peupler de milliers d'hommes allants et dynamiques. Mais ce soir l'immense lacis d'ombre et de clarté lunaire l'emplissait d'un mélancolique sentiment de solitude.

Un pas écrasa le gravier de la route, et un officier massif et trapu se montra dans le cône de lumière qui partait du haut du portail pour s'étaler au sol. En apercevant Craig Thomas, il s'arrêta et sourit. Il n'était pas beau, mais ses traits assez rudes ne manquaient pas de séduction et ses yeux rieurs achevaient de révéler en lui une personnalité capable d'atterrir bien d'aplomb dans n'importe quel courant humain et d'apprécier toutes les satisfactions qui s'y pourraient trouver.

— Hé ! Craig (1) ! cria-t-il. En train de bayer à la lune ?

Craig Thomas répondit en souriant :

— Tout bonnement en train de penser, Paul.

Le capitaine Paul Blount vint promptement à son côté :

— C'est juste la chose à ne pas faire ! Vous devriez le savoir depuis le temps que vous êtes dans l'armée. Vous êtes présumé un robot, apte à se nourrir de règlements et qui n'oublie jamais de saluer un officier supérieur.

— Je n'oublie jamais. Ni vous non plus, à partir du grade de général. Qu'est-ce que vous fabriquez dehors ?

— J'étais en route pour le club et pour un verre de bière. Qu'en pensez-vous, du verre de bière ?...

Craig Thomas parut réfléchir, mais Blount était toujours le bienvenu. Blount était l'homme unique qui oubliait le respect dû à son rang, à sa situation professionnelle, avait le verbe vert, la langue bien pendue et un rire plein d'entrain qui enchantait Craig. Celui-ci acquiesça d'un geste.

Les deux hommes partirent du même pas. Ils tournèrent à grandes enjambées identiques l'angle du bâtiment de l'Administration et atteignirent la chaussée de gravier qui menait au club des officiers. De la musique et des rires — car il y avait des femmes — les accueillirent par les fenêtres ouvertes. Dans l'obscurité du grand porche, un couple qui s'étreignait se sépara discrètement et, sans qu'aucun signe permît de supposer qu'ils l'avaient aperçu, les deux officiers passèrent et entrèrent dans le club.

(1) On a pu remarquer déjà, dans *La Fin du Voyage* notamment et dans de nombreux romans américains, que l'emploi du prénom est presque constant entre hommes du même âge travaillant ensemble, alors qu'en France il n'est guère d'usage qu'entre amis d'enfance ou d'adolescence. Peut-être y a-t-il là le rétablissement d'une cordiale intimité que donne chez nous le tutoiement, inconnu dans la langue anglaise, et que nous rétablirons ici chaque fois que le « vous » serait inadmissible en français.

Paul salua d'un geste et d'un sourire un major grisonnant qui portait, au côté gauche de son col, le même caducée ailé, insigne du chirurgien de l'air, que le sien propre.

— Kelley et moi avons eu un coup dur, ce matin, dit-il.

— Balancé un type?

— Annihilé! Fils d'un marchand d'huile. Millionnaire. Un futur as, ou âne (1). Question d'appréciation.

— Qu'est-ce qui n'allait pas?

— Rien n'allait. Foutu équilibre. Sens de la profondeur totalement décalé. Trop de manhattans trop tard le soir.

Craig Thomas pensa au télégramme qu'il avait dans sa poche. Et à la lettre qui demandait une seconde lecture.

— Je suis un vétéran dans l'art de maltraiter ce genre de situation, Paul, dit-il avec une grimace en reposant sa chope écumeuse. Qu'avez-vous fait exactement?

— Oh! la question ne se posait pas. A la vérité, nous l'avions déjà évincé la semaine dernière. Mais son vieux a écrit à son sénateur, et le sénateur a appelé le ministère de la Guerre au téléphone. Quand on a eu fini de lui faire passer le baquet, il a abouti pile sur mes genoux.

— Eh bien! Vous êtes capable de vous en tirer seul...

— C'est bien ce que j'ai fait. Je refis passer le garçon par toute la série des épreuves. Un peu plus vite — peut-être — que la première fois. La première fois, il crânait : la seconde, il cannait. Il me faisait de la peine — un peu — mais ses réactions n'étaient pas améliorées le moins du monde. Le major Kelley est arrivé et a fait une contre-épreuve. Sans plus de résultat. S'il volait, pas l'ombre d'un doute qu'il démolirait à la fois la propriété du

(1) Jeu de mots sur *ace* (as) et *ass* (âne).

gouvernement et le fils de son propre père! Nous avons dû le renvoyer dans sa famille.

Blount avala sa bière et continua en grommelant :

— Ça finira très bien. Il passera la soirée dehors, avec quelques manhattans de plus, et ne se couchera pas du tout.

Craig fit, au-dessus de sa chope, une grimace de compassion :

— C'est ça, « finir très bien »?

— Bien sûr! Après quoi il téléphonera à son père, et le père téléphonera au sénateur, et le sénateur appellera le ministère de la Guerre.

— Et puis quoi?

— Et puis rien. Si le baquet se prépare à repasser, personne ne le verra. Alors le garçon se rappellera ce que je lui ai dit.

— Un sermon? Non, Paul, pas vous? Ce n'est pas vrai?

— Non. L'armée ne nous paye pas pour faire des sermons. Je lui ai dit que j'avais entendu parler d'un pilote qui dormait huit heures, faisait ses trois bons repas quotidiens et buvait par jour huit verres d'eau. Sans glace. Et sans... autre chose. Et que, tout de même, ce gars-là, il avait piloté des quantités d'avions, et efficacement, qui mieux est. Il m'a répondu de ne pas me fatiguer! Mais du diable!... (Paul Blount haussa ses larges épaules, puis reprit :) Du diable si je me trompe! Attention, et vous verrez. Il le fera... Il y a déjà goûté un peu là-haut! Et il fera ce qu'il faut. Même vivre honnêtement et normalement, ce n'est pas payer trop cher la joie de voler.

Craig approuva :

— Je sais ce que c'est. Mon frère Larry (1) a son brevet depuis la semaine dernière. Et c'est exactement comme cela qu'il pense.

— Quelle garnison?

(1) Diminutif de Lawrence.

— Il vient ici.

— Je vais le guetter, dit Paul avec un sourire prometteur et en commandant une autre bière, avec tout le respect dû à la propriété du gouvernement, vous savez, Craig.

— Bien sûr! riposta Craig, devenu sombre. Je voudrais qu'il soit ailleurs qu'ici, bien que j'aie grande envie de le voir. Mais je ne m'en suis que trop occupé.

— Le grand homme de frère? blagua Blount.

— Non. Pas pour Larry.

Craig souriait, et le sourire effaça les rides de concentration presque constantes entre ses yeux, et, du coup, il parut plus jeune que ses trente-six ans. Mais le sourire disparut, la concentration se marqua de nouveau. La question blagueuse de Blount avait touché un point sensible. Il y avait toujours une apparence de défi dans l'attitude du jeune frère vis-à-vis de l'aîné. Un air de grief mal digéré. Larry était tout ce contre quoi Craig s'était solidement discipliné.

Secouant les épaules, il s'adossa à son fauteuil et considéra les officiers, leurs femmes et leurs filles. Tout n'était que chaleur et gaieté. On riait plus volontiers et plus souvent sous l'uniforme qu'en civil. Et le pouls des femmes battait plus vite et leurs yeux avaient plus d'éclat; car la guerre lançait son excitant défi au temps, à la durée. Quelques groupes étaient appuyés au bar, sirotant des boissons, d'autres dansaient sous le porche en formation serrée et quelques-uns étaient assis sur les balustrades, regardant la lune ensemble, dans un silence des premiers temps du monde.

— Oui, dit Craig. En ce qui concerne Larry, j'ai vraiment été la poule qui n'a qu'un poussin.

Paul Blount renifla, en manière de dérision amicale :

— Ça doit être la mère cachée en vous. Seriez sage de faire examiner vos glandes! C'est sûrement ça.

Il donna un coup d'œil aux danseurs.

— Ça, quoi?

Craig leva les yeux du dessin qu'il traçait sur la nappe du bout sans mine de son crayon. C'était le sceptre ailé avec ses serpents entortillés, l'antique symbole de Hermès, dieu de la science et des artifices.

— Je disais, expliqua patiemment Paul Blount, que vous ne vous en trouveriez que mieux si vous donniez un peu de jeu à ces bonnes vieilles hormones.

— Vous voilà encore une fois lancé !

— Evidemment. Votre système glandulaire est en perpétuel balancement. Ça ne vaut rien. Ça vous met dans une ornière. Pour moi, ce mot a un sens plus profond (1).

— Ne vous perdez pas dans les détails, je connais la signification que vous choisissez, vieux réprouvé !

Pas intimidé le moins du monde, ni découragé, Blount continua :

— Le système du choc par insuline a donné d'excellents résultats contre la folie.

— Mais je suis parfaitement sain d'esprit.

Blount hocha tristement la tête :

— Voilà un symptôme de plus de l'état mental où vous croupissez, mon garçon. Quiconque ne se retourne pas pour suivre une jolie petite chose douillette et potelée en uniforme blanc n'est pas sain d'esprit.

— Ce qui, conclut narquoisement Craig, fait de vous le type sain par excellence.

— Absolument. Quand je vois une petite chose de ce genre, mes endocrines ont un choc nerveux qui les rend toutes frémissantes, de la glande pinéale jusqu'aux...

— Oui ! Je sais, interrompit Craig.

— Quelque chose, dans ma cervelle, me dit : « Suis ça, mon garçon, et... »

(1) Équivoque intraduisible (mais facile à comprendre) sur le mot « rut » qui signifie à la fois « ornière » et « rut ».

— ... et ça s'attrape ! dit gaiement l'autre.

Blount prit un air faussement modeste :

— Oh ! je ne peux pas dire qu'il en soit toujours ainsi. Pourtant parfois la chance me favorise...

— J'ose le croire ! Mais le mariage, dans tout cela ? Vos intentions prennent-elles jamais une direction avouable ?

— Bien sûr, voyons ! Bien sûr ! Je me marierai un jour ou l'autre et j'élèverai tout un troupeau des plus infâmes petits chameaux de tout l'îlot. Mais, pour le quart d'heure, mes endocrines...

Craig ne put s'empêcher de rire :

— Peut-être avez-vous raison. Mais quel genre de mari serez-vous donc ?

— Le gendre idéal pour une belle-mère, rétorqua joyeusement Blount. Sage. Stable. Dévoué. Laisserai les gosses me tirer les cheveux et me mettre les doigts dans l'œil. Fidèle. Oui, très certainement fidèle.

— Ça vaudra la peine d'être regardé de près ! affirma Craig, qui continua plus gravement : Larry s'est découvert des intentions honorables, il vient de se marier.

Le visage mobile de Blount prit une expression de contentement véritable :

— Ça, alors, c'est épatant ! Acquérir tout à la fois ses ailes et sa femme, on doit se sentir...

Il regarda Craig avec attention :

— N'est-ce pas le cas ?

— Si. Je suis fier de lui. Mais c'est assez difficile à imaginer. Des ailes ? Il était né pour en avoir. Une femme ? Je me le demande.

— Les femmes semblent convaincues que l'homme est né aussi pour elles, remarqua sentencieusement Paul. Et elles ont bien raison. Quelquefois un homme de votre genre les déçoit en rangeant ses glandes dans l'armoire, mais il paye le prix. Nous offrirons un bon dîner à ce garçon. Et j'irai en personne acheter des fleurs pour l'épousée. Vous la connaissez ?

— Oui, fit Craig d'un ton vague, elle et Larry sont amis d'enfance.

— Eh bien, mais ça promet de faire un excellent ménage. Du moins, c'est ainsi dans les histoires.

— J'étais interne. Je me souviens que Larry, un jour, lui a démoli sa bicyclette : il semble donc qu'elle ait pardonné. Elle est plutôt jeunette. La dernière fois que je l'ai vue, c'était une gamine, toute en jambes.

Craig se rappelait encore qu'un appareil redressait ses dents. Et qu'elle avait des cheveux noirs. Mais il y avait bien dix ans de cela, et elle pouvait en avoir treize. Il n'était pas possible pourtant qu'elle eût déjà vingt-trois ans : le temps ne passait pas si vite que cela tout de même, pensa-t-il. Mais, tout haut, il dit :

— J'étais assez pincé pour sa sœur.

Les yeux de Blount pétillèrent :

— Et ça pince toujours?

— Cette blague ! Elle a épousé le fils d'un président de la manufacture de meubles. Je me rappelle avoir regardé l'heure à la pendule de la salle d'opération au moment de la cérémonie : j'étais en train de recoudre un poivrot qui était tombé sur la bouteille qu'il portait dans sa poche.

Mais il se rappelait aussi avoir souffert lorsqu'elle avait cessé de lui écrire à l'hôpital. Tout à coup, son esprit s'emplit de curiosité, une sorte de curiosité clinique, comme s'il examinait quelqu'un d'autre. Etait-ce pour cela que — comme l'insinuait et même le disait fréquemment Paul Blount — il n'avait eu depuis lors pour les femmes qu'une courtoisie pleine de réserve? « Absurde ! » affirma-t-il rudement : il revoyait beaucoup plus exactement en sa mémoire les coupures sur le postérieur du soiffard que les traits de la jeune fille.

Craig prit sa chope, tout en se demandant comment allait le stoïque caporal qu'il avait opéré le matin même. Son visage se crispa en pensant à la souffrance que l'homme avait dû endurer, gardant sa douleur pour lui seul pendant des heures, sans en parler. Cette pensée le fit frissonner. Par lui-même, il n'était pas capable d'une telle force. Aussi, à cause de son extrême sensibilité, s'était-il dressé et appliqué à un tour professionnel exact et froid, d'où sa réputation d'être un chirurgien dépourvu de nerfs. Il pensa aux tâches variées qui n'allaient pas manquer de lui échoir très prochainement, les troupes étant en manœuvres. D'un jour à l'autre, maintenant, l'avalanche allait se produire : fractures, plaies infectées, brûlures, quelques blessures déconcertantes ou dramatiques, par exemple lorsque la chenille écrasante d'un tank avait pris contact avec la chair humaine. Il y aurait du travail pour lui : de la reconstruction ! De la greffe osseuse dans les cas où l'esquille d'un os brisé, ayant percé la chair, s'était perdue. Le temps n'était pas si loin où pareille opération eût été impossible à cause de l'infection presque inévitable de la plaie. Mais la chirurgie avait été transformée du jour, déjà lointain, où les chimistes allemands s'étaient finalement (et à contrecœur) décidés à livrer au monde la magique composition des sulfamides que, depuis trois ans, ils gardaient pour eux seuls, cherchant un brevet qui leur donnerait le droit exclusif de s'en servir.

Ou encore il pourrait y avoir d'autres problèmes semblables à celui du gosse à la joue arrachée : son tank avait percuté dans un arbre, à toute allure, serrant dur son visage entre le tronc et le fusil le long duquel il visait à cet instant même; l'os malaire, broyé, avait pénétré dans le maxillaire supérieur.

— Notre intrusion vous ennuierait-elle?

Un homme de haute taille, au visage maigre, à la moustache brune taillée, était debout à côté de la table et, près de lui, une petite femme fluette et grisonnante aux grands yeux brillants.

Craig Thomas et Paul Blount se levèrent en souriant. L'officier le plus âgé portait à l'épaule les feuilles d'argent de lieutenant-colonel, sur le côté gauche de sa poitrine les ailes d'argent de pilote.

— Major Thomas. Colonel Flynn.

Paul Blount fit la présentation en s'inclinant avec déférence vers la femme.

— Et Mrs Flynn. Major Thomas. Capitaine Blount, dit à son tour l'aviateur. Je n'ai jamais encore rencontré le major Thomas. Mais je suis heureux de vous féliciter de la façon dont vous avez opéré le gamin O'Connel : c'était du beau travail.

Mrs Flynn, une lueur de contentement dans les yeux, prit la chaise voisine de Craig.

— Nous pensons que c'est une grande chance pour l'armée que de vous avoir, major Thomas. Votre clientèle doit se plaindre terriblement de votre absence, mais vous rendez les conséquences de la guerre moins lourdes pour nous tous.

Craig Thomas se réfugia dans la gravité courtoise qui défendait sa timidité vis-à-vis des femmes et de leur intérêt impulsif pour n'importe quel médecin; mais, bien souvent, et pour son extrême embarras, elles n'en étaient que plus insistantes à s'occuper de lui.

— Merci, dit-il. Mais l'armée nous donne beaucoup de son côté. Nous avons eu de la chance avec le petit O'Connel (cette explication était à l'intention de Blount). Lacération du bras. Nerf radial coupé juste au-dessus du coude.

Blount siffla. D'admiration.

— La chance, dit-il, n'a pas grand-chose à voir dans cette sorte de chirurgie. Il faut une main habile pour suivre ce nerf et le ressouder.

— Alors, notre dette vis-à-vis du major est certaine, affirma Flynn, car O'Connel, qui est un de nos meilleurs instructeurs, a repris son travail.

Craig s'informa :

— Complètement remis?

— Ma foi, fit en riant le colonel, je l'ai vu jouer au base-ball et il lançait de ce bras-là.

— Voilà le genre de besogne qu'il est bon, agréable et utile d'accomplir, déclara Blount avec un lugubre sourire à l'adresse de Mrs Flynn. Réparer les gens, recoller les débris, faire de rien quelque chose ou quelqu'un. Au lieu de quoi je passe mon temps à les faire tournoyer dans un fauteuil de coiffeur et à leur verser de l'eau froide dans l'oreille. A moins que ce ne soit à leur demander s'ils peuvent lire la dernière ligne.

Mais le colonel protesta :

— Vous sous-évaluez vôtre tâche. L'examen approfondi de tous les réflexes est un des plus efficaces auxiliaires de l'aviation.

— Paul ne pense pas ce qu'il vient de dire, assura Craig. Il faut toujours qu'il proteste contre quelque chose. Mais vous devriez le lancer sur sa théorie de la préoxygénation.

— J'aimerais certes l'entendre.

Paul Blount eut l'air embarrassé :

— Il n'en résultera probablement rien, mais je travaille à une méthode nouvelle de préoxygénation capable d'amener au plus haut point, par inhalation juste avant le départ, le niveau de l'oxygène dans le sang du pilote. Histoire de contrebalancer les effets d'une montée rapide.

— Nous pourrions faire largement notre profit de travaux de ce genre dans l'aviation, assura Flynn. Quelques-uns de nos nouveaux appareils grimpent comme des anges retournant au bercail.

— Le cheveu, c'est qu'ils grimpent plus vite que le corps humain ne peut s'adapter aux conditions dues à la raréfaction de l'oxygène. (Paul parlait d'un air absorbé.) Le pilote ne s'aperçoit pas qu'il manque d'oxygène, mais néanmoins son cerveau n'en reçoit pas en quantité suffisante pour fonctionner de façon parfaite.

— Et cela, souligna Craig, au moment où selon toute vraisemblance il est chargé d'accomplir une tâche exigeant tout ce que ses facultés peuvent fournir.

Il se rendait compte que Mrs Flynn était plus occupée à l'examiner qu'à suivre la conversation.

Mais elle était trop bonne « épouse de militaire » pour porter atteinte à l'autorité de son mari, tandis qu'il causait avec des officiers de moindre rang.

Paul se tourna vers le colonel :

— C'est exactement cela ! N'y a-t-il pas, d'habitude, une courte période de mise en train entre la première alerte donnée et l'instant où vous savez exactement où envoyer vos avions ?

— Certainement si. Avec notre nouveau service d'avertissement aux appareils, nous avons une période préparatoire qui dure de cinq à vingt minutes.

— Elle serait fort utile aux pilotes pour se préoxygéner de sorte que, lorsqu'ils prendraient de l'altitude, ils seraient parés et au point.

Flynn opina en souriant :

— Vous êtes un jeune homme extrêmement persuasif ! Avez-vous déjà parlé de cela à votre chef ?

Blount secoua une tête mélancolique :

— Ça n'est encore qu'une fichue théorie !

— Soit. Mais bigrement intéressante. J'en parlerai à votre chef moi-même.

— Le seul côté lumineux de la guerre, à mon point de vue, major Thomas (cette fois-ci Mrs Flynn s'adressait directement à lui), c'est le genre de travail que vous faites.

Elle avait dans les yeux cette expression maternelle qui vient aux femmes d'officiers supérieurs lorsqu'elles se sont donné pour mission de représenter la part humaine et culturelle à côté de l'autorité de leurs maris. Et Craig sentait croître en elle le désir de lui exposer, dès que leurs relations seraient plus amicales, ses quelques petits maux personnels et particuliers. Mais tout cela faisait partie du jeu. Il lui répondit avec gravité :

— Nous avons nos listes d'échecs aussi, Mrs Flynn. Il n'y en a que trop.

— Je suis certaine que tel n'est pas votre cas.

Le visage du colonel se voila de souci :

— Nous avons eu récemment quantité d'accidents mineurs. Des choses dont aucune n'est très grave.

(Les autres attendaient la suite en silence.) Les pilotes sont très jeunes. Je me souviens du premier vieux coucou que j'ai piloté. Ces cageots étaient incontestablement différents des véritables vaisseaux d'aujourd'hui.

— Et, pour ce motif, ils étaient moins dangereux, glissa Paul. A présent, ce sont des éclairs que nos garçons pilotent.

— La combinaison d'un jeune Américain plein de sang et d'allant et d'une de ces nouvelles machines pleines d'octane est quelque chose d'assez inspirant, remarqua Flynn. De toute évidence, les garçons « essayent des choses ». Nous nous y attendons. Et, bien entendu, il est inévitable qu'il y ait de la casse de temps à autre.

— Ne pourrait-on la pallier en interdisant les acrobaties?

— Peut-être. Mais ce qui est notre objectif actuel, c'est de nous tenir, d'essayer de nous tenir à mi-route de la sécurité avant tout et de la témérité sans cause. Nous ne pouvons vraiment faire quoi que ce soit pour décourager l'audace, le cran, l'enthousiasme qui animent nos jeunes pilotes. (Flynn serra les lèvres sous l'effet d'une recherche intérieure.) N'ai-je pas vu un nom comme le vôtre sur l'état spécial qui m'est parvenu aujourd'hui?

— Mon frère, répondit Craig, souriant. Et très exactement le type de gosses dont vous parliez à l'instant.

— Alors il deviendra un as. C'est ce type-là de gosses qu'il faut pour faire de grands aviateurs. Nous serons enchantés de l'avoir parmi nous.

Il souriait à Thomas, mais Blount le ramena au sujet :

— Vous parliez d'accidents, monsieur.

— C'est vrai. Il y a eu de petites choses. Comme, par exemple, une hélice qui ne prend pas correctement le vent. L'autre jour, les ailes d'un avion se sont coincées, et le garçon a dépassé l'aérodrome. Heureusement, il s'est ressaisi et, au second tour, a pu descendre plus doucement. Ce matin, une commande de gouvernail a sauté juste comme un élève prenait l'air. Il a fait un looping au sol et cassé un peu d'excellent bois. Mais, heureusement encore, il n'a que des contusions légères.

— Je voudrais pouvoir vous aider, dit Blount.

Le colonel sourit et se leva pour partir :

— C'est mon affaire, cela. Vous, continuez à m'avertir lorsque mes garçons ne sont pas en état de monter en avion. Pour ma part, je m'occuperai d'eux quand ils auront quitté le sol. Enchanté d'avoir fait votre connaissance, major Thomas.

Mrs Flynn était, à côté de son grand mari, une silhouette toute menue. Elle lui sourit modestement, puis s'adressa à Craig :

— Ce genre de conversation est tellement intéressant, dit-elle. Le colonel parle si exclusivement de force motrice et de puissance ascensionnelle.

Son mari baissa vers elle des yeux pleins de contentement affectueux et lui prit le bras.

— Il faut que vous veniez prendre le thé tous les deux, dit encore Mrs Flynn.

Paul Blount, regardant la haute stature de l'officier qui s'éloignait, guidant son épouse entre les tables, dit d'un air appréciateur :

— C'est un véritable aviateur, un homme de l'air. Il veille sur ses pilotes comme sur des bébés.

— J'espère qu'il veillera sur Larry. Plus d'une fois, il m'a donné beaucoup de mal.

— Oh ! Le mariage va le calmer, l'installer dans la vie. Et, quand il sera tout à fait épatant, on l'enverra en Europe, et vous aurez à vous occuper de sa femme et de leur gosse.

Craig fit signe qu'on lui apportât l'addition et répondit en riant à Blount :

— D'une manière ou d'une autre, vous êtes résolu à faire de moi un homme d'intérieur. Ne vous est-il jamais venu à l'idée que j'irai probablement en Europe, moi aussi?

Blount secoua la tête avec un mélange de faux chagrin et de sarcasme affecté :

— Trop vieux ! La guerre, c'est pour de jeunes étalons dans mon genre. Les gars poussiéreux comme vous restent au pays, et c'est eux qui récoltent de l'avancement.

Ils quittèrent le club et parcoururent ensemble le trajet de l'hôpital — au seuil duquel Craig tendit la main à Paul en lui souhaitant une bonne nuit. Il ne connaissait aucun homme auprès de qui il se sentait détendu comme auprès de Paul. Pour gagner sa chambre, le major avait à traverser presque tout le bâtiment. Dans la salle où débarquaient les accidentés, un blessé, qui venait d'arriver, gémissait sur son brancard. D'instinct, Craig aurait voulu se rendre aussitôt près de lui, mais il se contraignit à n'en rien faire.

Le jeune lieutenant qui était officier de service se leva en le voyant entrer.

— Bonne nuit, Cook, lui dit-il en s'obligeant à détourner ses regards du blessé dont Cook avait la charge.

— Rien à signaler, monsieur. Sauf celui-ci. Je vais lui faire une piqûre intraveineuse de pentothal et réduire sur place la fracture de son poignet avant de l'envoyer dans une salle.

Le major donna un coup d'œil au poignet du patient : il n'y avait pas à se tromper sur la déformation en fourchette. Il acquiesça de la tête et s'en fut. La première fois que Cook avait pris un service de garde, c'était un jeune garçon, frais émoulu de ses années d'internat, nerveux et transpirant dans son uniforme neuf. C'était chose réconfortante de voir quel officier calme et sûr de lui il était devenu et avec quelle tranquille efficacité il prenait seul, pour toute une nuit, la responsabilité de cinq cents patients.

Craig s'arrêta en route pour examiner le caporal de qui il avait, le matin même, opéré l'ulcère perforé : un Norvégien solide qui avait enduré son mal pendant seize heures avant de se présenter à la visite. Il vivait. Mais son stoïcisme presque surhumain avait bouleversé Craig Thomas qui s'en reconnaissait personnellement incapable. Aussi avait-il opéré avec une si attentive minutie qu'il lui fallut ensuite marcher dans le jardin de l'hôpital, et marcher et marcher encore, respirant profondément pour se délasser.

Le caporal le regarda, au travers de pupilles rétrécies par la morphine.

— Major, bredouilla-t-il, quand pourrai-je me lever ?

— Tout va très bien, répondit Craig, parlant fort distinctement, et vous êtes un excellent soldat.

Lisant la gratitude dans les yeux noyés de drogue, il dit « Bonne nuit » et partit; depuis longtemps il s'était discipliné à ne point partager les émotions de ses malades.

Il gagna sa chambre. Aucune prétention au luxe ne s'y affichait. Des panneaux en contre-plaqué cloués sur la cloison de pin brut en formaient toute la décoration. La salle de bains était commune et située au bout du couloir. Ses bouquins favoris étaient sur un rayon près de la fenêtre, un volume de Chaucer coincé entre l'*Anatomie chirurgicale* de Callander et le nouveau manuel militaire sur la *Chirurgie plastique et maxillo-faciale*. Allumant la lumière à la tête du lit, il éteignit le plafonnier et, gagnant la fenêtre, considéra la pelouse irrégulière et toute récente qui s'étalait jusqu'au rivage de la baie, distante de cinquante pieds à peine. Une brise entra par la fenêtre, et Craig défit sa cravate et son col avec béatitude. Il pensa à Larry et à sa femme, se hâtant par le train vers le sud. Ce serait bon de les voir. Aujourd'hui, le cadet était marié, c'était à sa femme à le prendre en main, et quant à lui-même, Craig Thomas, il en avait fini de surveiller un poulain sauvage dont, parfois, il enviait secrètement la joyeuse irresponsabilité. Si le mariage n'avait pas transformé Larry, sa jeune épouse aurait à se colleter avec un sérieux problème. Et pourtant il n'en éprouvait pas le moindre soulagement. Rien qu'une sorte de trouble bizarre et vague à la disparition de sa plus proche préoccupation humaine.

Il se déshabilla et se plongea dans son lit qui craquait, mais où il avait toujours dormi aussi bien que n'importe où. Demain, il y avait cette opération de chirurgie plastique qui l'attendait. Il y réfléchissait depuis longtemps et croyait avoir trouvé la bonne manière de s'y prendre. Le train de Larry ne devait arriver qu'au début de l'après-midi; il comptait aller l'attendre, si aucune urgence ne se présentait.

Craig prit les papiers qu'il avait tirés de ses poches et posés sur la table avant de se déshabiller. En relisant le télégramme, il voyait Larry le rédiger et l'écrire et l'entendait rire en imaginant l'effet qu'allait produire son texte :

ARRIVE DEMAIN, NOMMÉ AERODROME MINAFER, SERAI ACCOMPAGNÉ Mrs THOMAS EX-JOAN HALSTEAD.

LARRY

Craig sourit à cette jubilation évidente de jeune coq. C'était bien le premier télégramme signé de Larry qui n'avait ni présagé ni annoncé des ennuis plus ou moins graves.

Il y avait aussi une lettre d'une petite écriture nette et claire. Craig la relut pensivement.

Cher Mr Craig,

Sans aucun doute, vous êtes déjà averti par votre frère qu'il a épousé Joan. Nous leur avons envoyé un télégramme leur donnant nos meilleurs vœux, mais, en même temps, je m'adresse à vous. Nous avons été grandement réconfortés, Mrs Halstead et moi, de le savoir désigné pour votre

*camp. Nous avons toute confiance en Larry comme
aviateur et nous attendons de lui de grandes choses; nous savons qu'il s'efforcera pleinement de
s'ajuster aux exigences de sa nouvelle situation et
nous comptons beaucoup pour cela sur votre influence qui, nous le savons, s'est toujours exercée
pour le bien.*

Craig interrompit sa lecture le temps d'un bref
juron, puis la reprit :

*Par ces temps troublés, il paraît difficile de
souhaiter à quiconque une vie conjugale longue et
heureuse, mais tel est notre vœu profond pour
eux deux. Joan est une fille raisonnable et pren-
dra sa part de responsabilités.*
*Nous sommes tous fiers du travail que vous ac-
complissez et vous envoyons nos vœux les meilleurs.*

Sincèrement vôtre,

Richard H. HALSTEAD.

Craig envoya la lettre valser sur la table. Et sa
mémoire évoqua Mr Halstead, un Mr Halstead net,
tiré à quatre épingles, rose de joues et marchant
dans la vie les yeux fixés sur les quarante-huit ou
quarante-neuf essences diverses d'arbres qui om-
brageaient sa pelouse magnifique et magnifique-
ment entretenue. Craig n'éprouvait aucune patience à l'endroit de Mr Halstead.

L'homme aux joues roses avait un gendre brillant, sa fille avait un mari que bien des femmes
avant elle avaient trouvé séduisant. Ils avaient
une chance du tonnerre, vraiment.

De l'autre côté du camp s'éleva la voix moelleuse du clairon annonçant le couvre-feu. Craig
tourna le bouton à la tête de son lit. L'ennui, avec
Larry, c'est que rien ne mettait en échec sa nature

impulsive, aucune des inhibitions dont lui-même avait plus, beaucoup plus, que sa part. Larry ne s'était pas aiguillé fermement sur une voie, comme lui, qui avait voué son existence à la chirurgie. Larry était un oiseau migrateur et il n'existait pas d'homme au monde à qui les ailes fussent mieux appropriées.

Au bout de quelques instants, Craig Thomas s'endormit.

2

LES yeux de l'homme étaient bandés afin qu'il ne pût regarder le visage du médecin ou suivre le parcours du scalpel, avec des yeux hors de la tête comme ceux d'un mouton qui a un couteau planté dans la gorge.

— Mal? s'enquit Thomas.

— Un peu, grogna en réponse le soldat. Mais ne vous tracassez pas pour moi, doc..., je veux dire major.

La voix avait une résonance particulière, comme s'il avait failli sourire. Mais l'homme avait oublié comment sourire, car sa lèvre, déformée par un vieil accident de jeep, était plus hideuse au mouvement qu'au repos. Au moment où Craig l'avait pris en main dans le dessein de lui refaire une lèvre normale, il était presque devenu un cas psychiatrique. Dès son premier examen, il avait élevé une objection immédiate :

— Au diable tout cela, doc. Je suis assez salement amoché comme cela.

Craig Thomas, au premier coup d'œil, n'avait pas aimé du tout ce grand garçon efflanqué, aux yeux amers, qui avait, pour se défendre un peu, adopté une attitude de boudeuse indifférence.

Il avait supprimé le « amoché? » furieux qui lui était monté spontanément aux lèvres, parce qu'une discussion aurait diminué son autorité. Il avait eu envie de renvoyer le soldat une fois pour toutes, puis s'était imposé de garder présent à l'esprit le fait que la déformation morale n'était que la conséquence de la déformation physique dont l'homme avait été victime. Pourtant, un patient qui marquait une telle répugnance, qui se soumettait si visiblement à contrecœur, lui était désagréable au point qu'il avait manqué à sa règle volontaire et avait discuté le cas avec le sergent à face de faucon qui conduisait à la salle d'opération le détachement des mobilisés.

— Homme valide, avait-il dit, comme si le soldat ne se fût pas trouvé présent. Les règlements devraient être plus explicites en un cas tel que celui-ci. Mettre un homme au lit et gaspiller le temps de l'armée, simplement pour faire un joli garçon... Est-ce justifiable? J'en doute.

— C'est l'armée qui m'a fait ça, avait sauvagement lancé l'autre. « Allez, et battez-vous pour votre pays! » qu'ils m'ont dit. Au diable le pays!

Un major ne devrait pas écouter de discours de ce genre, mais l'homme était au bord de la crise de nerfs, et Craig continua, s'adressant toujours au sergent :

— Cas problématique, en somme. L'intervention ne se justifierait que s'il s'agissait d'un excellent soldat. Vérifiez son livret et renseignez-moi exactement afin que je me décide la semaine prochaine. Au suivant.

— Que le diable emporte le livret! hurla l'homme.

Mais, quand Craig se retourna pour le dévisager, la voix, subitement, trembla de désespoir.

— Par le Christ, doc, si vous pouvez arranger ma figure, arrangez-la. Refaites-moi une gueule qu'on puisse regarder sans horreur, et je vous promets de devenir un foutu Sergent York (1). Par le Christ, doc ! (Le garçon morose et maussade était en larmes.)

— Major ! rectifia sévèrement Craig.

— Major !

Le cas avait présenté des difficultés qui avaient compliqué la tâche de Craig, mais l'homme supportait patiemment le long et lent processus de réfection. Et ainsi Craig était arrivé à l'aimer bien.

— Je vais ajouter un peu de novocaïne, dit-il. Pourtant il fallait y aller doucement, car trop d'anesthésie déforme les tissus, et les lignes d'incision peuvent tomber là où il ne faut pas.

Un morceau de côte enlevé au patient et greffé avec toute la minutieuse précision d'un incrusteur lui avait refait une partie de mâchoire. Des cicatrices sur le cou avaient obligé à prendre une lanière de peau sur la poitrine pour réparer la lèvre, ce que, précisément, Craig venait d'achever.

— Jeune homme, dit le major, vous venez de perdre votre vieille cicatrice.

Le patient claqua des doigts allégrement, aussi sec qu'un pétard.

Et les infirmières suivaient, avec un respect ému, la main qui, à tous petits mouvements, faisait avancer la fine aiguille. Couche de teinture aromatique, couche de mousseline à pansement, et :

— Il vous faudra garder la tête basse pendant deux jours, jusqu'à ce que nous puissions enlever tout cela.

---

(1) Le type même du bon soldat et du bon chrétien.

— Merci, major, grommela l'autre. J'ai l'habitude de garder la tête basse.

Pour le bénéfice de son protégé, Craig commenta :

— Ce cas est à peu près terminé. Même maintenant notre homme a déjà meilleur aspect.

Ce qui était, à ce moment-là, rigoureusement inexact.

Le jeune lieutenant accompagna Craig Thomas au vestiaire.

— Quel beau travail vous avez réussi là, monsieur ! dit-il avec une admiration visiblement sincère, tandis qu'ils quittaient leurs vêtements de travail et passaient leurs uniformes kaki d'été.

Craig remercia d'un signe de tête, tout en fronçant les sourcils. La louange, aussi bien que la gratitude, le mettait mal à son aise. Il partit et traversa tous les longs couloirs de l'hôpital, entre leurs cloisons de pin. D'un bout de la rangée de pavillons à l'autre extrémité, il n'y avait pas loin d'un kilomètre. Et cette rangée de pavillons ne représentait guère que le tiers de l'ensemble. Tous les pavillons étaient établis sensiblement sur le même modèle, salles de malades, salles d'opération, salles de rayons X, laboratoires, cliniques d'oto-rhino-laryngologie se suivaient de façon immuable. Et, dans les salles, les lits avaient tous six pouces de drap rabattu sur la couverture, le peignoir de bain et les serviettes étaient pendus à des crochets à la tête de chaque lit et les pantoufles posées sous chaque table de chevet. Les planchers, frottés quotidiennement au sable, étaient d'une blancheur irréprochable. Et, sous les vastes porches, des fauteuils entouraient des tables à jouer.

Quiconque n'était pas trop malade pour cela travaillait, même à l'hôpital, de sorte que ces bâtisses rapidement élevées en planches de pin étaient aussi propres et même plus propres que dans un hôpital municipal.

Il arrivait à Craig de songer avec un serrement de cœur à son propre cabinet médical et à sa clientèle. Naguère, lorsqu'il avait troqué contre un spartiate pupitre militaire en chêne son bureau en acajou ancien, d'une coûteuse sobriété, Craig Thomas avait eu un vrai sentiment de sacrifice. Le serrement de cœur n'était pas exactement du regret, bien que sa clientèle fût du type qui se sent négligé si les soins donnés à sa santé ne sont pas coûteux, comme l'exige la réputation de tout médecin pour classes riches. Dans le décor de son cabinet, la chirurgie plastique que l'armée avait donnée gratuitement au jeune soldat — après, il est vrai, l'avoir défiguré — aurait valu plusieurs milliers de dollars d'honoraires.

Les opérés convalescents qui se promenaient un peu partout dans l'hôpital en peignoir marron, avec les lettres M.D. (1) et U.S.A. sur le côté gauche de la poitrine, représentaient un matériel humain beaucoup plus vigoureux, mieux apte à supporter le travail du chirurgien. Des souvenirs lui revenaient de clients, hautement et coûteusement excentriques, dont les fantaisies pouvaient soit accroître, soit mettre en péril son prestige. Cela avait été une chose vivifiante et plaisante que de découvrir qu'ici, à l'armée, les problèmes médicaux pouvaient être envisagés et résolus comme tels, comme des problèmes médicaux. Ni plus ni moins.

Craig Thomas déjeuna d'un sandwich et d'un verre de lait à la bruyante *Cafeteria de la Poste*. Officiers et soldats occupaient indistinctement les tables, car la *Cafetaria de la Poste* était leur lieu commun. Nombreux étaient les hommes qui portaient le complet marron grenat, dit « complet de convalescence » et, libérés de leurs obligations, s'ennuyaient follement, ne se sentant ni civils ni militaires. Plusieurs d'entre eux essayaient de saisir le regard de Craig et lui adressaient un salut

(1) Medical Department.

souriant. Il les saluait en retour, souvent sans reconnaître leur visage ni retrouver leur nom, mais il aurait sans hésiter reconnu leur feuille de température ou leur cicatrice.

A la gare, le train était en retard : habitude de guerre due aux mouvements de troupes; Craig eut le temps de téléphoner à l'hôpital pour avoir des nouvelles du blessé qu'il avait opéré le matin. Quand il revint à sa voiture, la conduite intérieure basse du colonel Flynn était parquée à côté, avec Mrs Flynn installée à l'arrière. Elle ouvrit la portière, son geste l'invitant à entrer :

— Major Thomas! Agréable surprise. Attendez-vous aussi quelqu'un?

— Mon frère Larry.

— Ah! oui, je me souviens.

— Et sa femme, ajouta Craig en souriant.

— Vraiment? Marié depuis combien de temps?

Moins d'une semaine sans doute, mais, comme il n'aurait pu le dire au juste, il s'en tira par une imprécision :

— Quelques jours à peine.

Les yeux de Mrs Flynn papillotèrent vers le plafond de la voiture :

— Réellement? Oh! c'est charmant. J'espère qu'ils seront heureux ici. Où vont-ils s'installer?

— Je ne sais pas du tout s'ils ont déjà pris des dispositions.

— Oh! mais voilà qui est sérieux! s'exclamat-elle. Vous ne vous en doutez pas, bien sûr, vous autres, au quartier des célibataires, major Thomas. Mais les logements sont si rares... Et une jeune mariée encore!... Il est vrai qu'une jeune mariée... Mais je vais penser à des endroits où ils pourraient... Il y a si peu d'appartements...

Le train s'arrêtait en grinçant. Thomas aida la dame à descendre de son auto :

— Il faut que je me hâte, dit-elle en le quittant. Ma nièce arrive. Elle n'a que quatorze ans et serait terrifiée.

Elle lui sourit une fois de plus et s'en fut rapidement, claquant des talons.

Des civils, parmi lesquels beaucoup de femmes qui venaient visiter des parents au camp, des soldats rentrant de permission, jaillissaient des premiers wagons. Plus loin, là où descendaient les passagers du pullman, Craig vit la tête éclatante de Larry où le calot d'outre-mer était hardiment perché de côté ! Quand il atteignit les jeunes gens, ils avaient descendu leurs bagages sur le quai et regardaient de l'autre côté.

Grand, large d'épaules, Larry, tête penchée, tenait dans la main le coude de sa jeune femme. Craig se souvint alors que dans la famille Halstead on était élancé et de taille plus élevée que la moyenne. Des jambes droites et d'aplomb à l'absurde petit chapeau en soucoupe sur ses cheveux bouclés aux reflets de cuivre, il parcourut de l'œil la jeune silhouette de Joan. Et, comme les dos peuvent être extrêmement expressifs, il se réjouit de lui voir un buste mince et une belle ligne d'épaules dans son tailleur bien coupé.

— Larry ! dit-il.

— Oh ! le voilà ! J'espérais bien que tu serais ici. Joan, tu te rappelles Craig ?

Et, secouant chaleureusement la main de Craig, Larry s'exclama, non sans une nuance de raillerie :

— Hi ! Docteur !

— Vous souvenez-vous de moi, Craig ? demanda la jeune femme. Sa voix était riche, chaude et lente, contrastant avec le calme tranquille de ses grands yeux gris.

— Non, je ne me souviens pas, répondit-il.

Aussitôt, il sentit que ses paroles étaient maladroites et embarrassées. Mais il se trouvait déconcerté, car il s'attendait à une adolescente dégingandée à la voix pointue.

— Je ne me souviens pas du tout.

Il eut la soudaine impression de heurter une sensibilité et lut dans ses yeux un désappointement qui s'évanouit aussitôt. De nouveau, il blâma la gaucherie de ses paroles et son habitude de scruter attentivement les gens.

— Tu peux m'en croire sur parole, assura Larry. C'est Joan Halstead. Je parie, Joan, que Craig s'attendait à voir l'édition de 1930 !

— Je me rappelle une fillette aux longues nattes, admit Craig, qui se retint à temps de mentionner les autres détails enregistrés par sa mémoire : les jambes héronnières et l'appareil à redresser les dents.

Le sourire de Joan montrait aujourd'hui des dents parfaites. Et la mémoire de Craig compléta le visage d'autrefois : la fillette avait déjà de grands yeux expressifs.

— Je voudrais vous emmener prendre un cocktail tous les deux, dit Craig.

— C'est un bon médecin ! assura Larry.

— Je tiens à apprendre comment c'est arrivé. Ce mariage...

— Nous tâcherons d'expliquer, dit Joan. N'est-ce pas, Larry?

Ce regard de Joan, tandis qu'elle souriait à son mari, s'arrêta sur la place que Craig avait déjà remarquée, sous l'œil gauche. Le sourire demeura tendre et clair, mais un souci passa sur le jeune visage. Une contusion bleuâtre descendait sous l'œil de Larry et marquait perceptiblement la pommette. Un nuage de poudre s'y voyait : les grains se distinguaient nettement au soleil, dissimulant mal la contusion, mais soulignant bien l'effort tenté pour la cacher. Quelqu'un de brutal aurait appelé ça un œil au beurre noir. Larry le considérant avec truculence et défi, Craig baissa les yeux vers les valises sur le quai, prit celle de la jeune femme et se dirigea vers sa voiture, le « Merci, Craig » de Joan flottant à son oreille.

Il pensait : « Joan Halstead, Joan Halstead, Joan Halstead. » C'était incroyable. Il lui semblait que jamais encore personne ne l'avait remercié. Il se maudit intérieurement pour un trouble qu'il ten-

33

tait vainement de s'expliquer, ne sachant ce qui pouvait l'avoir causé. Il s'obligeait à penser à cette contusion sur la joue de Larry. C'était beaucoup trop visiblement une trace de coup pour qu'un officier pût se présenter de la sorte à son nouveau service, mais les deux jeunes gens agissaient comme s'ils ne s'en rendaient pas compte. Toutefois, Joan devait être capable d'une grande maîtrise de soi-même et il y avait ce fugitif passage d'un souci...

Craig décida qu'il ferait porter Larry exempt de service pour deux ou trois jours; il lui faudrait pour cela accomplir une démarche d'un genre qu'il avait toujours consciencieusement évité jusqu'alors, car l'exemption de service ne dépendait pas de l'autorité chirurgicale, mais du service administratif. Tant pis ! Il verrait Brockton s'il le fallait, et Brockton arrangerait la chose. Ayant ainsi balayé ses propres objections, Craig se sentit fort inexplicablement heureux. Il s'agissait avant tout pour Larry d'aller annoncer à l'officier de jour sa présence au camp. Alors Craig se souvint de Mrs Flynn et de sa voiture et voulut lui laisser le temps de partir.

— J'ai, dit-il, un coup de téléphone à donner. Voulez-vous m'attendre une minute?

De l'intérieur de la cabine, où sa communication fictive le tenait enfermé, il les regardait, debout sur le quai, beau couple en vérité, malgré la joue abîmée de Larry. Et, subitement, il découvrit que jamais, dans sa vie d'une activité ordonnée, il ne s'était encore trouvé de place pour une chose aussi parfaitement illogique que ce coup de téléphone inventé.

Larry allumait une cigarette, et Joan, son petit pied tapant lentement le sol, lui parlait en souriant. Il existait une certaine ressemblance entre elle et la sœur à demi oubliée, mais Bet n'avait point possédé cette émouvante qualité de voix, ce regard aux calmes profondeurs.

« Heureux garçon que Larry », pensa Craig, qui

ajouta aussitôt, à sa propre adresse : « Quelle folie ! »

La cigarette de Larry était terminée, la communication de Craig pouvait l'être. Il émergea de
la cabine et vit une belle fille, armée d'une raquette
de tennis, qui considérait d'un œil timide la porte
de la cabine voisine — laquelle s'ouvrit sur un allègre et joyeux : « Au revoir ! » Mrs Flynn parut,
posa la main sur l'épaule de l'enfant (qui avait à
peu près l'âge de Joan Halstead à l'époque où elle
se situait dans les souvenirs de Craig).

— Oh ! Major Thomas ! Voici ma nièce, Margaret.

Craig salua avec un sourire grave, car les
femmes, même de cet âge tendre, appartenaient
à cette moitié du monde qu'il rencontrait avec une
entière courtoisie. Il observa que Larry, les voyant
approcher, parlait avec un ennui marqué à Joan qui
lui répondit par un sourire rassurant. Parce que la
fillette levait sur lui des yeux anxieux, Craig remarqua : « Je suis content qu'elle joue au tennis », et
l'adolescente baissa les yeux en rougissant, tandis
que Mrs Flynn paraissait satisfaite.

Il avait souhaité éviter cette rencontre à Joan, et
c'était précisément sa ridicule initiative qui l'avait
amenée. Il se sentait sévèrement mécontent de lui-
même, mais déjà Joan attendait, offrant une tranquille bienvenue.

— Ce sont les nouveaux mariés, murmura Craig.
Puis : Je voudrais vous présenter mon frère et sa
femme, Mrs Flynn. Lieutenant Thomas et Madame. Et voici Margaret, dit-il à l'intention des
deux autres.

— Nous avons entendu parler de vous, dit gracieusement Mrs Flynn. Le colonel Flynn est très
heureux de compter le frère du major Thomas
parmi nous.

Son œil maternel s'arrêta un moment, perplexe,
sur la contusion, avant qu'elle se tournât vers la
jeune épouse pour étendre sur elle une aile protec-

trice. Et Craig sentit que sa phrase d'accueil était regrettable, non parce qu'elle avait mentionné le rang — il n'en était pas surpris, les épouses le mentionnaient beaucoup plus fréquemment que ne le faisaient les maris (1), — mais parce que, du premier coup, Larry se trouvait encore une fois placé en position inférieure à celle de son frère. Avec joie, il constata l'aplomb et l'immédiate reprise d'équilibre de Larry, après sa contraction instinctive, et la galanterie de son salut. Larry avait avec les femmes l'assurance dont lui, Craig, était dépourvu.

— Ma chère, notre problème du logement..., disait Mrs Flynn.

Craig et Larry marchèrent devant.

— Jésus ! soupira Larry.

Quand ils atteignirent les voitures, la femme du colonel disait :

— Il arrive que j'entende parler de l'une ou l'autre chose, Mrs Thomas. Je m'informerai de part et d'autre, et, si j'apprends que...

Elle les rassembla en un groupe, et son regard toucha la joue de Larry.

— Je ne doute pas que le major Thomas soit enchanté de vous avoir ici. C'est un homme qui nous est extrêmement précieux, vous devez vous en douter. (Elle sourit à Craig.) Mais il se confine strictement dans son travail, et votre compagnie (ses yeux se rétrécirent un peu en s'arrêtant de nouveau sur l'œil cerné de sombre) sera aussi agréable pour lui que pour nous. Maintenant, il faut que j'emmène Margaret...

Craig sentit que Joan prenait une résolution : ses yeux, arrêtés avec indulgence sur Larry, allèrent, avec amusement vers Mrs Flynn.

— Le problème du logement, dit-elle, ne pourra

(1) On remarquera combien rarement le grade est mentionné. Il arrive souvent que même les simples soldats disent « monsieur » et, si l'officier à qui ils s'adressent les reprend, c'est qu'il a quelque motif de mécontentement.

être pire ici, ni même mauvais, que dans le train. Ce que nous avons obtenu de mieux fut une couchette supérieure.

— Non ! s'exclama Mrs Flynn. Combien c'est mal commode !

— Larry ne me le pardonnera jamais, dit Joan avec un petit rire nerveux, mais si vous avez remarqué sa joue... Elle a mauvaise apparence, Larry.

Larry se raidit en une attitude extrêmement militaire, quoiqu'il s'attendît à devoir sourire pour ce qui allait probablement suivre. Craig et Mrs Flynn étaient un peu tendus tous les deux, les yeux intensément fixés sur Joan qui parlait avec une expression de désarmante drôlerie.

— C'est parfaitement ridicule, dit-elle en rougissant. Mais Larry est si... volumineux... et il a essayé de dormir vers le dehors...

Elle s'arrêta, regardant Craig avec une expression implorante. Mrs Flynn insistait :

— Ma chère ! Il ne faut pas vous en tenir là...

— Larry... eh bien, Larry est tombé par-dessus bord !

— Non !

Mrs Flynn s'efforçait de ne pas rire, mais ses yeux pétillaient de gaieté. Joan, rougissant comme une pivoine, dit avec le plus grand sérieux :

— Il a été vraiment secoué, vous savez.

— Quel ennui ! fit Mrs Flynn. Mais, comme vous le dites vous-même, c'est... tellement ridicule ! Et je suis contente que ce ne soit pas pire, ajouta-t-elle, souriant largement à Larry. (Puis, tournée vers Craig) : Je n'ai jamais rien entendu d'aussi cocasse !

Sur quoi elle entra dans sa voiture avec sa nièce et fit encore, pendant que le chauffeur manœuvrait, un geste d'adieu, son visage tout éclairé d'allégresse.

— Oh ! dit Joan. Oh ! Et voilà pour la femme du colonel !

— Mon Dieu ! fit sobrement Larry. Mon Dieu,

Joan! La femme du colonel qui va répandre et distribuer cette anecdote! Seigneur...

— Allons prendre un cocktail, coupa Craig.

Il sentait monter en lui la colère en pensant à son idiot de frère tassant la jeune femme dans la couchette supérieure. Et il envoya les valises dans le coffre. Pendant qu'à son tour il manœuvrait pour gagner la grand-route, le rétroviseur lui montra Larry regardant fixement sa femme qui, encore cramoisie, regardait fixement, elle, ses mains allongées sur ses genoux.

— Craig, dit Larry. Qu'est-ce que tu penses de ça? Ce n'est pas du tout ce qui est arrivé, Joan avait une couchette supérieure, et j'étais assis dans le compartiment de fumeurs. (Craig sentit fondre sa colère.) Il y avait là un ivrogne qui s'obstinait à vouloir dormir sur mon épaule. Chaque fois qu'il glissait contre moi, je le repoussais. Alors il est devenu désagréable, et je l'ai écarté à bout de bras. Il est devenu plus désagréable, et j'ai cogné. Et il m'a envoyé un swing... et... Oh! du diable, Joan!...

— Tu avais bu aussi, observa doucement Joan.

Craig pensait avec lassitude que les ennuis et les complications suivaient immanquablement son frère.

— Tout de même, lui raconter ça!

— Qu'est-ce que tu voulais que je lui raconte?

— Mais rien du tout. Je m'en tirais très bien.

Dans le rétroviseur, Craig vit Joan tirer sans répondre un poudrier de son sac et le tendre ouvert à Larry.

— C'est une beauté! constata-t-il, se voyant dans le petit miroir et s'emparant de la houpette. Une histoire comme celle-là, malgré tout...

— Il fallait une explication. Il la fallait. Je n'ai rien trouvé d'autre qui pût la faire rire.

— C'est là qu'est le drame. La faire rire!

— Il fallait la faire rire, chéri! Pour la désarmer.

Craig, suivant le cheminement de sa pensée, se

sentait envahi d'admiration, l'absurde et cocasse histoire prenait les apparences d'un monument de tact.

— Le colonel rira aussi. Sans cela, elle n'aurait pas manqué de lui raconter que tu avais eu une rixe...

Il y avait dans sa riche voix profonde une certaine patience qui ne permettait plus à Craig de retrouver la fillette toute en jambes et en nattes. Elle sourit à Larry et, voyant l'orage s'amasser sur ses traits, elle l'accueillit d'un franc éclat de rire.

— Mais tomber d'une couchette supérieure ! tonna-t-il. Tomber d'une couchette supérieure ! Et en voyage de noces encore !

Et, subitement, il éclata de rire à son tour, un rire sonore et cordial : le rire de Larry avait toujours été une chose vraiment joyeuse et parfaitement incontrôlable.

— Tomber (Larry s'étranglait), tomber d'une couchette supérieure !

Craig Thomas étouffa son hilarité dans sa gorge, jusqu'au moment où, rencontrant les yeux de Joan dans le rétroviseur, il se laissa, lui aussi, aller à un fou rire retentissant et profond. C'était un homme qui ne riait guère, aussi demeura-t-il pantelant de surprise en constatant qu'il avait fait écho à la gaieté de son frère.

— Ceci, néanmoins, Craig, est une beauté. Incontestablement, je n'ai pas envie de la révéler, d'un seul coup et dès l'arrivée, à l'officier de jour. Tu dois bien connaître un moyen de la faire disparaître promptement.

La médecine et la chirurgie peuvent accomplir des miracles, mais, encore qu'un traitement d'ondes courtes pût activer la guérison, un œil poché était un œil poché, aujourd'hui comme au Moyen Age.

— Des fards. Des cosmétiques.

Craig, ayant dit, s'arrêta devant une pharmacie, d'où il sortit avec un produit dénommé « Covermak ». Il appliqua sur la joue de son frère une pâte rosâtre, l'étala doucement, la massa, ne laissant qu'une mince épaisseur sur la surface décolorée. Il chercha alors un sarcasme à lancer, une plaisanterie à faire, ne trouva rien et reprit sa place sur le siège avant. Avec de petites exclamations, Joan palpait la joue meurtrie, car une femme ne saurait s'empêcher de toucher à du maquillage, ni une épouse de collaborer à la réparation de son mari.

Larry reprit le miroir et siffla. Approbativement.

— Qu'en penses-tu, Joan? Dis-moi quel œil c'était? Merveilleux! Un truc de Hollywood!

— Ne te lave pas la figure, avertit Craig.

Il les conduisit au camp et arrêta la voiture le long d'une bâtisse carrée devant laquelle une sentinelle faisait les cent pas.

— C'est le bâtiment de l'Administration, Larry. Tu y trouveras certainement l'officier de jour.

— Et je le regarderai droit dans l'œil! affirma l'autre qui s'en fut, très sûr de lui, les épaules en arrière, le calot hardiment planté de côté.

Joan le suivit affectueusement, avec, tout de même, un petit hochement de tête perplexe. Et comme Craig se retournait vers elle :

— Larry me renverse! Tout, chez nous, va par bonds et par sauts. Notre vie n'est pas autre chose. C'est un grand gamin, Craig, mais je crois vraiment qu'il est né pour l'armée.

— Oui, répondit-il, se souvenant que Larry avait aujourd'hui vingt-huit ans. C'est un chic type, débordant de vitalité.

Cependant il songeait que, pour cette fois, son frère avait une chance invraisemblable. Il aurait voulu faire un gentil petit discours à la jeune mariée, mais il savait qu'il ne faisait ce genre de choses qu'avec une politesse formelle, un peu guindée. Aussi la ferveur de sa propre voix le surprit-elle grandement et la facilité avec laquelle les mots lui venaient, comme d'eux-mêmes : il eut quasiment l'impression d'écouter parler un autre.

— Je puis vous complimenter tous les deux. Mais le monde entier félicitera Larry.

— Oh! Craig! fit-elle en levant la main pour protester. C'est charmant, mais extravagant.

Cependant elle était contente. Elle regarda le portail par où Larry avait disparu et commença d'attendre son retour. Craig se sentit extraordinairement solitaire.

Larry reparut et monta en voiture avec un soupir de soulagement.

— Tout va très bien. J'ai signé le livre d'arrivée et je n'ai pas à me présenter au commandant en chef avant demain.

Craig les emmena dans le coin le plus tranquille d'un endroit tranquille. Que de fois il s'était assis dans un coin paisible avec Larry pour écouter l'histoire tracassante de quelque acte impulsif et s'entendre demander à contrecœur une indispensable assistance.

Il leva son verre et dit simplement :

— A vous deux.

— A Joan! répondit Larry, enlaçant d'un bras les épaules de sa femme.

— A nous tous, dit-elle.

Ils se sourirent à cause de tant de solennité, et Larry ajouta :

— A la guerre! Voyez quelle épouse je lui dois! A l'uniforme. L'uniforme l'a séduite. Et moi j'étais dedans.

— Votre frère, expliqua Joan, des lueurs d'amusement jouant sur le visage, m'a présenté notre mariage comme mon devoir patriotique. Tout délai était trahison pure.

— Attaquer et attaquer. Et *toujours* (1) attaquer. Je suis allé jusqu'au bout de la ligne Maginot et je l'ai contournée.

— Et ça, bien sûr, ce n'était pas juste, fit-elle en riant.

(1) En français dans le texte.

— C'est la guerre.

Craig comprit qu'elle assumait vis-à-vis de Larry une légèreté de cœur et d'esprit qui ne lui était pas naturelle. Il sentait qu'elle plaisantait plus qu'il n'était en elle de le faire. Mais, en effet, c'était la guerre, et la vie tourbillonnait tellement vite. Joan, toujours douce et sérieuse, expliqua :

— La permission de Larry était courte. Il m'a enlevée. Nous avons fui.

— Un capitaine d'infanterie mettait le siège autour d'elle, goguenardait Larry. Ah ! parlez-moi de l'armée de terre ! Il employait des armes démodées, désuètes même, telles que fleurs et friandises.

Satisfait de ses comparaisons et de ses métaphores, il se tut, et Craig se demanda comment et pourquoi, au nom de toutes les veines imméritées, Larry avait conquis la fille aux clairs yeux gris, à la voix bouleversante, au sensible visage où se cachaient les émotions.

— J'ai bombardé Joan en piqué, expliqua Larry. Je ne lui ai pas laissé le temps de la réflexion. Pas vrai, douce ?

— Il arrive qu'une femme n'ait pas besoin de réfléchir, protesta Joan en souriant. Larry tient à me faire passer pour une prisonnière de guerre.

— Tu en es une !

— Larry pilote, dit-elle avec un rien d'orgueil. J'aurais aimé le faire attendre pendant des mois. Mais, quand il a présenté les choses sous ce jour-là, qu'il partirait bientôt et que... oh ! ma foi... (Elle posa sa main sur celle de Larry et la serra.) Ma foi !... nous voilà. J'avais coutume de penser qu'il faut avoir un plan de vie, et nous ne savons même pas où nous pourrons vivre.

Craig rit. Rien de tout cela n'était drôle ni ne prétendait l'être. Mais, à mesure qu'il regardait passer les expressions successives sur cette physionomie à la fois calme et mobile, l'allégresse bondissait en lui. Et, comme s'il avait découvert avant eux un certain humour et qu'ils voulussent l'apprécier aussi, leurs rires répondirent au sien. Le rire de Joan avait la même qualité émouvante que sa voix. Craig s'arrêta soudain, tout son sang glacé de panique dans ses veines. Pour couvrir sa confusion, il alluma une cigarette, mais la main si précise, si ferme, si maîtresse de ses mouvements quand elle opérait, tremblait en ouvrant le briquet.

— Il faut, sans plus de rémission, que je gagne l'hôpital, dit-il alertement. Je pourrais vous laisser à l'hôtel.

— Joan, dit Larry, je voudrais avoir une minute d'entretien avec Craig. Tu permets?

Elle se leva, légère, son sac à la main; ils se levèrent en même temps. Elle leur sourit.

— Frères, dit-elle. Je n'en ai jamais eu. C'est chic de vous voir ensemble.

La poitrine de Craig Thomas s'emplit d'un souffle profond.

— Peut-être aurait-elle été gênée, dit Larry en se rasseyant. Je ne sais pas. Mais voilà, j'ai beaucoup dépensé, je voudrais la loger dans un endroit bien, et, d'ici la paye, il y a dix jours! Pourrais-tu m'écrire un chèque de cent dollars?

Sans commentaire, Craig en fit un de deux cents.

— Craig! s'exclama Larry. C'est épatant! Mais cela ne te privera-t-il pas? Je veux dire, bien entendu, jusqu'à ce que je puisse te le rembourser, mais...

— Il faut trouver un endroit bien, dit Craig.

— Je suis très touché, Craig, et Joan le sera aussi.

— Pourquoi aurait-elle besoin de le savoir?

Craig posa la question si rudement que Larry en rougit de surprise.

— Ce n'est pas indispensable, dit-il.

Durant tout le trajet vers l'hôtel, Craig ne regarda pas une seule fois le rétroviseur, mais tint les yeux fixés sur la route en avant de lui, se débattant contre une suffocation qui lui serrait la poitrine. En d'autres moments, il aurait sans doute été assez intéressé par ce phénomène pour rechercher comment un état mental pouvait produire cette intense souffrance physique et cette contraction respiratoire. Mais, avec une désespérance nouvelle pour lui, inconnue, il ne souhaitait que s'en aller au plus tôt et être seul.

— Et voulez-vous me faire savoir (il s'entendait parler et détestait la forme solennelle de sa phrase) si je puis vous être utile ? Il faut que nous nous retrouvions bientôt. Bonne chance !

— Voilà Craig repris par sa préoccupation professionnelle, dit Larry en riant. La manière cent pour cent médicale reparaît.

— Au revoir, Craig, dit Joan. Nous sommes heureux que vous ayez pu venir à notre rencontre dès l'arrivée.

Il partit avec cette voix dans les oreilles, et ce visage tel un souriant mirage dans son esprit, et sa propre peau froide comme un maillot de bain mouillé. Sitôt tourné le coin de l'hôtel, il s'arrêta au bord du trottoir. Jamais rien de tel ne lui était arrivé. Il appelait désespérément une détente et savait qu'il n'y en aurait aucune. La fillette toute en jambes et en nattes était la femme de Larry Thomas, mais c'est lui, Craig Thomas, qui aurait dû l'épouser. Il jugea cette pensée criminelle, impensable, et qu'un homme fort la chasserait par sa propre volonté. Mais son admonition s'effondra devant la certitude qu'il n'avait jamais été et ne serait jamais un homme fort. Il allait envoyer des fleurs à leur chambre. C'était permis. Cela se devait même. Elle serait contente. Son visage s'éclairerait d'une douce lumière. Elle dirait à Larry...

Craig Thomas secoua sa transe, descendit de voiture et, de son allure la plus militaire, pénétra dans un bureau de tabac. Deux deuxièmes classes qui traînaient par-là et n'étaient point tenus au salut à l'intérieur se raidirent néanmoins à son aspect sombre.

— Oui, monsieur? questionna le propriétaire.

— Où est la fleuriste la plus proche? demanda-t-il d'un ton sévère.

Quand il sortit, il ne se rendit que vaguement compte que la conversation reprenait derrière lui avec un rire gêné.

— Jésus! s'exclama un des deuxièmes classes. Ce type-là, envoyer des fleurs? C'est sûrement pour un enterrement!

3

LE caporal Tyce n'était jamais satisfait du travail du simple soldat Henry Smith, mais vérifiait et revérifiait, contrôlait et recontrôlait, lançait autour de lui des regards farouches, cherchant la circonstance qui lui permettrait de bondir sur sa victime, à moins qu'il n'offrît à Henry l'avantage d'une conférence éducative sur l'anatomie et les émotions de la femme.

— Vérifiez l'huile! ordonnait le caporal Tyce, promenant tout autour de l'appareil un visage sardonique, ouvrant le distributeur pour regarder dedans.

Henry Smith avait déjà vérifié l'huile.

— C'est fait. O. K.

— Quoi? Vérifiez de nouveau! (Benton Tyce ajoutait) : Ici, ce n'est pas un garage. Nous devons être sûrs de tout. Ainsi voyez ces bougies d'allumage. Il y a une pointe un peu brûlée.

Je pourrais la nettoyer, pas vrai? Très peu pour moi! Un nouveau jeu complet de bougies, voilà ce qu'il faut!

Henry Smith déplaça sa vaste personne pour recommencer la vérification de l'huile. C'était un jeune homme patient, mais il n'était pas heureux dans l'armée. Il souhaitait voler et il était un rampant, un mécanicien d'aviation. Oh! certes! c'était un beau travail, attentif et minutieux, dont dépendaient beaucoup de vies. Toutefois, les critiques zélées du caporal Tyce lui enlevaient sa fierté, semblaient indiquer que jamais son travail n'était accompli de manière irréprochable. Henry savait qu'il le faisait bien, mais il ne pouvait pas discuter avec Tyce; Tyce le rembarrait sous un déluge de mots avant même que sa propre pensée eût le temps d'être formulée complètement en son esprit.

— O. K. pour l'huile, dit-il.

— Change-la! fit Tyce, penché sur le distributeur. Nous sommes dans l'armée. Personne n'y a jamais obtenu de médaille pour avoir fait des économies.

Henry continua de pivoter. Drainant, lavant, remplissant de nouveau, essuyant tout, sans laisser tomber la moindre goutte sur le plancher du hangar. Parfois il se disait qu'il était un mécanicien plus soigneux que le caporal Tyce. Mais il n'arrivait pas à marquer le coup.

Et maintenant Tyce, après un regard en biais à Smith, paraissait satisfait.

— Qu'est-ce que vous faites ce soir, Smith?

— Lirai un manuel de vol.

— Pas moi, ricana Tyce. J'ai un autre livre à lire. Ma bibliothèque est à Boomtown (1).

(1) Mot fabriqué pour désigner une ville-champignon, une ville factice en constructions légères, poussée à la suite d'une pointe subite de prospérité, près d'une mine récemment ouverte, d'un camp d'aviation nouvellement établi, pour fournir des denrées et surtout des distractions.

Henry répondit d'un léger mouvement d'épaules.

— Voler! (Le caporal Tyce renifla de mépris). Ce qu'il vous faut, mon garçon, c'est prendre votre élan et voler de vos propres ailes. Je me demande comment un type de votre genre peut bien venir d'une ville!

La gorge du soldat Smith se serra brièvement. Quand le caporal Tyce parlait de la sorte, la colère d'Henry fondait, et il demeurait surpris et honteux de se sentir comme fasciné.

Tyce regarda Henry avec une joie cruelle.

— Il faudra une femme pour faire un homme de vous. Vous feriez mieux de venir avec moi ce soir, Smith. Il n'est que temps que vous ayez une copine!

— J'avais une camarade...

— Pas du tout ça que je veux dire. Je veux dire dans un lit. (Il ajouta insidieusement :) Nue. Vous savez. Sans vêtements sur elle. Et vous habillé pareil.

Henry rougit violemment sous l'œil sarcastique de Tyce.

— Ouais! Ben sûr! (Tyce rit.) C'est ce que je pensais. Je vais vous dire ce qu'il faut faire. Vous allez en ville et vous vous baladez jusqu'au moment où vous cueillez une fille sur le trottoir. Je ne veux pas dire que vous l'enlevez du sol pour l'emporter. Non, Smith. Quand vous en rencontrez une qui vous plaît, vous vous débrouillez pour lier conversation. Il n'y a que l'embarras du choix, dès qu'on a des yeux pour voir. Et puis vous vous arrangerez pour qu'elle accepte une promenade par l'autobus jusqu'à Bayshore Park (1). Voilà une documentation utile. Est-ce que vous me suivez bien?

— Je sais où se trouve Bayshore Park, admit Henry, j'y suis allé nager.

— Un type dans votre genre devrait faire des no-

(1) Bayshore : rivage de la baie. Parc situé au bord de la mer.

tes sur tout cela et les prendre par écrit! Bon. Vous savez comment on y va, c'est déjà quelque chose. Vous emmenez votre conquête à Bayshore, vous louez des maillots de bain et vous allez nager. Après quoi vous êtes fatigués et vous vous allongez au repos sur le sable. Et puis peut-être lui offrez-vous des hot-dogs (1). Et, quand l'obscurité commence à tomber, vous décidez d'aller faire une promenade.

Henry demeurait silencieux, sous le double effet du ressentiment et du désir d'en savoir davantage.

— Vous vous dirigez du côté où sont les rochers. Vous grimpez pendant un moment. Et puis vous vous asseyez pour vous reposer. Il y a par là une petite crique abritée. Mais, chaque fois que vous m'y verrez, mettez les voiles.

Henry Smith eut un rire gêné :

— Vous avez bien arrangé tout ça, pas vrai?

— Dites, j'ai l'expérience. Vous vous blottissez contre la belle. Et vous l'embrassez, bien serrée. Si elle a l'air de vouloir se dégager, vous la serrez d'un peu plus près et vous l'embrassez de nouveau, et ce jusqu'à ce qu'elle se calme. Question de technique.

Henry détourna la tête afin que les durs yeux amusés de Tyce ne pussent voir sa respiration précipitée. Il se rappelait qu'une fois, à la fenaison, il s'était trouvé assis à côté d'Eloïse Powell et que, quand il l'avait embrassée dans l'ombre, ses lèvres étaient humides et chaudes. Mais le char avait versé, et, lorsqu'ils s'étaient tous retrouvés en haut du foin, Eloïse était assise près d'un autre, Harry Wilson. Il s'en souvenait, parce que, quelques minutes plus tard, il les avait vus allongés, aux bras l'un de l'autre, sur le foin. Et il pensa que cela aurait aussi bien pu être lui que Harry.

(1) Hot-dogs : chiens chauds. Sorte de petites saucisses grillées que l'on vend un peu partout aux U. S. A., comme jadis au coin des rues parisiennes les pommes frites et aujourd'hui encore les marrons chauds.

— Quand elle s'apaise un peu, vous vous remettez à l'embrasser et vous pouvez vous rendre compte qu'elle s'échauffe à ce que... mais tout ceci est du bien perdu quand on le verse dans les oreilles d'un garçon comme vous, Smith. Arrêtez-moi si ça ne vous intéresse pas.

Tyce riait, mais il y avait une bizarre résonance dans son rire.

— Ça va comme ça, répondit Smith, vous pouvez la fermer.

— Alors vous passez votre main et vous faites glisser l'épaulette de son maillot de bain. Il se peut qu'elle tente de s'échapper, c'est à vous de tenir bon et de l'embrasser comme il faut. Avez-vous déjà senti les seins d'une femme dans l'obscurité, Smith?

Henry ne pouvait parler. Tout au plus secouer la tête. Négativement.

Un pas autoritaire retentit dans le hangar, et un sergent parut.

— Smith, vous pouvez vous joindre à ce peloton (il lui indiqua un groupe qui progressait de l'autre côté du camp) pour aller recevoir votre troisième vaccin antityphoïdique.

Henry Smith gagna le point indiqué. Son pouls battait la chamade. Il souhaitait revoir Tyce et entendre la suite. Mais il la connaissait. Il avait souvent entendu les hommes en parler entre eux. C'était à peu près leur unique sujet de conversation. Cette conversation-ci le laissa mal à l'aise. A moins que ce ne fût le vaccin antityphoïdique? Il se le demanda. Après le souper, il envoya le livre à la volée sur son lit, enfonça son calot sur le côté de sa tête et sortit.

— Besoin d'air, grommela-t-il à sa propre adresse, pour se fournir une excuse. Ses jambes solides le portèrent d'un bout à l'autre du camp, au-delà des baraquements, au-delà des salles de mess et des dépôts, tous peints de bandes et de rayures de diverses couleurs afin de les camoufler à la vue des avions. Il en détestait l'ensemble et le détail. Il avait le mal du pays, pis que cela il avait le mal du désespoir!

Il était venu ici pour être pilote, pour jouer à cache-cache avec un avion éclatant, pénétrant dans les bancs de nuages pour en ressortir à toute allure par l'autre extrémité. Il avait rêvé au babillage de la mitrailleuse qu'il verrait sous ses ailes et au tonnerre du canon démuselé à l'avant de son avion qui enverrait tourbillonner dans la mort un Zero japonais ou un Messerschmidt allemand. Il ne serait pas, il n'avait jamais imaginé qu'il pût être le simple soldat Henry Smith, le grand garçon lent et lourd qui mettait son nez dans des bouquins à tous les instants où il n'était pas la victime du caporal Tyce. Il serait le lieutenant Henry Smith, peut-être même Hank. Et, peut-être aussi, un héros comme Eddie O'Hara.

Tout cela s'était évaporé dans la salle d'examens, chaude et dense, le matin où on lui avait fait passer l'épreuve d'affectation dans l'armée de l'air. Quand un problème de mathématiques élémentaires (qu'il avait réussi vingt fois en se jouant pendant ses années au petit collège de sa petite ville) lui avait paru plus compliqué que la théorie d'Einstein. Il put lire son échec dans les yeux de l'examinateur, l'entendit dans la voix de l'officier qui lui assignait un emploi de mécanicien. Il envisagea la désertion : s'il obtenait un emploi dans une usine travaillant pour la défense, il ferait sa part, ce ne serait pas abandonner à l'heure du danger son pays en guerre. Tout, ou presque tout, vaudrait mieux que de rester ici, vêtu d'une salopette, à porter une clé anglaise, à prendre les ordres du caporal Tyce et à regarder le ciel où d'autres apprenaient à manœuvrer les commandes, à faire atterrir et redécoller les lourds et gauches biplans, où d'autres volaient sur les rapides avions d'entraînement, les autres, tous les autres qui ne le valaient pas tous, mais qui, un jour, obtiendraient leurs ailes et rentreraient au pays se pavaner devant les filles.

Smith, le simple soldat Smith! Ça ne le contrariait pas tellement d'être un simple soldat. Ce qui le bouleversait, c'était de voir tourner et virer tout là-haut ces ailes jaunes, de savoir que jamais il ne frémirait aux vibrations du moteur prêt à s'élancer, qu'il n'éprouverait jamais sous la main la subite légèreté des commandes annonçant que les roues avaient quitté le sol.

« Rampant! se disait-il à lui-même. (Et ses propres pensées le narguaient.) Rampant! Tu voulais devenir un aigle, et voilà ce que tu es, un rampant! »

De loin, de haut, parvint un ronflement profond, étouffé. Il savait ce que c'était. Le gros bombardier de Mac Dill en patrouille de nuit. Il s'était imaginé dans un appareil de ce type, quatre moteurs géants obéissant à son toucher, il avait prévu les paroles qui lui viendraient quand il aurait à se servir du téléphone — comme ils faisaient dans ce film qu'il avait vu sur la R. A. F.

« Bombardier à pilote. Nous arrivons. Tiens bon, Hank.

» — Pilote à bombardier. Droit devant. Vise droit, garçon.

» — Droit comme un I. Fixe maintenant.

» — Fixes nous sommes.

» — C'est en vue. (D'une voix exultante.) Je lâche les œufs! »

Et puis l'éclair pourpre des bombes trouvant leur but beaucoup plus bas, la secousse physique qui fait bondir et trembler même la grande forteresse.

Pendant quelques instants, il oublia qu'il était le simple soldat, le rampant Henry Smith, et il fit virevolter la grande nef aérienne, la ramenant à sa base.

Lorsqu'il eut regardé le bombardier de Mac Dill jusqu'à ce qu'il fût hors de vue, Henry Smith s'aperçut avec quelque gêne qu'il avait marché jusqu'à l'hôpital. Le docteur Thomas y travaillait, et, parce que le docteur Thomas était aujourd'hui le major Thomas, il souhaitait éviter la rencontre. Il traversa la rue et parvint à un parc à voitures réservé au corps médical. Son intention était de couper de là vers une rue de baraquements, mais, lorsqu'il leva les yeux vers une voiture proche, le soldat Henry Smith s'arrêta. Assis au volant, le major Thomas le regardait.

Henry Smith se tourna vers la voiture et s'arrêta pour saluer. Craig Thomas salua en réponse, et les yeux froids ne le reconnaissaient pas.

— Monsieur, dit Henry, monsieur, je regrette beaucoup. Mais je n'avais jamais essayé de... Je veux dire jamais je n'ai eu l'intention de vous estamper.

— Comment? fit Craig, l'apercevant pour la première fois.

— Pour les cinquante-cinq dollars, je veux dire, expliqua le soldat Smith. Vous les auriez eus, voici plus d'un an. Seulement, j'ai perdu mon emploi. Et après j'ai été mobilisé. Et maintenant voyez dans quel pétrin je suis. Me voilà deuxième classe, et vous major. Si un major peut accepter de l'argent d'un soldat, alors O. K., je puis vous payer tout de suite. Et c'est ce qui m'irait le mieux, parce que après ça, je n'y penserais plus. Mais ce que je veux dire, c'est si le major ne va pas se sentir offusqué... insulté... à cette idée... Enfin voilà, je ne savais vraiment que faire... Jamais je ne m'étais trouvé dans un pétrin pareil.

Craig grogna. Une lueur d'humour dansa au fond de ses yeux. Cet homme à l'allure de grand gamin, aux cheveux blonds, au long visage, au nez légèrement retroussé, commençait à retrouver une place dans ses souvenirs, parmi tous les gens qu'il avait soignés ou aidés. Mais rien de plus complet ni de plus précis ne se dessinait. Donc il ne dit rien.

— J'ai bien payé quatre-vingt-quinze dollars déjà, reprit Henry Smith. Et peut-être bien que la note était un brin salée pour enlever un appendice. Mais je n'ai pas voulu me plaindre : ça m'a sauvé la vie.

— Aucun ennui depuis? questionna Craig.

— Non, monsieur, non. Je vous dis, vous m'avez vraiment bien retapé, monsieur.

— Du fait de la guerre et de votre mobilisation, dit Craig, la note est considérée comme payée.

— Merci, monsieur. Sans doute c'est très bien comme ça pour vous. Et ça devrait être pareil pour moi. Mais je ne peux pas. C'est ça l'ennui. Tenez, votre voiture. Un coup de peinture ne lui ferait pas de mal. Je travaillais dans un garage autrefois.

Avec un peu d'impatience, Craig répéta :

— J'ai dit que la note est payée.

— Je ne sais que faire de mon temps disponible, insista Henry Smith. Et conduire? Est-ce que je ne peux pas vous conduire?

— Non. Je conduis moi-même.

A cette minute, Craig fut envahi d'une hésitation.

— Je me souviens de vous. Je me souviens de votre appendice. Bizarre que votre nom m'ait échappé.

— Henry Smith, monsieur.

— Henry Smith, vous pouvez me rendre un service. Conduisez cette voiture à l'hôtel des Oléandres. Mon frère et sa femme y sont arrivés aujourd'hui. Dites à Mrs Thomas que cette voiture est à sa disposition pour aller à la recherche d'un appartement. Voulez-vous faire cela?

— Oui, monsieur. Bien volontiers. Je ferai cela et je ramènerai la voiture ici. Et ce n'est pas seulement à cause de l'appendice. Une fois mon travail terminé, je ne sais vraiment que faire de moi-même la moitié du temps.

A l'entrée de l'hôtel, lorsqu'il arrêta sa voiture,

le portier, voyant son uniforme de simple soldat, lui fit signe d'avancer :

— Allez plus loin. Le parc est après le coin. On ne parque pas ici.

Le soldat Smith embraya aussitôt... Puis il fut saisi d'un remords.

— Ecoutez, dit-il.

Mais le portier n'écouta rien et répéta :

— Allez parquer après le coin. Tournez le coin.

— Ecoutez, reprit Henry. Il venait livrer la voiture du major Thomas et pour rendre service à une dame. De quoi cela aurait-il l'air si la dame était obligée de marcher et de « tourner le coin » pour trouver la voiture? Son cœur se raffermit.

— C'est la voiture d'un major, dit-il.

— Que vous dites! fit le portier.

— Que je dis! répliqua Henry. Et que c'est! C'est la voiture d'un major. Et vous, à votre avis, qu'est-ce que vous êtes?

— Insolent avec ça? Allez, enlevez la voiture.

Henry Smith descendit sur le trottoir.

— C'est la voiture d'un major. Et, si quelqu'un la déplace, ce sera vous. Et si vous la déplacez...

Il carra ses robustes épaules, les secoua et passa devant le portier. Evidemment, ça ne ferait pas bien d'engager une bagarre au sujet de la voiture du major. Henry n'aimait pas la bagarre. Mais il se sentait content de lui pour avoir parlé avec une telle fermeté et, pour la première fois depuis qu'il était dans l'armée, il sentit son échine se redresser. Il n'hésita qu'un moment à la porte : l'hôtel, toujours bondé d'officiers avec leurs femmes, était un lieu à éviter. Mais il avait derrière lui l'autorité d'un major. Il marcha d'un pas sûr vers le bureau et donna à l'employé un message pour Mrs Thomas. En attendant la réponse, il se tenait entre le garde-à-vous et le repos, inclinant progressivement vers le repos.

Deux dames sortirent de l'ascenseur et, d'après le signe de tête de l'employé, se dirigèrent vers Henry.

— Je suis Mrs Thomas, dit l'une d'elles.

— J'ai amené la voiture du major, dit Henry, tenant la porte ouverte pour les laisser sortir.

La voiture était rangée le long du trottoir, et le portier, évitant l'œil justicier d'Henry, aida les deux dames à y monter.

— Le major n'en a rien dit, mais, si cela vous est agréable que je vous conduise, il me serait facile de le faire. Je suis le soldat Smith. Henry Smith. Je suis bon conducteur.

— Eh! mais, ce serait très aimable à vous, soldat Smith, répondit Joan.

Il prit le volant et embraya. Une chaleur heureuse était en lui. Ces dames étaient de grandes dames, pensa-t-il, mais il avait fait, lui, toutes choses exactement, et un portier qui voulait les obliger à contourner l'hôtel pour gagner le parc à voitures méritait ce qui pouvait lui arriver.

— Je vous en prie, dit Henry Smith à Mrs Thomas. Quoi que vous souhaitiez, dites-le, tout simplement. Je suis un ami du major Thomas.

— Vraiment? demanda Joan avec un sourire.

— Oui, madame! assura l'autre emphatiquement. Je fais des tas de choses pour lui.

-:-

De l'autre côté de la grand-route qui marquait la limite du comté, étincelaient les lumières de Boomtown; de ses rues couvertes de sciure de bois, la poussière s'élevait en une brume rosâtre sous l'effet de centaines d'orteils chaussés de souliers du dernier modèle. Ni la vue du drapeau, ni le son du clairon ne parvenaient jusque-là. Quelques kilomètres discrets — et la ville d'Oléandres — séparaient Boomtown du camp; l'un et l'autre dataient à peu près du même moment : celle-là ayant surgi presque aussitôt après celui-ci, de sorte que les enseignes voyantes de la Grande Roue, du jeu de quilles, la tente à rayures rouges et blanches abritant l'entrée du Chapeau de bronze, l'ornementation éclatante en métal chromé du bal Bijou n'étaient pas encore ternies par le vent et la pluie.

Au bal Bijou, des corps étroitement tassés ondulaient et se déplaçaient dans la mesure du possible aux sons de l'orchestre Issy Knowlson, et, de temps à autre, un jouvenceau enthousiaste entraînait hors de la masse sa partenaire parfumée pour se livrer aux libres joies du jitterbug. Les engrenages de la Grande Roue craquaient et grinçaient, mais elle avait peu d'amateurs : le contact corporel, rythmé par la musique du Bijou ou de l'*Alligator-Club*, lui faisait un tort qui croissait chaque soir. Nombreux enfin étaient ceux qui visitaient, en bordure de Boomtown, la cité des roulottes, où des foyers roulants, qui avaient jadis porté de grandes espérances vers la Californie ou la Floride, étaient immobilisés aujourd'hui sur des roues déchaussées de leurs pneus et s'ornaient de noms propres à piquer la curiosité, tels que *La Cachette, Paradis, Sweet Home, Hôtel Ritz.*

D'une roulotte en pégamoïd gris et marron nommée *La Solitaire,* sortit Dolly Varn. Elle s'arrêta un instant à la porte pour vérifier s'il ne demeurait nulle trace du soldat de première classe qui venait de la quitter. Après quoi, elle secoua devant la glace ses cheveux roux, vérifia une dernière fois son maquillage, éteignit la lumière et ferma la porte à clef, car elle avait soixante-douze dollars cachés sous le combiné lit-divan-table-dînette, et les filles n'étaient pas toutes pures de cœur.

Elle marchait délicatement à travers les rues cahoteuses et se frayait son chemin vers l'*Alligator-Club*; ses mouvements étaient d'une distinction attentive. Consciente de sa situation sociale, elle avait étudié, dans les films les plus raffinés, des gestes et des expressions qu'elle s'était appliquée à reproduire, si bien qu'un piqué de cinéma, voyant évoluer

Dolly Varn, pouvait s'offrir, en illusions successives, la contemplation de ses diverses héroïnes favorites. Parfois, Dolly méditait sur la négligence — et le manque d'attirance qui en résultait — des filles « bien », comparées aux demoiselles de vie sportive qui se lavaient plus et mieux, se fardaient plus net et donnaient une attention plus avertie à leur coiffure, à leurs cosmétiques, à leur parfum. Il lui arrivait, dans ses minutes oisives et à ses instants solitaires, de penser qu'elle deviendrait quelque jour, si les choses se présentaient de façon favorable, une fille « bien », mais avec un sérieux avantage sur les autres, sur celles qui l'auraient toujours été.

Un soldat s'écarta sur le sentier pour la laisser passer, mais dit :

— Hello, ma cocotte !...

— Bonsoir, fit dignement Dolly, qui ajouta, au bout d'un instant d'hésitation : Vous cherchiez quelque chose ?

— Ouais. Je cherche. Où donc est la roulotte qui s'appelle, euh ! qui s'appelle *Deux Cigarettes dans l'Ombre*.

— Oh ! Celle-là ! fit Dolly Varn, avec une pointe de mépris. C'est celle-là, à droite. La machine en aluminium !...

Elle continua sa route, sentant entre ses épaules le regard du soldat qui n'était pas encore reparti dans la direction indiquée.

Arrêtée sur le seuil de l'*Alligator,* Dolly, du coup d'œil avisé familier aux directeurs de théâtre, évalua la salle. Le bar, le parquet de danse, les encoignures, tout était copieusement kaki. La fumée des cigarettes s'étalait en branches épaisses, s'étirait en cordes, s'enroulait en volutes. Dolly n'avait pas la mauvaise habitude de fumer constamment, mais elle tira néanmoins de son sac un paquet de cigarettes et en fixa une dans un long porte-cigarette vert. Elle trouvait que cela faisait distingué. Et elle n'aimait pas du tout les traces jaunes qui salissaient les doigts de certaines filles.

D'une démarche tantôt onduleuse et tantôt directe, soigneusement combinée, Dolly Varn gagna le bar.

— Bonsoir, Art, dit-elle.

Et le garçon du bar sourit.

— Bonsoir, Dolly, répondit-il.

Bon garçon, il agissait toujours comme si les filles n'avaient pas encore paru dans la salle, comme si c'était leur première visite de la soirée.

Elle connaissait les insignes et les grades et prit, en conséquence, place à côté d'un caporal d'aviation, bien qu'elle lui trouvât un visage sarcastique.

— Un jus d'orange, Art.

— Faut boire quelque chose de plus fort, la Rouge, dit le caporal. Qu'est-ce que vous en pensez?

Dolly eut un vague mouvement de tête : les hommes respectent un air distant et non une excessive familiarité.

— Rien ne nous oblige à rester debout, insista le caporal. Vous pouvez parquer votre ambulance (1).

Nouveau signe de tête distrait. Le caporal se dirigea vers un box. Elle le suivit.

— De la bière, commanda-t-il.

Car c'était la boisson la plus forte que l'on pût obtenir au club, bien que des comptoirs voisins autrement organisés fissent d'excellentes affaires.

— Un jus d'orange, confirma Dolly.

— Oh! sans blague!... Ça va, ironisa pesamment le caporal. Est-ce que je ne vous plais pas?

— Le jus d'orange coûte plus cher que la bière, si c'est cela qui vous préoccupe.

— Alors, tout va bien, dit-il. Et je vais corser votre jus d'orange.

Il exhiba un flacon d'un quart de litre, mais Dolly couvrit d'une main manucurée le haut de son verre.

— Au diable! dit le caporal, qui but au goulot

(1) Allusion aux femmes conductrices de voitures d'ambulances pendant la guerre.

une longue gorgée et la chassa d'une longue gorgée de bière. Est-ce que vous travaillez ici, ma cocotte? Ou si vous êtes une grande dame en visite dans les bas-fonds?

Elle le trouvait carrément déplaisant. Il avait une expression impatiente, affamée, et elle décida qu'il avait mauvais caractère. Mais elle tenait une réponse prête pour toutes les questions :

— Qu'est-ce que vous en pensez?

— C'est ce que je vais découvrir, déclara-t-il.

Elle eut encore son hochement de tête vaguement distant. Car il était probable que tout était décidé maintenant. Le caporal but une nouvelle goulée de whisky, la fit suivre par la fin de sa bière, cogna son verre sur la table et commanda :

— De la bière! Et vous, quoi? Toujours du jus d'orange?

— Je vous en prie, répondit-elle.

Il s'adoucit :

— Drôle de numéro! Vous n'êtes pas un bec salé! Avez-vous une amie?

— J'ai ma roulotte à moi, dit-elle avec une fierté légère.

Cela aussi faisait distingué.

— Et moi j'ai un deuxième classe qui manœuvre la clé anglaise pour moi, répondit-il, dans une soudaine poussée d'expansion. Je ne connais pas un type moins dessalé que lui. Parierais bien qu'il n'a jamais eu une fille de toute son existence. Un de ces jours, je le traînerai jusqu'ici, histoire de rire. Ça le réveillera, il en a besoin. Il ne sait pas se débrouiller.

— La mobilisation a fait de drôles de choses, admit Dolly.

Les soldats aimaient beaucoup cette phrase qui leur servait judicieusement : cela les amusait, parce que c'était toujours dit à propos de quelqu'un d'autre! Dolly la plaçait en souriant, et ses dents étaient jolies. Elle avait étudié, non sans difficulté, les annonces de produits dentifrices pour découvrir celui qui blanchissait le mieux.

— Vous êtes un drôle de petit numéro, répéta le caporal. Combien?

Dolly Varn ne trouvait pas cette question embarrassante du tout, mais fort importante, comme n'importe quelle question de salaires ou de gages.

— J'aime voir ce que les messieurs décident.

— Ne vous offrez pas ma tête. Trois?

— Est-ce là se conduire en monsieur? questionna-t-elle.

Puis, sachant fort bien que c'était raisonnable, mais parce qu'il lui déplaisait, elle dit :

— Cinq dollars.

— Des dattes! fit le caporal. Ecoutez, ma cocotte...

Décidément elle ne l'aimait pas.

Il cogna son verre sur la table et prit à son flacon une gorgée finale.

— De la bière! Voulez-vous encore de ce jus d'orange?

La direction du club tenait à ce que les filles fissent monter la note. De plus, le jus d'orange est excellent pour le teint. Dolly Varn acquiesça d'un signe de tête.

— O. K., déclara l'autre en soufflant une haleine amère. O. K. Vous avez gagné.

— Il faut que nous fassions un tour de danse, fit Dolly.

La danse entraînait une légère taxe, et la direction encourageait également ce sport.

— Pas moi! déclara le caporal.

Dolly se leva :

— Rien qu'une petite danse.

Il se leva de mauvaise grâce :

— On dirait que c'est vous qui payez cette soirée au lieu que j'en fasse les frais!

Dolly Varn dansait bien, avec n'importe quel partenaire. En y mettant un peu du sien, un peu d'allant, la danse aidait beaucoup à dégeler les garçons, à éveiller leur sympathie.

C'était généralement pendant la danse que les conditions de l'accord étaient discutées, le soldat isolé parlant avec avidité d'une voix sourde et enrouée, la fille répondant tout bas, entre deux éclats de rire, le tout dans l'enveloppement de la musique et le claquement des fins talons. La direction insistait de façon absolue sur une conduite décente, un air de respectabilité. Un couple ne pouvait se rencontrer, lier brièvement connaissance et partir.

En regagnant la table, Dolly Varn glissa dans la main du caporal une clef à laquelle était attachée une étiquette portant le nom de la roulotte : *La Solitaire*. Il n'y avait aucun besoin de la clef, mais elle représentait une promesse de secret, de mystère, sans compter que l'étiquette était fort utile aux distraits et à ceux qui manquaient de mémoire. Mais il arrivait qu'un soldat changeât d'avis ou égarât la clef. Et Dolly n'aimait pas l'idée que les clefs de sa roulotte allassent à la dérive n'importe où. Aussi la clef qu'elle remettait à son partenaire du moment n'allait-elle pas sur la serrure.

— Il faut attendre un peu, vous savez. Deux ou trois minutes.

— Naturellement.

Dans la roulotte, elle enleva sa robe. Automatiquement, elle passa la main sous son matelas : l'enveloppe de bons de guerre où elle mettait aussi son argent, s'y trouvait bien. La plupart des filles avaient la fibre patriotique et avaient souscrit un bon de guerre.

Elle était allongée, nue dans l'obscurité, quand un pas écrasa le marchepied et fit craquer le bois, tandis qu'une clef farfouillait inutilement la serrure de la porte entrouverte.

— Entrez, dit-elle à voix basse, employant prudemment une salutation passe-partout : C'est vous, mon petit?

— O. K., bébé.

Elle l'entendit se mouvoir dans l'ombre, la boucle de son ceinturon claqua contre le dossier de l'unique chaise, mais quelque chose dans les manières de l'homme la gênait. Elle avertit :

— Otez vos chaussures, mon petit.

L'homme grogna, mais, l'une après l'autre, les chaussures heurtèrent le plancher.

Quand il fut parti, elle alluma pour se rhabiller et se regarda hausser les épaules devant son miroir. La plupart des hommes étaient des garçons bien. Mais elle se dit qu'aucune fille ne pourrait jamais avoir confiance en ce caporal. Il y avait quelque chose en lui qui n'allait pas. Cette pensée éveilla une crainte : passant la main sous son matelas, elle découvrit que l'enveloppe manquait.

Dolly Varn ne poussa pas de cris pour ameuter les alentours, comme n'eussent point manqué de le faire certaines filles, et elle ne jura pas comme l'eussent fait d'autres. Mais son sang bondit, enflammé par cette brûlante insulte. Elle regarda vivement le miroir pour saisir son expression.

— Ce n'est pas seulement l'argent, expliqua-t-elle pathétiquement à son image, c'est le principe. Voilà. C'est le principe.

Elle considéra son double qui lui faisait face : elle avait un joli petit visage sous son abondante crinière rousse et de douces épaules minces, champ des batailles qu'elle livrait perpétuellement aux taches de rousseur. Elle leva les mains, doigts étendus, et demanda :

— Comment des gens de cette sorte peuvent-ils vivre? Comment peuvent-ils *eck-zis-ter*? Cet homme n'est pas un vrai soldat. Ce doit être un espion.

Son teint était parfait. Son maquillage aussi : elle l'examina attentivement dans la glace, ébouriffa ses cheveux avec le maximum d'effet et se jugea prête à regagner l'*Alligator*. Il lui manquait quelque chose... Comme elle regardait autour d'elle, ses lèvres se tordirent de fureur, sa colère flamba comme une fusée.

— Oh! le pou! s'écria-t-elle. Il n'a même pas laissé la clef.

Elle prit une autre clef dans une boîte à raisins vide, dans la kitchenette, et se dit qu'elle mettrait les autres filles en garde contre ce caporal.

Mais sa seconde pensée fut que les filles n'avaient qu'à se tirer d'affaires elles-mêmes.

4

JOAN avait trouvé un appartement. Ce n'était pas ce qu'elle aurait voulu et le prix atteignait le dernier cran, celui qu'un lieutenant ne pouvait vraiment pas dépasser. Comme pour les autres appartements du camp Buchan, l'histoire de celui-là était celle des arrivées et des départs de lieutenants ou de capitaines avec leurs familles, déménageant au gré de la navette des mutations. Ce n'était qu'un logis où accrocher ses vêtements dans une penderie, où laisser tomber un magazine à côté d'un fauteuil.

Dans la kitchenette-salle à manger, elle avait mis du papier propre sur les rayons au rebord desquels étaient accrochées les tasses. Des tasses entières, des tasses ébréchées, des tasses fêlées. Dans la chambre à coucher-pièce commune, une tuile était fendue au dessus en céramique de la table à café en fer forgé; Joan la couvrit d'un mouchoir gaiement colorié. Elle s'efforça de disposer le tapis de la grande table de manière à couvrir le plus possible des brûlures de cigarettes. Elle aurait aussi voulu écarter cette table du mur même que marquaient des éclaboussures, mais elle dut y renoncer, faute de place. Elle se demanda combien de temps la blanchisseuse garderait les rideaux.

Elle adressa un sourire à la fois mélancolique et compatissant à Mary Waller qui venait de découvrir un appartement à peu près identique : seule différait la couleur du couvre-lit.

— Voici notre premier foyer, dit Joan, qui ajouta en riant : Cela n'a aucune importance, c'est la guerre.

— Pas de danger qu'un homme s'en tracasse, si vous ne vous en tracassez pas, dit Mary Waller. Vous serez effarée, croyez-moi, de la quantité de choses qu'ils ne remarquent jamais !

Mary était toute brune, cheveux, yeux, robe, chaussures, tout était assorti, avec une grande bouche très rouge et, entre les sourcils, un perpétuel petit pli de bonne humeur. Joan avait eu de la chance de la rencontrer. Elle et son mari, le lieutenant Chuck Waller, étaient arrivés par le même train que le couple Thomas; les deux hommes, Larry et Chuck, avaient fait en même temps leur entraînement et s'appréciaient déjà. Une prompte sympathie avait uni les jeunes femmes qui s'étaient livrées ensemble à la course aux appartements et s'efforçaient à tirer au clair, ensemble, les divers problèmes ménagers qu'elles avaient à résoudre.

— Et surtout, insistait Mary, avec son habituelle bonne humeur, ne pensez pas aux détails, Larry aimera l'ensemble. N'importe quel endroit où vous serez, Larry l'aimera.

Joan enleva les rideaux et les roula en boule avec une colère feinte. Mais la réflexion de Mary avait touché quelque chose en elle, l'avait émue d'un frisson heureux. Elle sentait à présent, depuis qu'elle avait rencontré Craig, que la vie lui avait distribué un rôle intrigant et dramatique, et pas seulement aux côtés d'un homme, mais de deux. Avec Larry, il fallait de la gaieté, mais une gaieté moins téméraire, moins déchaînée, que sa gaieté à lui. Avec Craig, qui était, bien qu'il ne s'en rendît pas compte, un sans-foyer et qui travaillait sous une tension constante, il fallait une amitié, une sécurité grave et fraternelle qui lui fût reposante. Elle entrevoyait une vive joie à déployer envers tous les deux ses féminines facultés d'espoir, à comploter cordialement une organisation heureuse.

Elle répondit, en riant, à son amie :

— On assure qu'où est le cœur est le foyer. Mais beaucoup de cœurs s'entourent de plus d'espace et de meubles meilleurs.

— Oh ! après la guerre. Après la guerre, on verra. Rien n'est définitif avant la fin de la guerre.

Joan demeura immobile, sa boule de rideaux froissés entre les mains. Mary avait dit là une chose saisissante. A mesure qu'elle y réfléchissait, Joan sentait se ralentir les battements de son cœur.

— Que ferez-vous après la guerre? demanda-t-elle.

Le petit pli de bonne humeur s'effaça entre les yeux de Mary.

— J'ai découpé toute une série d'articles concernant la maison que nous aurons. J'ai un plein dossier de chambres. Et nous ne savons même pas où notre maison sera. Chuck ne veut plus entendre parler d'autre chose que d'aviation. Il était banquier, vous savez. (Elle eut un demi-rire.) J'ai épousé un aimable et sérieux garçon dans une banque. Mais il s'entraînait pendant ses loisirs. Je lui répète tout le temps que le monde sera partout bourré d'aviateurs après la guerre.

— Je le suppose aussi.

— Mais Chuck assure que c'est là ce qu'il faut, que le monde aura besoin d'être bourré d'aviateurs. Quand il part sur ce sujet, il est exactement inépuisable. Finis les trains, s'il faut l'en croire. Finis les bateaux à vapeur. Les camions ne feront plus guère que de brefs parcours de quelques milles. L'aviation sera plus importante que ne fut jamais aucun autre moyen de transport. Oh! ma tête! Je sais bien ce que, pour ma part, je souhaiterais voir.

— Mais encore?

— J'espère que Chuck aura pendant la guerre assez d'aviation pour toute sa vie. Et, quand nous entrerons dans ce splendide nouvel âge dont il parle toujours, j'espère qu'il aura un emploi juste en plein milieu. Dans un beau grand bâtiment bien solidement construit. Et assis devant un bureau.

— Oh! je vous le souhaite aussi. (Les idées de Joan étaient en effervescence, sa surprise était extrême.) Ce serait pour vous deux une excellente chose, Mary.

— Et pour vous deux? Qu'est-ce que vous pensez faire ou devenir?

— Eh bien! c'est tout à fait curieux... Cela va vous paraître étrange ou absurde... Mais, cette guerre, nous y sommes... nous n'avons jamais discuté de projets pour après... Nous n'avons jamais, à vrai dire, réfléchi à ce qui pourrait la suivre; rien imaginé de précis au-delà...

Mary Waller éclata de rire.

— Nouveaux mariés! Vous n'êtes pas mariés depuis assez longtemps pour être sortis des nuages.

Oui, c'était vrai, cela devait être ça, pensa Joan. En somme, se préoccuper de l'avenir, c'était se montrer ingrat vis-à-vis du présent. Surtout dans son cas. Surtout — elle tenta de secouer promptement cette lourde pensée — lorsqu'on est femme d'aviateur et pour ainsi dire forcée de vivre en tenant deux doigts croisés, histoire de conjurer le mauvais sort. Malgré cette affirmation de principe et malgré le geste prémonitoire, une manière de souci, de cafard léger, demeurait en elle. Et même après que Mary l'eut quittée, elle regrettait que ce sujet eût été mentionné. Larry était splendide dans son uniforme et dans sa chaude excitation combative. Il était impossible de se le représenter sans les ailes.

Il grimpa l'escalier, ou plutôt bondit plusieurs marches à la fois jusqu'à la porte, qu'il ouvrit en s'informant :

— Est-ce ici que demeurent les Thomas?

Il l'embrassa et la tint serrée contre son épaule, puis conclut : « C'est ici. » Il jeta autour de lui un coup d'œil rapide et définitif. « C'est charmant. » Il portait à la main un paquet dont l'emballage de papier vert ne déguisait pas le contenu : une bouteille a toujours l'air d'une bouteille. « J'ai acheté ceci pour baptiser les locaux. Comment se présente mon œil? »

Son œil avait beaucoup meilleure mine. C'est à peine si la contusion se remarquait encore.

— Un baiser, demanda-t-il, et il sera meilleur que neuf.

— Ouille!... s'exclama Joan, en faisant une drôle de grimace. Crois-tu qu'ils fabriquent Covermark pour l'apparence ou pour le goût? Y en a-t-il sur mes lèvres?

Il prit un mouchoir et, avec toute une mimique d'enfantillage joyeux, lui essuya les lèvres :

— Je ne veux pas les voir déparées par un œil poché! déclara-t-il. Où mettons-nous notre glace? (Il fit une pause d'un instant sur le seuil de la cuisinette, puis triomphalement :) Je commence à voler demain! dit-il.

— Oh! quelle bonne nouvelle! répondit Joan en riant.

Elle ne pouvait résister à la joyeuse humeur de Larry et trouvait son rire contagieux : imaginer un seul instant qu'elle pourrait amener Larry à formuler des plans d'avenir! Quelle idée incroyablement absurde!

Larry, qui finissait de remplir les verres, lui en tendit un :

— A nous! A notre santé! dit-il. A nous! Ni plus ni moins. (Et puis il la prit sur ses genoux.)

Raconte-moi ce que tu as fait depuis tout ce temps-là?

— Arrangé plus ou moins bien cet endroit. Mary était ici.

— Chuck passe l'examen avec moi demain. Vas-y, chérie, raconte.

— Voyons. J'ai décroché les rideaux. Et Mary disait...

— Je vois. Deux vieilles commères? fit-il, blagueur. Elle disait quoi, Mary? Même si c'est une histoire scandaleuse, je veux l'entendre.

— Elle me racontait ses projets, ses plans, ses souhaits plutôt, pour après la guerre. (En elle-même, elle s'examinait avec sévérité, s'affirmait qu'elle n'était pas en train de conduire insidieusement Larry à discuter le sujet. Mais il posait tant de questions...)

— Après la guerre? Des plans pour après la guerre? Sérieusement, tu n'as pas entendu dire qu'il fût question d'un armistice, non?

— Non. Fou!

— Ne me fais plus jamais de peurs pareilles! (Il l'admonestait d'une voix pleine de reproche.) C'est une belle guerre! Eh bien, que veulent-ils faire, eux... après?

— Elle rassemble des plans pour une maison. Des plans pour les chambres.

— Oh! Seigneur! Oh! Dieu du ciel! Pauvre Chuck! (Il souleva Joan à bout de bras et la reposa sur le sol avec un petit rebondissement.) Buvons à la santé du pauvre vieux Chuck!

— Doucement... Léger pour moi, veux-tu?

Elle aimait se sentir dans le même état de gaieté que Larry, mais les boissons telles qu'il les préparait accablaient Joan.

— C'est léger, assura-t-il en alourdissant le mélange. Je volerai donc demain. Avec un si, un petit si. Mais tout ira bien. Examen. Vérification. Chirurgien de l'air. Cœur. Yeux. Equilibre. Réflexes. Vois-tu, chérie, chaque fois qu'un aviateur change de camp, on tient pour avéré que ceux du camp précédent ne connaissaient rien à leur boulot, sans quoi ils l'auraient gardé au sol. Et alors il faut qu'il repasse par toutes les cérémonies. Et, au bout de quelque temps, ils se disent : « Peut-être bien que nous n'avons pas regardé le type » d'assez près ! » Et ils le reprennent et recommencent. Mais n'importe comment, conclut Larry, vidant son verre, nous parvenons à voler en dépit d'eux tous !

Il l'emmena au club, ce soir-là, « pour de la bière et une danse ». Comme ils regardaient autour d'eux, cherchant une table, ils virent à quelques pas, installés, Craig et Paul Blount. Joan sourit et prit la main de Larry pour l'entraîner vers eux : il lui parut sentir dans ses doigts une certaine résistance.

Lorsque Craig eut fait les présentations, le visage du capitaine Blount se fendit en un sourire. Il serra gaiement la petite main. Une présence féminine séduisante remodelait instantanément Paul Blount, lui inspirait des tas de gentilles choses courtoises, des mouvements aimables et doux, atténuait les éclats de sa voix un peu rugueuse.

— Craig m'a parlé de vous et du lieutenant Thomas, dit-il. Permettez-moi d'aller chercher une chaise. Nous sommes heureux que vous soyez ici.

— Il ne faut pas que nous vous dérangions, dit Larry, ses yeux effleurant le caducée de Blount. Je suis prêt à parier que vous et Craig mettiez, entre vous, quelqu'un sur la table d'opération.

— Vous perdriez, fit Blount en riant. Prenez un verre de bière avec nous. En fait, Craig et moi avons déjà nettoyé et stérilisé les instruments et avons même fini de les ranger depuis quelques minutes. Nous parlions de l'anoxémie.

— Le capitaine Blount est l'un de nos meilleurs spécialistes de la physiologie aérienne, expliqua Craig.

— Oh! vraiment! fit Larry.

Joan eut l'impression qu'un ressentiment soudain agitait son mari et elle intervint promptement :

— Mais encore, qu'est-ce que l'anoxémie?

— Un peu technique pour une jeune épouse, dit Blount. Et pas intéressant du tout. Nous préférerions de beaucoup offrir nos félicitations à votre mari.

— Nous pensons, fit lourdement Craig, que le défaut d'oxygénation est pour beaucoup dans le choc. La principale cause de prostration fatale est très probablement l'anoxémie cellulaire.

— Nous dirions, dans notre langage, que le type a besoin d'un remontant, chérie, glissa Larry.

Blount fronça brièvement les sourcils à cette réflexion et, avant de se tourner de nouveau vers Joan, laissa tomber sur son mari son regard froid.

— Ceci n'est vraiment pas une conversation à offrir à une dame, remarqua-t-il gentiment. Il nous serait beaucoup plus agréable de l'écouter; nous n'avons pas aussi souvent que nous aimerions la chance d'écouter une dame, Mrs Thomas. Dans l'armée, entendre une voix de soprano ou un beau contralto...

— Mais, fit Joan en souriant, c'était extrêmement intéressant. Quels rapports immédiats vers le vol?

— Eh bien! nous calculions que, si nous pouvons, dès le début du vol, maintenir très haute l'oxygénation chez les pilotes et puis les accoutumer à s'oxygéner davantage lorsqu'ils commencent à grimper...

— Un masque? demanda Larry très professionnellement.

— Un masque, oui. Mais n'oubliez pas que nous discutons théorie.

— C'est un tel embêtement qu'un masque pendant qu'on vole, capitaine.

— Oh ! bien sûr ! Et puis-je vous offrir une cigarette, Mrs Thomas ?

Joan la prit, navrée et déconcertée par l'état
d'esprit qui était devenu celui de son mari dès
l'instant qu'ils s'étaient assis à cette table, une
sorte de défi voulu, d'hostilité.

Craig parla brusquement :

— Le capitaine Blount veut dire qu'en cas de
combat aérien un pilote supporterait d'autant
mieux les blessures reçues que son oxygénation
serait plus complète.

— Et si nous pouvions convaincre les pilotes
que leur efficacité serait accrue, ils devraient
certainement être intéressés, conclut Blount.
Maintenant, dites-moi, madame, avez-vous trouvé
un endroit où vous installer pour vivre ?

Joan raconta. Elle décrivit, en touches joyeuses,
sa chasse à l'appartement, avec de brefs regards
vers son mari, jusqu'au moment où elle le vit sourire et sentit qu'il était fier de la façon qu'elle
avait de raconter une histoire.

— Et ce soldat que vous avez envoyé, Craig,
dit-elle en riant. C'est un garçon bien gentil. Il
m'a aidée à monter en voiture et à en descendre
avec autant de précautions que si j'étais... une
douzaine d'œufs.

Blount pouffa de rire et déclara :

— Nous allons boire un autre verre de bière à
la santé de ce soldat, Craig !

Le rire nerveux de Craig Thomas se joignit au
rire tranquille de Blount. Une grande joie l'avait
envahi en entendant Joan se féliciter de l'aide que
lui avait apportée le soldat, un flot de bonheur si
violent qu'il en frémissait. Il pensa qu'il remer-
cierait l'homme et le complimenterait de s'en être
si bien tiré. Il dit :

— Je suis content qu'il vous plaise.

— En nous quittant, continua Joan, il a insisté :
« tout ce que vous voudrez, madame, vous n'avez
» qu'à le dire au major. Et je viendrai et cela y

» sera ! » C'est un de vos grands admirateurs, Craig. Qu'est-ce que vous avez bien pu lui faire?

— Lui retirer son appendice, répondit solennellement Craig.

— Allons, allons, protesta Blount, ça ne suffit généralement pas à se faire un ami dévoué pour la vie. Craig, expliqua-t-il avec bonhomie, est le grand bonze. Jusqu'à ce qu'on arrive à bien le connaître. Et, quand on le connaît bien, il est encore... Allons, major, la fin de l'histoire.

— Vous supposez qu'un grand bonze doit livrer un grand secret?

— Il y arrivera, il va nous le dire, annonça Blount.

Craig souriait. Mais il n'était ni détendu ni à l'aise. Et Joan se demandait ce qui n'allait pas du côté du second frère. Et pourquoi, de tout le groupe, Blount seul semblait parfaitement placide.

— Le soldat de deuxième classe Smith, enchaîna Craig, est venu me trouver et m'a assuré qu'il n'avait jamais eu l'intention de m'estamper de cinquante-cinq dollars.

— Quels cinquante-cinq dollars?

— C'est précisément ce qui m'intriguait. Il m'a expliqué ensuite qu'il craignait que, si un simple soldat venait offrir cinquante-cinq dollars à un officier, il risquât de se réveiller à la salle de police. Il paraît qu'après l'opération il a perdu son emploi...

— Mais il est parfait, ce garçon ! assura Blount en riant. Il a tout à fait raison. Nous ne saurions admettre que nos majors pourchassent de simples soldats à propos d'une dette. Ah ! combien je voudrais avoir beaucoup de clients de ce genre, au moins cela m'amuserait de les voir se faire des cheveux. Vous ne sauriez croire, Mrs Thomas, le nombre de gens qui s'estiment quittes vis-à-vis de leur chirurgien dès qu'ils lui laissent un appendice en gage.

— Joan, dit Larry, allons danser. Excusez-nous...

Ils se levèrent, mais, la musique s'arrêtant à l'instant même, ils se rassirent.

— Je crois avoir vu votre nom sur les feuilles, ce soir, lieutenant Thomas, dit Blount. Vous venez demain matin pour l'examen général, n'est-ce pas?

— Oui, monsieur, répondit sèchement Larry. Je compte être de nouveau désigné pour voler dès demain, mais je suppose que cela dépend de... je veux dire des notes que vous porterez.

Les traits rudes de Blount furent, un bref instant, voilés de mauvaise humeur, mais ils s'éclaircirent en une grimace souriante adressée à Joan.

— N'en soyez pas préoccupée. Affaire de routine. Le lieutenant Thomas ne doit rencontrer aucune difficulté.

La musique reprenait. Larry se leva en saluant. Ils faisaient un couple splendide, et les deux officiers les regardèrent silencieusement évoluer sur le parquet. Après la danse, ils ne revinrent pas à la table. Larry prit tout naturellement le bras de sa femme et lui fit faire le tour du club.

— Il n'y a rien de tel, je crois, musa Blount. Je n'ai jamais eu de lune de miel légale de ma vie. Du moins, pas encore.

Craig but lentement sa bière. Puis :

— Vous n'aimez pas Larry.

— Vous vous trompez. Vous n'avez aucun motif pour dire cela. Bon garçon. Bon sujet. Nerveux peut-être, mais les meilleurs sont nerveux. Et cette jeune femme! Quelle merveille, Craig. N'êtes-vous pas fier d'elle?

— Elle est très gentille.

— Très gentille! (Paul eut un reniflement de mépris.) Dites donc...

Il regarda curieusement Craig.

— Paul, vous n'aimez pas Larry. Il ne vous a

pas plu. Et je veux vous expliquer quelque chose à ce sujet.

Blount s'agita. Il répétait :

— Vous vous trompez.

— Permettez tout de même que je vous explique. (La voix de Craig semblait plate, éteinte, lasse, même à ses propres oreilles.) Mais, d'abord, une autre bière.

Il se demandait s'il se sentirait épuisé ainsi chaque fois qu'il verrait Joan. La petite tension qu'elle avait subie, parant avec adresse la pointe de bouderie morose de Larry, l'avait tendu lui-même, et l'admiration qu'il avait éprouvée pour son courage et son habileté le laissait faible et désemparé. Cela, et puis aussi l'effort qu'il avait dû faire pour la regarder le moins possible, tout en prenant une part à peu près normale à la conversation.

Blount ne fit aucun commentaire quand arriva la bière fraîche : de tout temps, Craig s'était limité, avec un ferme sourire, à un unique verre.

— Larry est empoisonné, dit-il. Ce qui le tracasse, c'est toujours la même chose. Le voilà, homme fait, officier de carrière, aviateur, orgueilleux comme Satan, et sa jeune épouse à son bras. De toute sa vie, il n'a encore jamais été aussi visiblement un homme. Et l'armée le ramène juste sous son frère aîné. Pas sous mes ordres, naturellement. Mon subordonné tout de même. C'est assez pour l'exaspérer.

— Votre imagination, dit Paul.

— Vous l'avez vu. Il ne lui était pas agréable d'être assis ici. Et puis il a constaté que mon ami, son supérieur également, est l'officier qui devra décider s'il est ou non apte à voler.

— Notre amitié n'a rien à voir là-dedans.

— Non. Mais Larry voit mon influence partout, même là où elle n'est pas, dès qu'il risque d'en souffrir. Et il s'imagine que j'occupe de nouveau le siège du conducteur.

— Je n'ai pas le sentiment que vous l'ayez jamais beaucoup conduit où il ne voulait pas aller. Vous vous donnez le mauvais rôle. Si c'est ainsi que se passent les choses entre frères, je suis bien content d'avoir une sœur. Craig, vous êtes un paquet de nerfs noués, ce soir.

— Et alors?

— Parce que vous croyez qu'il voit quelque chose qui n'existe pas, vous essayez de prendre sur vous le blâme. Ecoutez, Craig, il y a peut-être d'autres moyens de dénouer un paquet de nerfs, mais, à mon avis, le meilleur moyen est encore...

— Larry est un garçon bien. Si, parfois, il se montre un peu capricieux, c'est que...

— C'est un chic type, accordé, dit Blount avec bonne grâce. Et je suis content qu'il soit ici. Mais, pour ce qui est du paquet de nerfs noués, je puis vous donner une ordonnance.

— Toujours le même conseil, pas vrai? Est-ce une habitude, un pli, chez vous autres, libertins et débauchés, de vous répéter? s'informa Craig en souriant.

— Nous répétons les vérités essentielles aussi souvent que nous en avons l'occasion. Cet avis est bon depuis l'origine des temps. Tous les grands hommes l'ont suivi. Religieusement.

— Vous aurez donc quelque jour votre statue dans un jardin public, Paul.

— A ce moment, mon propre conseil ne me servira plus de rien. Je serai mort. D'autres s'efforceront vers la grandeur. Un jour, Craig, je vous présenterai à quelqu'un... Elle ne sera pas vieille. Elle ne sera pas neurasthénique. Bonne digestion. Jeune et dispose. Dieu bénisse ce type de femme !

Craig grogna.

— Elle n'aura pas besoin de médicaments, continua Paul, de qui le sourire s'élargissait. Elle n'aura besoin d'aucune opération, sauf d'une nature simple, la plus élémentaire qui soit.

— Je lui trouverai bien quelque chose qui ne va pas. La santé est un mythe.

En regagnant ses quartiers, Craig méditait sur ses divers cas : c'étaient là des sujets auxquels il pouvait se laisser aller en confiance, sur lesquels il pouvait s'appuyer en toute certitude et tranquillité d'esprit. Il se sentait trop agité pour rester dans sa chambre spartiate à attendre l'extinction des feux. Il s'arrêta à l'hôpital et alla voir un soldat de deuxième classe qui avait tenté de se suicider en buvant de la lessive. Le cas avait donné beaucoup de mal, et il se demandait, avec ceux de son service, si ce débile en valait la peine. Tandis qu'il lui prodiguait les soins les plus attentifs, Craig n'en pensait pas moins que cela ne faisait pas partie — ou n'aurait pas dû faire partie — des devoirs d'une armée sur pied de guerre. Ce traitement était trop bon pour un être qui s'était montré aussi lâche au service de son pays.

— Bonsoir, dit-il au sergent de garde. Je m'en vais voir où en est notre gorge brûlée.

Et, bien qu'il eût coutume de refréner ses impulsions, il y céda cette fois :

— Avez-vous découvert pourquoi il a fait cela?

— Oui, monsieur. Il avait tenté d'échapper à la mobilisation parce qu'il avait peur de perdre sa bien-aimée. Et tout ça est arrivé. Il a été mobilisée. Et elle a épousé un autre type.

D'une manière ou d'une autre, réfléchissait Craig, tout le monde dans l'armée, sauf lui, semblait entouré de femmes.

Le patient esquissa un sourire et un salut de la tête. Sa gorge était partiellement bouchée à la suite des épouvantables brûlures chimiques, par la contraction du tissu cicatriciel. Craig avait dû faire une incision par où passer un tube qui plongeait dans l'estomac et dont l'autre extrémité sortait par la coupure. C'était par cette sonde que les infirmières le nourrissaient régulièrement de liquides, grâce auxquels il pouvait conserver ses forces. Mais il allait falloir sous peu passer à la dilatation de la gorge presque bloquée. Il allait falloir de quelque manière faire passer une corde de la bouche à l'estomac et forcer les dilatateurs à descendre le long de ce chemin. Après quoi il faudrait les retirer. Un capitaine médecin s'était exclamé, plein d'indignation, s'adressant à Craig : « Il aurait pu s'offrir une tentative de suicide qui nous aurait donné moins de mal ! »

Le soldat était dans une petite pièce attenante à la grande salle de garde, parce qu'il pouvait y être mieux surveillé, mieux soigné, étant littéralement sous la main des infirmières et des hommes de service. Son pouls était plus lent et il avait déjà été gavé par la bouche improvisée.

— Vous sentez-vous mieux ? demanda doucement Craig.

Alors l'autre, au prix d'un grand effort, d'une voix pâteuse :

— Je voudrais sentir le goût de la soupe !

5

LA fin de semaine était arrivée, apportant au corps médical, comme chaque fin de semaine, un nouveau contingent de cas à soigner, de réparations à effectuer. Et Joan avait téléphoné :

— Craig ! Pourriez-vous venir dîner ?

Son habituelle promptitude de décision l'abandonna. Serrant contre son oreille le récepteur qui lui apportait la voix dont le timbre le bouleversait, il demeurait immobile, les yeux fixés sur le microphone noir.

— C'est mon premier essai de dîner dominical. J'ai même fait un pâté. Pourtant ne soyez pas trop inquiet! Larry et moi nous sentirions vraiment « chez nous » si vous étiez notre convive.

La voix paraissait contenir une prière. Craig se sentait si violemment attiré que, pris de panique, il lança tout de suite :

— Dommage! Le colonel... Voulez-vous m'inviter une autre fois?

Il n'avait aucune autre obligation. Mais, bien qu'il se fût assez facilement libéré de l'invitation quand Joan la lui faisait, il s'aperçut qu'il n'en était pas, pour autant, libéré en lui-même. Quelle sorte de pâté? Il se le demandait avec un intérêt dépourvu de gourmandise. Et Larry féliciterait-il sa femme (que le dîner soit réussi ou raté)? Et les gracieux mouvements qui seraient les siens pendant qu'elle servirait... et, peut-être, un petit rire triomphant dans sa voix... Chaque fois qu'il se surprenait à regarder par la fenêtre sans rien voir, il se secouait, fermait les yeux et se remettait au travail. Quel droit avait-il, chargé comme il l'était de responsabilités, de se préoccuper d'une sorte de pâté?

Il travaillait encore à des papiers dans sa chambre, ce même soir, lorsque la voix de Paul Blount lui parvint par le téléphone.

— Craig! cria-t-il, êtes-vous un homme d'action?

— Quel genre d'action?

— Aussi prompte que l'œil peut la suivre. Votre voiture est-elle là?

— Oui.

— Alors, attention. Si quelqu'un passait par ici en route vers le club, pourriez-vous me prendre au passage et arriver au club avant ce quelqu'un?

— Qui est-ce?

— Quelqu'un de dangereux. Vous perdez du temps, Craig! Je vous attends sur le perron.

Paul Blount, quand il grimpa dans la voiture, semblait de fort belle humeur.

— Bon. Bien. Travail rapide, commenta-t-il d'un air de mystère. Si vous voulez bien mettre en première.

— Service de l'armée? s'enquit Craig avec un sourire où perçait le scepticisme.

— Service de l'armée! répondit Paul, imperturbable. Très occupé? Beaucoup de travail en chirurgie?

— Travail normal d'une fin de semaine. Os brisés. Accidents d'auto. D'autres à venir cette nuit, selon toute probabilité. Pas de temps à perdre en frivolités, Paul...

— Nous sommes à temps, assura Blount, comme ils dépassaient une fille blonde en uniforme bleu. Nous sommes à temps, mais ne ralentissez pas.

— J'ai bien envie de bloquer les freins!

— Vous ne comprenez pas encore, dit Blount. Ce qu'il faut, c'est de gagner le temps nécessaire pour nous assurer une table près de la porte. Si jamais j'ai rencontré quelqu'un de dangereux!... Depuis quand est-elle dans le service?

— Allez au diable! dit Craig. Depuis deux ou trois jours. Elle est en service à la salle d'opération.

Blount grogna.

— Et cette armée qui m'occupe à faire tourner des fauteuils au lieu de me faire pratiquer la chirurgie!

Quand, ayant parqué la voiture, ils passèrent la porte du club, Craig arrêta son ami.

— Avant d'aller plus loin, Paul, qu'est-ce que diable vous manigancez? Si toute cette mise en scène compliquée n'est qu'une partie de vos conseils thérapeutiques...

— Non, répondit Paul, non. Aucun rapport !
Et même, ce que j'attends de vous, Craig, c'est
un manque absolu d'égoïsme. Vous prendrez de la
bière, et voilà.

Blount trouva une table à côté de la porte.

— C'est dimanche. Vous avez travaillé sans
arrêt tout le long du jour. J'ai considéré que vous
aviez besoin d'une sortie. Et nous sommes sortis
bien juste à temps.

La jeune fille était là, debout dans l'entrée, son
regard cherchant une table. Sur le col de son net
uniforme bleu d'infirmière militaire, elle portait
le caducée avec, en surimpression, un N doré (1),
et une barre dorée aux épaules indiquait le grade
de sous-lieutenant. Les ondulations de ses cheveux
blonds s'échappaient de dessous l'absurde petit
chapeau bleu. Elle avait tout à fait l'air d'une
image publicitaire dans un magazine.

Tandis qu'elle promenait autour d'elle un vague
sourire et un regard vague, des gens la regardaient.
Sa silhouette ostensiblement potelée, ses yeux bleus
aux paupières lourdes, probablement soulignés
d'un trait de khôl, auraient attiré l'attention au milieu de n'importe quelle foule.

— Faites-la venir par ici, insinua Blount. C'est
exactement ce dont j'ai besoin.

Craig hésita. L'infirmière ne l'intéressait aucunement. Il n'aimait guère ce type intégral de la
féminité en fleur épanouie.

— Allons, allons ! insistait Paul.

Craig se leva et salua la jeune fille d'un sourire,
lui offrant une place à leur table. Souriant aussi,
elle se dirigea vers eux, sous les projecteurs con-
vergents de l'admiration virile et de l'analyse
féminine.

— C'est plutôt tassé ! dit Craig. Vous plairait-
il de vous asseoir auprès de nous, Miss Marrell ?

— J'en serais vraiment ravie.

(1) N : Nurse = infirmière.

Jusqu'à son parler nonchalant qui était un trait complétant son visage.

— Voici le capitaine Blount.

Blount lui présentait une chaise et se penchait tout rayonnant sur les cheveux dorés.

— Nous n'avions jamais apprécié ce club jusqu'à présent, Miss Marrell, assura-t-il.

Miss Marrell sourit à Craig. Ses yeux démentaient ce qu'il avait cru voir d'audace provocante dans son attitude lorsqu'en arrivant elle avait examiné la salle. Ils étaient d'un bleu profond et doux, et sa bouche avait, aux coins, un joyeux retroussis. Elle commanda une boisson fraîche et enleva son chapeau en secouant légèrement la tête.

— Des cheveux comme ceux-là, vous ne devriez jamais les couvrir, conseilla Paul.

— En dépit des règlements militaires?

— L'armée n'avait pas vu ces cheveux-là lorsqu'elle a établi ses règlements. Depuis combien de temps êtes-vous ici?

— Quatre jours. Avant d'être envoyée ici, j'étais attachée à la salle d'opération du centre Walter Reed.

— Déjà eu l'occasion de voir travailler le major Thomas?

Elle hocha la tête affirmativement et sourit.

— Le jour même de mon arrivée. Une subdurale. Je n'ai jamais vu de plus beau travail.

Craig s'assombrit. Elle ne lui plaisait décidément pas. Il n'avait aucune envie de débiter des niaiseries ou des fadaises. Elle s'exprimait trop ouvertement avec son débit doux et traînant. Il souligna poliment :

— L'opération de la dure-mère n'a rien de particulièrement difficile ou calé. Il y a deux mille ans, les anciens Grecs trépanaient déjà.

— C'est vrai, dit-elle.

Elle posait sur lui un regard assuré, qui, doucement, s'échauffait, affirmant sans détour qu'il était trop modeste. Si bien que Craig finit par rougir Alors elle baissa les yeux.

— Comment vous plaisez-vous ici? s'enquit Blount.

— J'avais à Walter Reed des amitiés que je ne souhaitais pas quitter. Mais, continua-t-elle pensivement, où que l'on aille, on rencontre des gens qui vous plaisent.

D'une manière indéfinissable, peut-être à cause de la qualité intime de sa voix, ils étaient tous deux inclus parmi les gens qui lui plaisaient.

Blount la considérait avec enthousiasme. Elle présentait exactement ce qu'il désirait, elle était exactement telle qu'il l'avait souhaitée, mais elle le savait et le jeu présentait de l'intérêt, offrait peut-être de l'espoir.

— Voulez-vous danser, Miss Marrell?

Craig les regarda évoluer sur le parquet. Trapu, un peu lourd, Blount se mouvait avec une vigueur dynamique; Siz Marrell se serrait avec grâce contre son cavalier, trop évidemment oublieuse des rapides coups d'œil que lui lançaient les autres danseurs. Craig chercha une excuse qui lui permît de disparaître : Paul ne s'en formaliserait aucunement. Bien au contraire. Un serveur s'approcha de la table :

— Le major Thomas au téléphone... On le demande...

La voix de l'officier chirurgien de garde était rauque et pressée :

— J'ai sur les bras quelques cas assez mauvais, monsieur. Une fracture compliquée. Et je ne puis parvenir à joindre le chef du service orthopédique.

— J'arrive et vais m'en occuper. Pourrez-vous vous tirer d'affaire avec les autres?

— Je l'espère, monsieur, bien que nous soyons fort à court.

Siz et Paul revenaient vers la table.

— Il faut que je vous quitte, dit Craig. Je regrette, mais l'hôpital vient de m'appeler.

— Oh! dommage! affirma cordialement Blount avec un clin d'œil reconnaissant. Craig, vous travaillez comme un interne!

— Quel genre d'opération? s'informa Siz Marrell.

— Une fracture compliquée qui m'attend. Brown m'a téléphoné. Il est très bousculé, très débordé.

— Si je puis vous être utile à quelque chose?

A contrecœur Craig admit :

— Ils sont très à court.

Puis il ajouta :

— Mais vous n'êtes pas de service ce soir, Miss Marrell.

— J'y vais, dit-elle en se levant.

Et Blount aussitôt :

— A court? Débordé? Que ne l'avez-vous dit tout de suite, Craig? Je vais vous aider, moi aussi, voyons.

Ils trouvèrent, dans la salle des opérations orthopédiques, un soldat gémissant, allongé sur un brancard, le front emperlé de sueur. Craig lui prit le poignet, le pouls était très rapide et très faible.

— Il est dans un terrible état de choc, dit Brown, l'officier chirurgien de service. Dieu merci, j'ai pu vous toucher. Je m'apprête à lui donner du sérum.

Craig approuva de la tête.

— Comment est la jambe?

— Grave fracture compliquée. Les deux os de la jambe. C'est un épouvantable gâchis. Il a perdu énormément de sang, et j'ai dû lui mettre un tourniquet.

Craig enleva avec douceur le pansement provisoire de la plaie. Jusqu'au genou, le spectacle était affreux. Le tiers central, chair arrachée, ouverte, montrait les extrémités des os brisés et de nombreuses esquilles.

— Combien de temps depuis l'accident?

— Deux heures à peine.

— C'est un point en notre faveur. Les microbes

n'ont pas encore eu le temps de travailler bien en profondeur.

Il desserra le garrot au-dessus des débris ensanglantés. Pendant une seconde peut-être, rien ne passa. Et puis d'un seul coup, le sang jaillit de la plaie. Il resserra promptement le tuyau de caoutchouc, et le sang s'arrêta.

— Une grande artère est coupée, dit-il à Siz Marrell et à Blount, qui, tous deux, les yeux professionnellement rétrécis, examinaient l'importance et l'étendue du désastre.

Un technicien mobilisé entra d'un pas rapide avec une petite bouteille de sérum sanguin et l'appareil à injection intraveineuse.

— Ne serait-il pas plus simple d'utiliser du plasma sec? questionna Blount.

Ce fut Craig qui répondit :

— Certainement si, mais... si nous en avions. Or tout le plasma sec, étiqueté à l'usage exclusif en campagne, a été envoyé en Europe, parce qu'il est d'un emballage et d'un transport plus pratique et plus sûr que le liquide.

Il se tourna vers le jeune officier :

— Le capitaine Blount va vous remplacer, Brown, et il m'assistera pour l'opération. Occupez-vous de rassembler les amis et les copains du blessé faisant partie du même groupe sanguin. Le sérum soutient, mais c'est insuffisant. Il lui faudra une transfusion.

— Je vais me changer, major, dit Siz Marrell.

Elle était si jolie en bleu que c'était presque dommage. Ses yeux étaient fixés sur ceux de Craig, respectueux, mais peut-être pas entièrement professionnels.

— C'est fort aimable à vous, répondit-il sèchement. Un instant...

Blount, ayant trouvé avec quelque difficulté une veine où insérer l'aiguille — car la pression sanguine était si basse que les veines se distendaient à peine, — avait commencé à donner le sérum.

— Que de vies ont été perdues à l'autre guerre, parce qu'on ignorait l'emploi du plasma et que souvent on n'avait pas le temps d'analyser le sang des donneurs pour le comparer à celui du blessé !

Bientôt le pouls se ralentit en même temps qu'il devenait plus perceptible. Le soldat était enveloppé de couvertures afin d'éviter toute déperdition de chaleur corporelle. Craig releva les couvertures sur le pied : il était bleu et froid, par manque de sang, l'artère coupée et le garrot lui supprimant toute circulation.

— Pendant que vous préparez la table d'opération, dit Craig à Siz Marrell, faites envelopper ce pied dans de la glace.

— Oui, monsieur, répondit-elle, perplexe. Vous avez bien dit de la glace?

— Oui, de la glace.

Paul, les sourcils froncés, questionna Craig à son tour, tandis qu'ensemble ils quittaient la pièce pour gagner le vestiaire.

— Cette glace, Craig?

— Le froid réduit l'activité des cellules et réduit aussi leur besoin d'oxygène.

— Qu'elles ne peuvent obtenir en aucun cas, puisque le tourniquet empêche l'afflux sanguin.

— Exact. Nous avons appris qu'un garrot peut être laissé en place fort longtemps, dès que l'extrémité du membre est réfrigérée.

Paul siffla :

— Encore un bon vieux principe qui fiche le camp ! Mais vous ne pouvez pas sauver cette jambe, n'est-ce pas? demanda-t-il, tout en passant par-dessus sa tête une chemise d'opération à manches courtes.

— Probablement si. L'expérience a montré que, si l'on prend soin de ligaturer la grosse veine qui remmène le sang, on peut sauver un membre dont l'artère est coupée. Les vaisseaux secondaires rétablissent suffisamment la circulation si,toutefois, l'infection ne s'est pas produite ou n'a encore pris aucun caractère de gravité.

Craig parlait par saccades, en phrases hachées, la pensée déjà occupée de l'opération qui l'attendait. Il prenait néanmoins plaisir à ces explications. La science médicale avait fait autant de progrès que la science militaire, davantage même, et c'était tant mieux.

Le capitaine Brown entra : le technicien s'occupait à assortir le sang de l'un des deux garçons appartenant au même groupe sanguin que le blessé. Dans ce domaine-là, aussi, on avait beaucoup simplifié les choses à cette guerre. Chaque soldat portait désormais sur sa plaque d'identité même, attachée à son cou, l'indication de son groupe sanguin.

— Allons-y, dit-il à Blount. Il est temps de commencer à nous brosser les mains.

Siz Marrell était déjà occupée à se brosser; Blount donna un long regard de connaisseur admiratif à sa silhouette dans le léger uniforme de travail. Tous trois se brossèrent pendant les dix minutes rituelles, avec la plus consciencieuse attention, passant ensuite le bâton d'oranger sous leurs ongles, afin que, si un gant de caoutchouc se déchirait, aucun élément d'impureté ne pût pénétrer dans la plaie.

— Il y avait au moins six mois que je n'avais fait ce brossage-là, constata Blount. Qu'est-ce qui vaut mieux à votre avis, Miss Marrell, la sagesse ou la propreté?

— Le savon, répondit-elle en souriant. Pour les sutures, major Thomas?

— Nous aurons besoin d'aiguilles très fines et de soie pour recoudre l'artère.

— C'est prêt.

— Bien. Je suis content que vous y ayez pensé.

— Merci.

Craig grimaça, se disant qu'elle n'avait pas à le remercier. Elle était indubitablement bonne infirmière et, probablement, en outre, remarquable-

ment intelligente. Mais elle n'avait aucune imper-
sonnalité et même, jusque sous l'uniforme et dans
la salle d'opération, elle obligeait à se souvenir de
sa présence.

On amena le patient, épave brisée allongée sous
un drap, solidement fixé à une table à fractures,
afin qu'une traction pût être effectuée sur sa
jambe en cours d'opération.

-:-

Au bout d'une heure, tous les fragments d'os patiemment réunis comme un puzzle et maintenus
par une longue plaque étroite de vitalium fixée par
six vis, tous les moindres recoins des muscles déchirés
parfaitement nettoyés, irrigués d'eau stérilisée,
saupoudrée de sulfamide — car, seule, cette merveilleuse et récente découverte permet de tels travaux sans risque d'infection, — l'artère patiemment et minutieusement recousue, protégée par une
sorte de toit de chair de muscles suturés au-dessus
d'elle, la plaie — qui devait demeurer ouverte et se
cicatriser progressivement par le dedans — fut
mollement bourrée d'une longue bande de gaze
imprégnée de vaseline. Alors Craig Thomas enleva ses gants de caoutchouc, se redressa et s'éloigna
de la table.

Il se sentait complètement vidé après un effort
immense et ininterrompu.

— Merci, Miss Marrell, dit-il, vous avez fait de
l'excellent travail.

Il pensait qu'il l'emploierait souvent, car c'était
une auxiliaire remarquable. Mais il eut une grimace d'agacement lorsqu'il l'entendit répondre, de
sa voix nonchalante, mais avec un regard débordant de joie :

— Merci, major. C'est un plaisir de vous voir
travailler et de travailler avec vous. J'espère que
vous m'emploierez.

— Merci, Paul, dit-il.

— Fichtre non, déclara Blount. C'est bien tout le contraire. Je n'ai jamais vu quelque chose d'aussi épatant ! Miss Marrell, que pensez-vous de notre major ?

Elle secoua lentement la tête, avec un geste plus éloquent qu'un compliment explicite.

— Lorsque vous aurez changé de vêtements, dit-elle, j'aurai du café prêt. Cela vous plairait-il ?

— Chic ! dit Blount, enthousiaste. Voilà très exactement ce qu'il nous faut. Du café. Et un peu plus de votre compagnie.

Mais l'idée que Siz Marrell allait profiter de l'accomplissement du devoir d'état pour en tirer une sorte de petite réunion mondaine déplut à Craig.

— Pas de café pour moi, répondit-il sèchement.

— Bien, monsieur.

Elle traîna sur les mots, comme prête à ajouter quelque chose.

— Bonne nuit, dit Craig, qui se dirigea vers le vestiaire.

— Miss Marrell, il se fait tard, j'aimerais vous reconduire, dit Paul, qui alla retrouver son ami.

Craig s'habillait lentement. Il allait passer par la salle de garde et donner un dernier coup d'œil au blessé pour vérifier si l'attelle était bien posée à sa jambe. Et puis au lit.

— Vous n'êtes pas très chaud pour ce type de femmes, eh? demanda Paul. Cette fille a cependant tout pour elle.

— Infirmière de première classe. Et de premier ordre.

— Je pensais à elle en tant que femme. Craig, quand elle vous regarde et qu'elle dit n'importe quoi avec cette voix lente et frémissante qu'elle a, est-ce que vos endocrines ne sentent pas le choc qui...

— Bonne chance ! répondit Craig en souriant.

— Oh ! je vais diablement essayer. Et de mon mieux, vous pouvez m'en croire. Mais vous, Craig,

J'ai l'impression très nette qu'elle aime beaucoup votre façon d'opérer.

— Bonne chance, Paul, répéta Craig

-:-

Paul Blount sifflotait en attendant Siz Marrell devant la section opératoire. Elle parut, vêtue de nouveau de son uniforme bleu et de l'absurde petit chapeau réglementaire.

— J'ai téléphoné pour le café, expliqua-t-elle. Il n'est pas entièrement prêt. Cela vous ennuie?

— En aucune façon. Le café me tient éveillé, mais votre présence y suffira.

— C'est à vous de savoir ce que vous voulez faire.

Elle souriait en répondant. Alors lui :

— Je le sais parfaitement bien, mais...

Prudemment il changea de sujet :

— N'est-ce pas que c'est une opération épatante?

— Très bien.

— Et que pensez-vous du major Thomas?

— C'est un chirurgien remarquable. C'est bien là ce que vous voulez dire?

Elle parlait avec une légère pointe de malice.

— Bien sûr! fit loyalement Blount. Et, en outre, un chic type.

Elle ne répondit rien, mais, en atteignant la route obscure, elle prit son bras. Lui, alors, couvrit de la sienne la main de la jeune fille. Ils marchèrent lentement le long du quartier des infirmières. Arrivés à l'entrée, juste avant d'être dans la lumière, Paul l'arrêta.

— J'ai un message à vous laisser, dit-il d'une voix enrouée.

Il lui prit l'autre bras sans qu'elle opposât de résistance et la fit tourner face à lui :

— Vous êtes diantrement jolie fille!

Elle rit :

— Est-ce là le message?

— C'en est la première partie. Quant au reste...

Il l'attira dans ses bras, et la pression sans raideur de ce jeune corps souple le troubla profondément. Elle avait des lèvres humides et tièdes. Elle fut un long moment avant de se dégager sans brusquerie.

— Capitaine, dit-elle, moqueuse, une fille se sent tout à fait à l'aise en votre société.

— Nous ferions mieux de remettre cela, pour plus de certitude.

6

JOAN était à sa toilette lorsque Larry entra. Elle était assise, en combinaison, à la minable coiffeuse de chêne et se retourna gaiement en entendant le pas de son mari. Il souriait avec un entrain qui la réconforta, car elle apprenait à connaître ses humeurs, sinon à les comprendre. Il s'approcha et l'embrassa sur la joue.

— En train de te faire belle pour le dîner du colonel, eh? Trésor, vas-y comme tu es !

— J'ai préparé ta tenue neuve.

— Merci ! Tu veux que je me mette, moi aussi, sur mon trente et un?

— Dame ! C'est une « tenue-de-soirée-de-rigueur », pas vrai?

— Si ! Vrai ! Beaux officiers et gracieuses épouses. Seulement, voilà, tu es la seule gracieuse épouse, et moi... à toi de dire la suite !

Elle souriait. Il ôta sa cravate. Elle y avait réfléchi. D'autres hommes seraient présents, avec plus de galons ou de feuilles brodées sur leurs épaules et accompagnés d'épouses de qui l'assurance serait altière à proportion de ce grade, mais il n'y aurait pas un plus bel officier que son grand et mince sous-lieutenant de mari.

— Ah ! tu seras beau à voir ! dit-elle en riant.

Il renâcla : « Beau à voir, vraiment ! », lança sa chemise sur la table, prit un peignoir et gagna la salle de bains. Joan entendit ruisseler la douche. Larry, de loin, cria :

— Craig a dit qu'il serait en retard. Au regret de ne pouvoir passer nous prendre.

C'était une soirée privée, du service commandé en somme, assez rare dans les camps militaires en temps de guerre. Tous les officiers y seraient donc présents avec leurs femmes.

Larry revint de la douche, le peignoir-éponge confortablement noué à la taille.

— Tu es si jolie que j'ai envie de mettre tout ça en pièces, déclara-t-il. Robe neuve ?

— Achetée sur une solde de sous-lieutenant ? (Elle secoua la tête.) Non, vraiment ! C'en est une que tu n'as jamais vue.

— Tu seras la plus belle du bal.

Il pressa vivement l'épaule nue.

— Oh ! Larry ! Prends garde... Voilà qu'il faut à présent que je me repoudre.

Mais elle n'était pas fâchée. C'était le Larry qu'elle avait épousé. Gai, aimable, insouciant. Il atteignit une bouteille, un verre, et avala une solide ration.

— Je fais aussi bien d'assurer mon courage dès à présent : le colonel est fort capable de servir les lieutenants-colonels, puis les majors. Les capitaines ne laisseraient pas grand-chose, et même ce peu sera octroyé aux lieutenants. Où serais-je dans tout cela ? Oh ! Joan, pourquoi ai-je jamais épousé une sensitive « ne me touchez pas »?...

Elle rit et se haussa sur la pointe des pieds pour l'embrasser valablement :

— Voilà qui doit te permettre de tenir bon ! Mais il va m'en coûter un quart d'heure de réfection ! Mon maquillage est à recommencer.

— Il faut que nous trouvions une voiture d'occasion, déclara-t-il. (Il avait vendu la précédente en Californie.) Aucune idée du temps que nous aurons à passer ici, mais il vaut mieux prendre ses dispositions : je me suis informé. Le hic, c'est qu'ils n'acceptent plus un petit versement initial. Ils ne veulent pas courir de risque avec les pneus. Payement comptant, au moins pour la plus forte part. M'est avis qu'il ne me reste qu'à sonder Craig.

Ils « faisaient bien », pensa Joan, comme ils descendaient ensemble pour prendre un taxi. Le nouvel uniforme tropical mettait en valeur, comme tous les uniformes, la haute silhouette élancée et la tête fièrement plantée de Larry. La jeune femme savait que sa robe de jersey blanc lui allait à merveille.

— Y aura-t-il beaucoup de monde? s'informa-t-elle.

— Des centaines de gens vraisemblablement. Les officiers du camp d'aviation et ceux de la garnison sont invités.

— Soirée intéressante en perspective?

— Celles auxquelles j'ai assisté jusqu'ici tenaient plus du devoir que de l'agrément. Les invités viennent parce qu'ils ne peuvent pas se permettre de faire autrement. Il faut prendre garde aussi bien à ce qu'on dit qu'à l'endroit où l'on met le pied.

— Y a-t-il quelque chose de particulier à faire pour les femmes des plus jeunes officiers?

— La cour à la femme du colonel ! blagua Larry. Quoi d'autre? Au surplus, elle se souviendra de toi, ma douce : il y a une certaine histoire de couchette supérieure... La plupart des épouses sages et avisées demanderont son avis et ses conseils sur la meilleure manière de nourrir l'héritier.

— Peut-être serait-il sage que je fabrique un héritier?

— Je ne doute aucunement que tu y sois apte, chérie. Mais abstiens-toi. Pas avec une solde de sous-lieutenant. Et, surtout, pas à la soirée privée du colonel.

La sentinelle, au portail, présenta les armes. Ils passèrent et s'arrêtèrent devant le M. P. (1) qui vérifia la carte d'identité de Larry et lui fit signe de continuer.

— Je me demande comment il peut savoir que c'est moi? fit Larry avec une feinte perplexité. On n'a jamais vu personne ressembler à ces photos qu'ils prennent de vous au ministère de la Guerre.

— C'est vrai qu'elle ne te ressemble pas beaucoup, mais qu'importe puisqu'elle est flatteuse.

Il donna à Joan une affectueuse bourrade dans les côtes. De la maison, la musique volait vers eux. Des couples dansaient sur la terrasse.

— Eh bien, qu'en dis-tu? Ça a l'air de quelque chose. Donne-moi une première danse, chérie, avant que les loups affamés te mettent en pièces.

Elle monta à la toilette pour se repoudrer. Larry s'arrêta dans le vestibule, le temps d'une cigarette. Il salua d'un signe amical un autre aviateur qui sortait, une fille accrochée à son bras.

— Comment s'organise la bagarre?

Le pilote eut un clin d'œil :

— Les boissons sont dans l'aile droite.

Un serveur en veste blanche passait avec un plateau chargé de cocktails, Larry lui toucha le bras.

— Voici, monsieur.

Le verre vidé, il le posa soigneusement derrière une coupe de fleurs sur la table à jeu. Plusieurs autres verres vides étaient déjà réunis au même endroit. Joan, se dit-il, se souciait parfois lorsqu'elle le voyait boire. C'était une trop chic fille pour faire

(1) Military Police.

la moindre réflexion, mais il ne voulait pas lui occasionner de soucis. Lorsqu'elle descendit, il lui prit la main, la passa sous son bras, et ils entrèrent. Un aide en uniforme prit leur nom et leur fit signe d'avancer. Les visites de courtoisie étant suspendues pour la durée de la guerre, le commandant en chef avait à peine pris contact avec la moitié de ses officiers, tant les arrivées et les départs étaient rapides. La réception, de ce fait, devenait une sorte d'élégante réunion publique.

— Lieutenant Thomas et Mrs Thomas, annonça l'aide.

Tout à coup, Joan se trouva occupée à serrer des mains; celle d'un homme de haute stature, grisonnant, des aigles d'argent aux épaules; celle de la femme grande, mince et austère debout à côté de lui. puis elle aperçut plus loin Mrs Flynn qui lui souriait et parlait d'elle à son colonel. Cela lui sembla bon de retrouver ce visage fraternel et familier.

— Vous avez découvert un appartement, ma chère? Très bien. Pas d'autre accident au cours de votre lune de miel? J'en suis presque désappointée.

Les jeunes gens passèrent en souriant tout le long de la rangée d'accueil. La salle commune et la salle à manger, portes de communication repliées, étaient converties en une seule vaste pièce où les invités se pressaient. Le bar était installé sous un petit porche. Des couples dansaient sur la terrasse. Il y avait autant de monde que dans une tribune à un match de football.

— J'ai besoin de boire, murmura Larry. Sortons.

— C'est très amusant, murmura-t-elle en réponse. Dansons beaucoup et bois peu. Tu as un examen d'aptitude à passer demain.

— Comme si je ne le savais pas! Fais-moi confiance, ma douce.

Paul Blount, sous le porche, tendait un verre à Siz Marrell.

— Cela fait plaisir de vous voir tous les deux, dit-il cordialement.

Pendant les présentations, les deux femmes s'évaluèrent poliment, avec un air de ne pas s'évaluer, et Siz en uniforme eut un regard mélancolique pour la robe décolletée de Joan, tandis que Larry, saluant galamment Siz, appréciait en connaisseur ses cheveux pleins de lumière, ses yeux rieurs et ses seins gaillards.

Paul précisa pour l'information de Siz :

— Le lieutenant Thomas est le frère du major.

— J'avais remarqué la ressemblance, dit-elle avec un sourire.

— C'est vrai qu'elle existe !

La voix de Paul exprimait une surprise évidente.

— Oui. Mais c'est Craig qui a la cervelle, fit Larry avec bonne humeur.

— Oh ! Ça ! Ce qu'un Thomas a jamais fait de mieux, c'est bien vous qui l'avez fait, dit Paul avec un sourire vers Joan.

— Le capitaine Blount tourne délicatement le compliment, dit nonchalamment Siz à la jeune femme. Mais ne voyez-vous pas l'air de famille ? Le major, cependant, est du plus pur type célibataire.

Une petite onde de fureur parcourut Joan pendant qu'elle regardait les yeux profonds et la bouche amusée de l'infirmière. Cette blonde capiteuse à l'élégant uniforme bleu avait quelque chose de très personnel, de caractéristique et d'indomptable à la fois.

Larry tendit un verre à sa femme et en prit un.

— Capitaine Blount, plaisanta-t-il, est-il licite et sage de boire ce verre ?

Paul ne fit que rire.

— Alors, dit Larry, je le boirai à la modération ! A une modération modérée, cela va de soi.

Siz eut son rire paresseux, comme si elle venait d'entendre quelque chose de vraiment drôle. Puis :

— Tous les pilotes boivent, n'est-ce pas, Paul ?

Joan se sentit brûler d'une colère froide. Mais Larry fit une joyeuse grimace à la blonde. Il s'informa auprès de Blount :

— Quel effet cela fera-t-il sur mon Schneider?

— Je crois que je ne devrais pas vous le dire. Mais il est bien probable que vous le savez déjà. Un verre ou deux, la veille d'un examen, font plutôt monter que descendre l'index de Schneider. Il arrive que, grâce à cela, un pilote passe de justesse.

— Et qu'est-ce qu'un index de Schneider? s'enquit Joan, qui l'avait fréquemment entendu expliquer par Larry.

Mais elle souhaitait conduire la conversation vers une voie académique et de tout repos, estimant que l'infirmière était beaucoup trop à l'aise dans le badinage.

— C'est une invention des chirurgiens de l'air pour empêcher les pilotes de voler, résuma Larry.

— Le lieutenant Thomas a fort pertinemment expliqué la chose, fit en riant Paul Blount. C'est une méthode qui consiste à mettre le sujet dans diverses positions, à lui faire accomplir divers exercices, tout cela soigneusement choisi selon le but visé et à noter au fur et à mesure les répercussions affectant son pouls et sa pression sanguine. Du moins, c'est là l'essentiel de l'examen, dont l'objet est de déterminer l'aptitude du sujet au vol. Et, maintenant, j'espère que vous me réservez une danse? Où donc est ce vieux valseur de Craig?

— Il vient. Il a prévenu qu'une opération le retarderait.

— En vérité? s'étonna la voix traînante de Siz. Je n'ai rien vu de tel affiché.

Joan posa son verre.

— Larry, si tu tiens toujours à cette première danse?

Bien qu'elle ne se sentît rien moins qu'enjouée en présence de Siz Marrell, elle esquissa un petit pas sur place et conclut :

— Moi, j'ai l'intention de danser.

Larry l'enlaça, et ils s'éloignèrent vers la terrasse en tournoyant au rythme de la musique.

— Ce type me fatigue! fit-il. Sois assurée qu'il

freinera et tirera en arrière tant qu'il pourra sinon davantage, rien que parce que je suis le frère de Craig. Tu verras s'il ne me fait pas damner demain, à cet examen.

— Tu l'imagines, Larry. Mais il me paraît au contraire un homme très juste. Il me plaît beaucoup.

— O. K., Bébé. Tu verras. Comment diable cet empaillé a-t-il fait pour s'offrir la blonde ?

— Elle est très jolie, hasarda prudemment Joan, tu ne trouves pas ?

— Oui, dans son genre ! répondit non moins prudemment Larry, l'air dégagé, tandis que, par la porte ouverte, il guignait du coin de l'œil Siz Marrell sur l'épaule de qui Blount avait posé une large main possessive. Mais le genre que j'aime moi...

Et il pressa l'épaule de Joan.

Quand la musique s'arrêta, Larry, l'air plus dégagé que jamais, déclara :

— Si nous voulons un autre verre, et nous en avons certainement besoin, il s'agit de retourner par là.

Ils trouvèrent Craig avec Blount et Siz Marrell. La fière attitude de Craig lui donnait autant d'autorité d'allure qu'à n'importe quel officier présent. Dans son uniforme parfaitement coupé, les feuilles d'or de son grade brodées sur ses larges épaules, il était remarquablement beau, bien que d'apparence sévère, pendant qu'il écoutait avec une attention de pure courtoisie les paroles interrogatives de Siz.

— Appendicite, répondit-il. A chaud.

Il salua Joan d'un petit sourire, et sa voix changea lorsqu'il dit : « Vous êtes très bien, Joan, vraiment très... »

— Tu ne vas pas lui demander de te montrer sa langue ! Craig ! plaisanta Larry avec une pointe de malice.

Blount se raidit d'agacement, mais Siz tourna

paresseusement des yeux amusés vers Larry, puis vers Craig, qui considérait non sans embarras Joan et voyait qu'elle trouvait la situation désespérante.

— Charmant! fit-il sèchement. Allons danser.

— Avec votre permisson, capitaine, dit aussitôt Larry.

Et la façon de danser de Siz lui fit bondir le cœur. Au fond, c'était ce à quoi il s'était attendu, et c'était bien agréable. Elle suivait le rythme en un mouvement fluide, allant, aisé, de tout son corps. Il sentait toute la longueur de sa cuisse contre la sienne.

— J'ai cru bon de vous donner un peu de vacances en vous enlevant à ce vieux bouc, dit-il. A moins que je n'aie un préjugé défavorable à l'égard de tous les chirurgiens de l'air?

— Vous avez ce préjugé. (Elle lui parlait nonchalamment, tout près de l'oreille.) Il est gentil. Votre femme est très gentille.

— Pour ça, oui. Et qui encore est très gentil?

— Vous, probablement. Non?

Elle avait un rire de gorge, étouffé et roucoulant.

— Je pensais à vous, dit-il. Pas à moi, à vous.

— Ne nous embrouillons pas dans cette histoire, fit-elle. A la façon dont vous me tenez, lieutenant, nous sommes bien assez embrouillés déjà.

Elle était fine, pensa-t-il. Elle aimait ce jeu des mots et elle aimait se presser contre lui d'une manière qui lui faisait battre violemment le sang dans le cou.

— J'ai la mauvaise habitude d'enlacer de près, expliqua-t-il. Mais ne m'arrêtez pas si je vais trop loin!

— Combien de filles avez-vous fracturées ainsi?

— Ah! fit seulement Larry.

C'était là le genre de choses qui lui plaisaient. C'était excitant. Comme la chasse. Ou comme un piqué en avion. Il souriait largement et se demandait comment entamer une autre joute avec elle. La danse les entraîna, tournoyant, près de Craig et de Joan. Tous quatre échangèrent ce sourire infantile que les gens les plus rassis adoptent en dansant.

— Ne me dites pas que vous êtes un grand méchant loup ! murmura Siz. Parce qu'il n'en est rien, vous savez.

— Qui a dit que j'en étais un ? Qu'on me mette en face d'un autre pour voir !

— Vous n'êtes pas du plus pur type célibataire, dit-elle en riant et en se pressant un peu plus fort contre lui.

Mais ces mots l'avaient blessé. Il se mit sur la défensive :

— Simplement parce qu'un homme est marié ? Expliquez-vous, ou je vous brise une paire de côtes.

Elle secoua négativement la tête, et ses cheveux dorés et soyeux chatouillèrent le visage de son cavalier.

— Allez. Allez-y. Expliquez.

Mais la musique s'arrêtait. La serrant de près pour une dernière fois, il lui permit de se dégager ensuite :

— Pourquoi n'êtes-vous pas mariée ?

Elle haussa distraitement les épaules :

— Est-ce que je sais ? Je ne suis qu'un élément de trouble.

— Je souhaite vivement être troublé davantage. Et, en cet instant même, je veux boire.

— Il ne faut jamais boire trop, dit-elle amicalement.

Pour ce qui était de Craig, la danse se fût passée sans une parole. Il enlaçait Joan légèrement et craintivement. La proximité de son visage et de ses cheveux, sa grâce aérienne, tandis qu'elle guidait sur lui ses pas, lui donnaient de si violents frissons intérieurs que, craignant de trembler de façon visible, il durcit volontairement son visage.

Un tournant la rapprocha soudain de lui. Alors, en pleine déroute, il eut le souffle coupé. Il n'avait pas imaginé que ce fût si grave. Comme si le malaise était contagieux, comme si elle voulait éviter la gêne d'un silence. Joan parla :

— Craig, j'étais navrée hier que vous ne puissiez venir. (Elle eut un sourire nerveux.) C'était vraiment un bon dîner, vous savez.

— J'en suis bien certain. Dommage.

— Mais vous viendrez bientôt?

— Je l'espère.

— Je tâcherai de vous inviter plus longtemps d'avance. Nous comprenons bien à quel point vous êtes pris.

C'est à ce moment qu'ils passèrent en dansant à côté de Larry et Siz.

— Une de vos infirmières?

— Oui. Très compétente.

— Une beauté frappante, n'est-ce pas?

— C'est l'avis de Paul Blount, répondit-il en souriant.

Elle rit franchement en disant :

— C'est aussi l'avis de Larry. Il aime danser. Regardez-le. Il s'offre du vrai bon temps.

Craig regarda le visage de Larry, illuminé de plaisir, penché de côté, pour écouter attentivement ce que lui disait Siz.

— Larry s'offre toujours du bon temps, répliqua-t-il.

Et, dans son cœur, il l'enviait.

— Pas toujours! Parfois, je sens qu'il n'est pas sûr de lui. J'aimerais le voir heureux tout le temps. Je suis absurde : quand il ne rit pas, je suis en peine.

— Ne soyez jamais en peine pour Larry. Il est heureux tout le temps.

— Vous le connaissez si bien, Craig. Vous ne savez pas le réconfort que vous me donnez.

— Qui? Moi?

Il n'en revenait pas d'étonnement.

— Ne sursautez pas ! Tout le monde compte sur vous. Elle ne s'expliqua pas davantage, sauf pour ajouter :

— Je suis contente que vous soyez ici.

Quand, la danse terminée, ils suivirent Larry et Siz jusqu'auprès de Paul Blount, Craig chercha un joint pour les quitter. A travers la porte ouverte, il vit la femme du colonel qui lui souriait.

— Voilà Mrs Flynn, dit-il tout bêtement. Si vous voulez m'excuser...

— Bien entendu, major !

C'était Siz qui, avec calme, avait répondu.

Damnée fille à la voix traînante ! pensa Craig, à qui un flot de colère rendit enfin ses forces. Et il s'aperçut que, sans l'avoir écoutée, il entendait Mrs Flynn.

— Charmante, la femme de votre frère, major Thomas.

— Oui. Il a de la chance.

— Et vous, vous avez mauvaise mine. Vous travaillez trop. Tout à fait comme le colonel. N'y a-t-il pas un tonique qui...

Un peu plus tard, il constata que Larry buvait trop. Est-ce à cela que Joan pensait en lui disant qu'elle comptait sur lui ? Ou ne l'avait-elle dit que pour lui faire plaisir ? Autant qu'il l'osait, il étudia son visage. Elle dansait avec Larry et avec Paul. Larry dansait avec elle et avec Siz. Craig s'exaspéra de cette régularité, car il sentait que le sourire de Joan, toujours aussi aimable, était devenu fixe. Tout en causant avec Mrs Flynn, puis avec le colonel, il maudissait son frère. Sans cesser de le maudire il enleva Mrs Flynn au colonel pour la danse. Et, quand il la ramena vers son mari, il se réjouit de trouver avec lui Chuck et Mary Waller. Chuck expliquait au colonel :

— Nous avons admiré le clair de lune. J'ai essayé de détourner plus longtemps de la musique l'attention de Mary, mais je n'ai pas pu la retenir davantage, elle m'a entraîné à l'intérieur.

Chuck Waller était un homme du Texas, maigre de visage, aux yeux rapprochés et narquois, aux oreilles librement flottantes, et qu'en ce moment Mary considérait d'un regard moqueur.

— Chuck danserait admirablement s'il lui suffisait de mettre une main autour de mon cou et de me faire pivoter comme un bâton. Mais... Tu viens, Chuck?

— Oh! non! rien ne presse. Je vais essayer de te trouver Larry. Major...

Craig, d'un signe de tête, indiqua distraitement la terrasse. Il marchait sans but, quand il fut happé par le capitaine Brown qui, fronçant d'anxiété son visage de hibou, parla des cas inquiétants actuellement à l'hôpital et attendit, en suspens, l'avis de Craig. Paul vint de la terrasse pour danser avec Mary, tandis que Chuck tournoyait gauchement avec Joan. La danse terminée, ce fut Paul qui conduisit Joan à Craig. Larry et Siz Marrell n'étaient pas en vue.

— A notre idée, Craig, vous devriez boire avec nous, dit Paul en clignant de l'œil.

— Idée fort juste, vous devriez, Craig. Je serai auprès de vous tous dans un instant. Mais Mary m'a recommandé de demander un conseil à la femme du colonel, et je vois une opportunité.

Joan les quitta en souriant avec beaucoup de naturel. Craig la suivit du regard et la vit, souriant toujours, causer avec Mrs Flynn, de qui les yeux pétillaient de joie malicieuse.

— Paul, où est Larry?

Craig avait posé la question brusquement. Blount répondit avec une assurance peu convaincante :

— Oh! Quelque part par là. Nous venons de le quitter. Un peu échauffé peut-être. Pas de quoi se tracasser pourtant.

Joan revint. Ensemble, ils longèrent le bord de la foule dansante, et Paul découvrit sur la terrasse une table, des verres, des bouteilles et un grand bol de glace.

— J'accepterais bien une cigarette, cette fois, dit Joan.

Craig se versa une boisson forte et passa la bouteille à Paul. La brise était odorante et faisait voleter les coins de la nappe. Les arbres et les buissons se balançaient en un rythme lent dans une coulée de lumière argentée. Craig, se rendant compte de ce que ses paroles avaient de terne, dit pourtant, car le silence pesait :

— Belle lune. Elle doit être à peu près pleine.

D'un buisson, Siz et Larry émergèrent, remontant le sentier sur un frétillant pas de danse, puis s'arrêtèrent pour une étreinte. Penché sur la jeune fille, Larry lui renversait la tête en arrière, et sous la lune ses cheveux étaient comme un flot de soie argentée. La main de Joan se posa soudainement sur le bras de Craig, qui la sentit trembler. Elle se détourna vers la porte et regarda danser les couples. Paul et Craig, leurs regards se parlant, se détournèrent aussi.

— Depuis des éternités, je n'avais pas autant dansé ! dit nerveusement Joan. Vous savez, Mrs Flynn est tout à fait charmante. Elle est ravie parce qu'elle croit qu'elle a une bonne petite histoire au sujet de Larry et de moi.

-:-

Paul Blount avait emmené Mary Waller danser. Alors Larry avait dit à Siz :

— Maintenant que le capitaine est loin, le petit copain que voilà va s'offrir un autre verre !

— Mais la petite fille que voici dit que non, avait rétorqué la voix paresseuse de Siz.

Larry se sentait parfaitement d'aplomb, mais extrêmement réjoui. Il aimait ce parler ironique et nonchalant. Il aimait entraîner et se laisser entraîner. Il avait posé son verre sur la table avec un petit bruit sec et remarqué que le bord de la terrasse n'était guère plus élevé que la pelouse, de quelques pouces à peine.

— Là, dehors, nous pourrions voir la lune, dit-il.

— Est-ce sans danger?

— Quand je dirai trois, sautez. (Il avait passé son bras autour d'elle.) Un. Deux. Trois. Eprouvez-vous un tel désir de sécurité?

Ils avaient gaiement fait le saut ensemble, et son bras, guidant Siz vers le sentier, était resté autour du corps potelé.

— Je puis voir la lune, avait-elle dit, tout en suivant l'impulsion. Derrière mon épaule gauche, ce qui signifie que nous devrions rentrer et aller danser.

Mais lui, alors, son pouls battant la chamade :

— Nous pouvons danser ici même.

A ce moment, il s'était avisé que le buisson les cacherait à la vue de la maison.

— Maintenant, mettez ce bras autour de mon cou.

Il l'avait fait tourner sur elle-même. Cela rappelait le bon vieux temps! Aucun mal à cela. Quelques instants de plaisir, rien d'autre.

— Ainsi?

Elle riait.

— Ainsi.

La tenant très serrée, il avait dû reprendre profondément haleine, emplissant d'air sa poitrine haletante.

— Mais n'est-on pas censé remuer les pieds?

Sa question était mi-moqueuse, mi-tremblante.

— Tiens, c'est vrai! Je n'y pensais plus.

La soulevant contre lui, il l'avait fait tournoyer, puis l'avait reposée sur ses pieds.

Elle avait insisté :

— Dansons.

— A l'instant même.

Ils avaient alors remonté le sentier sur un frétillant pas de danse. Mais Larry, une dernière fois, s'était courbé sur la jeune fille et, lui renversant la tête en arrière (ses cheveux sous la lune étaient comme un flot de soie argentée), il avait pris entre les siennes les lèvres humides, chaudes et consentantes. Siz s'était glissée tout contre lui et collée à son corps. Un long moment, ils étaient demeurés immobiles dans cette étreinte. Enfin, mettant une main sur le visage de Larry, Siz l'avait doucement repoussé.

— Allons danser, répéta-t-elle.

Mais sa voix était rauque.

Ils étaient rentrés par une autre porte et, se glissant dans la foule, avaient dansé en silence, presque avec tristesse.

Quand la musique s'arrêta, Larry lui donna une cigarette et tira une longue et profonde bouffée de la sienne.

— Nous ferions mieux d'aller au rapport, dit-elle.

Ils trouvèrent Joan, Craig et Blount, bavardant avec Chuck et Mary Waller autour de la table et des verres.

— Chuck! dit en riant Larry, vous n'oubliez pas que nous sommes livrés au capitaine Blount aux fins d'examen demain matin. Il serait peut-être préférable d'y passer tout de suite?

Il ajouta : « Excusez-moi, j'oubliais... Vous ne vous connaissez pas... Miss Marrell... »

Les présentations terminées, Siz regarda Craig et vit son expression lasse et dure. Elle regarda Paul et vit dans ses yeux un éclat froid. Elle s'était rendu compte que Joan la regardait avec un étonnement appuyé. Donnant un coup d'œil en direction de la pelouse, elle vit le sentier éclairé par la lune, le buisson, et, quand elle se retourna vers les autres, sa bouche avec repris son pli amusé, une satisfaction tranquille habitait ses yeux.

— Excellente musique, n'est-ce pas? demanda-t-elle à Mary Waller.

Et Larry :

— Je veux encore une danse avec ma femme.

Craig se leva, son salut de la tête s'adressait à tout le monde :

— Il est temps que je rentre. Bonne nuit.

Jamais sa voix ne l'avait autant bouleversé. Comme il roulait vers ses quartiers, il entendait encore et encore le simple message. Clair et vibrant comme les notes d'un carillon, mais avec un sous-courant de pathétique courage qui lui brisait le cœur. Assis dans son fauteuil, la tête dans les mains, il l'écoutait toujours. Il regardait toujours le cher visage. Il se leva, ouvrit un placard, brisa le sceau d'une bouteille et emplit un verre qu'il repoussa en tremblant, sans y toucher.

— Au diable Larry! (Sa voix s'étouffait de douleur et d'indignation.) Au diable! Au diable! Au diable!

7

PEU avant huit heures, Larry Thomas passa le portail en taxi et contourna le bâtiment de l'Administration. Les autres pilotes nouvellement arrivés attendaient déjà dans le bureau du capitaine adjoint Bland. L'un d'eux — un garçon mince, petit, brun, nommé Rogers — était bien connu de

Larry avec qui il avait suivi ses premiers cours. Après avoir présenté sa convocation au secrétaire, il alla serrer la main de Rogers.

— Comment vous en tirez-vous, maintenant? demanda-t-il avec une grimace cordiale. Il se rappelait la nervosité du petit aviateur aux examens d'aptitude et, d'une manière générale, dans tous les rapports avec les officiers supérieurs, bien que toute timidité disparût en lui dès qu'il se trouvait aux commandes de son avion.

— Ça va, affirma Rogers sans conviction. Je suis prêt à envoyer ma fichue jambe en l'air d'un seul élan, dès qu'ils me donneront un coup sur le genou.

— C'est du banditisme! N'importe où nous arrivons, nous devons repasser un examen physique. Ces médecins aiment paraître occupés : au fond, tout est là. Connaissez-vous le nommé Blount?

— Non.

— C'est un type okay.

Le capitaine Bland, entrant d'un pas alerte, leur serra la main à tous.

— Vous êtes tous prévus comme instructeurs, dit-il. Pour une durée qui dépendra de vous-mêmes. Nous désirons aussi que vous vous familiarisiez avec du matériel nouveau et des techniques nouvelles.

L'ombre que la première phrase avait fait passer sur tous les visages se dissipa à l'énoncé de la seconde. Ils passèrent dans le bureau de l'officier commandant, où le colonel Flynn les accueillit avec bienveillance.

— Nous sommes heureux de vous avoir ici, messieurs. J'attends de vous que vous formiez de bons aviateurs et les formiez aussi rapidement que possible. Vos notes individuelles prouvent que vous en êtes tous capables. Pour l'heure, il s'agit de passer l'examen d'aptitude physique au vol. Le capitaine Bland va vous conduire au capitaine Blount. Vous serez tous suivis de près dans les mois à venir. C'est notre règle ici.

Un long couloir. Puis les laboratoires médicaux de l'aviation. Un bureau.

— Le capitaine Blount sera ici dans quelques instants. Attendez-le.

Le capitaine adjoint les ayant laissés, ils allumèrent des cigarettes, puis échangèrent des regards et des commentaires, également empreints de résignation, car aucun aviateur n'apprécie la routine investigatrice de l'examen qui les fait évoluer nus, semblables à des oiseaux plumés vifs, à travers toutes les épreuves révélatrices concernant la vue, les nerfs, la tension sanguine. A l'entrée de Paul Blount, ils se levèrent et jetèrent leurs cigarettes.

— L'examen complet que vous allez passer comme tout aviateur arrivant au centre, dit-il, sera périodiquement renouvelé. Un avion s'est écrasé voici peu pour des causes inconnues, et le colonel Flynn attache une importance extrême à la bonne condition physique, au bon état général.

Comme ils passaient dans la pièce voisine pour enlever leurs uniformes, il retint un instant Larry :

— Bonjour, Thomas. Un peu secoué ce matin?

— En aucune façon, monsieur.

Il prit Rogers par le bras et expliqua :

— Capitaine, voici le lieutenant Rogers, un des meilleurs hommes que je connaisse. Je veux dire un des meilleurs en l'air.

Blount serra, en souriant, la main de Rogers :

— Etes-vous un de ces types qui s'énervent dans le cabinet du médecin?

— Oui, monsieur.

— Pas de quoi se tracasser ici. Cependant, nous ne l'oublierons pas.

Il adressa un signe de tête à Larry, et Rogers parut légèrement soulagé.

Larry, bien qu'il se déshabillât calmement et quittât le vestiaire avec un air de parfaite assurance, avait les nerfs en boule, mais n'en aurait convenu pour rien au monde. C'était le cas à chacun de ces examens d'aptitude. Il n'avait jamais été question de le refuser, mais, en deux occasions récentes, ces vérifications avaient suivi immédiatement une nuit trop tardive et trop occupée, de sorte que les chirurgiens de l'air n'avaient pas exprimé une approbation sans réserve. Il se demanda si Blount pouvait être contrarié de ses nombreuses danses avec Siz Marrell. Et encore si Blount, à cause de son amitié pour Craig, exagérerait la sévérité afin que son impartialité ne pût être mise en doute.

D'autres examinateurs attendaient dans la pièce; Blount et l'un d'eux prirent Larry en charge.

— Nous commencerons par le Schneider, dit Blount.

— Je croyais qu'on l'abandonnait, celui-là, que ses indications étaient considérées comme douteuses?

— Nous commencerons par le Schneider.

Pendant cinq minutes, Larry demeura étendu sur un cadre, après quoi ses pulsations furent attentivement comptées et enregistrées, et le pachot, la manchette à mesurer la tension, fut bouclé autour de son bras : la base de la carte pour l'index Schneider allait être établie. Deux minutes de repos. Nouveau compte de pulsations, enregistrement de la tension. Ensuite, tenant à deux mains le dossier d'une chaise, Larry posa son pied sur le siège. Quinze secondes. Il leva l'autre pied. Compte des pulsations. Compte de quinze secondes en quinze secondes jusqu'au retour au nombre normal de pulsations. Enregistrement du temps requis pour ce retour à la normale. Chaque facteur ayant une cote allant du plus au moins, Blount, d'un crayon actif et précis, faisait les calculs. Le total des chiffres enregistrés donnait la somme de l'index Schneider.

— Dix, fit Blount.

— Alors, tout va bien, capitaine? Tout ce qui dépasse sept?

— C'est huit la limite inférieure. Dix, ça va. Mais, pour votre âge, c'est médiocre. L'index devrait être plus élevé. Prenez-vous quelque exercice?

— Je danse, risqua prudemment Larry.

— Cela, je le sais. Mais est-ce tout?

— A peu près, monsieur.

Blount parlait avec froideur, mais ce pouvait n'être qu'un pli professionnel. Pourtant Larry se demandait ce que Craig pouvait lui avoir dit et s'ils avaient parlé de lui ensemble au club, en buvant leur bière. C'était peu probable, mais les questions lui étaient plus désagréables du fait qu'un ami de Craig les lui posait.

— Fumez-vous beaucoup?

— Deux paquets par jour, environ.

— Buvez-vous beaucoup?

— Très modérément, monsieur.

Blount lui lança un coup d'œil rapide, mais se contenta de dire :

— Vous vous trouveriez mieux de prendre plus d'exercice. Passons à l'examen visuel.

Les épreuves Snellen de vision étaient toujours aisées pour lui : il n'avait jamais eu moins de vingt sur vingt. Les épreuves Ishihara, relatives à la perception des couleurs, se passèrent avec la même nonchalante facilité. Le photomètre et la tige de Maddox, l'angle de conversion et le rideau tangentiel passèrent sans complication. Mais la perception de profondeur était l'épreuve qui lui donnait toujours des soucis. Elle n'y manqua pas. Il tortilla la tige jusqu'au point qui lui sembla correct, mais un coup d'œil au visage de Blount lui fit comprendre que ce n'était pas ce que cela aurait dû être.

— Comment est-ce?

Blount haussa les épaules :

— A dix millimètres du zéro.

— Mauvais?

— A trente, on est disqualifié.

Enfin tout fut terminé, les aviateurs réintégrèrent leurs uniformes et se réunirent dans le bureau de Blount.

— Cela va, messieurs. Aucune victime sur le carreau. Mais ne vous négligez pas. Faites le nécessaire pour demeurer constamment en état, car les vérifications seront fréquentes. Plus fréquentes certainement que vous ne le souhaiteriez. Les ordres du colonel sont absolus : il entend que ce camp d'aviation laisse loin, dans la sévérité de ses exigences pour le bon état physique, tous ceux où vous avez passé déjà. Il convient au colonel que vous voliez, mais soyez fort circonspects quant aux vols hors service. Le colonel Flynn a été très bouleversé récemment de la perte d'un pilote et d'un avion neuf du type le plus récent. Le pilote s'est écrasé en percutant un hangar. Il semble que sa vue ait dû subitement se voiler, et, de ce fait, le colonel est absolument intransigeant sur l'irréprochable état physique des aviateurs. Vous pouvez disposer, messieurs. Que Thomas et Rogers veuillent bien rester un instant.

Les autres pilotes saluèrent et se retirèrent. Blount fixa ses yeux perspicaces sur le petit aviateur nerveux et préoccupé, et un sourire passa sur ses traits rudes.

— Rogers, si vous pouvez communiquer à ces messieurs un peu d'inquiétude lorsqu'ils passent devant nous, n'hésitez pas ! Il semble qu'un peu de sueur au front ne fasse pas de mal : vos épreuves sont les meilleures de la matinée. C'est tout.

— Merci, monsieur, dit Rogers, qui sortit, l'air plus inquiet que jamais.

Blount offrit une cigarette à Larry.

— Votre frère est un grand bonhomme, Thomas. Je le connais fort bien.

— Oui, monsieur, répondit l'autre avec une impatience perceptible, car toute sa vie il avait été entouré d'éloges de son frère.

— C'est pourquoi je vous connais assez bien, continua Paul. Car vous êtes le même type d'hommes.

— Le même type? fit Larry en écho.

— Le même. Ce qui fait de lui un chirurgien

remarquable fera probablement de vous un pilote exceptionnel.

— Ça, alors, grimaça Larry, c'est une chose que je n'aurais jamais pensée.

— Je veux dire le même système nerveux, supérieurement organisé. Vous avez tous deux des avantages sur la plupart des hommes. Mais il en résulte aussi un fardeau, n'est-il pas vrai?

— Comment l'entendez-vous, monsieur?

— Une machine de grande vitesse a besoin de plus de soins et plus attentifs. Vous avez les cotes nécessaires, Thomas, mais les trois autres en ont de meilleures.

Le front de Larry se plissa :

— Est-ce vrai, monsieur? Ça ne peut pas du tout aller comme ça.

— Il y a eu la danse hier soir, pas vrai? Sans quoi vous auriez de meilleures cotes, de toute évidence. Cela aide pourtant, d'être marié, non?

Larry leva promptement les yeux, mais le visage du capitaine ne portait qu'une expression de tranquille raillerie.

— Que signifie, monsieur?

— Un homme marié n'a pas besoin de faire monter ses pulsations en entrant en rivalité avec les célibataires.

Le visage de Blount ne révéla point à Larry si c'était une réprimande ou une simple observation clinique. Mais il décida que c'était une réprimande et un avertissement, et une lente rougeur envahit son cou et sa figure. C'était bien le genre de choses auquel il lui fallait s'attendre de la part d'un ami de Craig. La main de Craig se sentait dans tout cela, et les yeux de Larry lancèrent des étincelles.

— J'apprécie votre intérêt, capitaine. Mais quel est le rapport entre mes affaires personnelles et l'examen médical?

Blount se leva, et son attitude donnait congé. Larry se leva également. Il dominait Blount d'une demi-tête, sa mince et fière stature et la longueur de son arrogant visage semblaient défier poliment le capitaine robuste et trapu.

— Ce qui nous regarde, c'est la condition physique personnelle. Pas les affaires personnelles, bien entendu. Il semble, dit Blount, que je me fasse mal comprendre. Au revoir, Thomas.

Larry s'en fut, secouant la tête. Il s'était monté trop vite, évidemment. Mais aussi Blount avait dépassé les limites. L'attitude qu'il avait si souvent rencontrée chez les amis de Craig, l'attitude de l'aîné qui offrait ses conseils au cadet, avait toujours le don de le mettre en fureur. Comme s'ils pensaient tous qu'il ne ferait pas suffisamment honneur à Craig. Et cela, très probablement, avait influencé les réflexions de Blount sur sa condition physique. Mais, évidemment, il n'était pas expédient d'offenser un chirurgien examinateur. Un pilote avait toujours le droit de demander une contre-visite, mais l'esprit de clan amenait chacun de ces médicastres à épauler l'autre !

Il retourna au bureau du capitaine adjoint et fut averti d'avoir à se rendre sur le terrain après le déjeuner afin de commencer à instruire les élèves. En sortant, il marcha le long du bâtiment de l'Administration, espérant trouver une voiture qui l'emmènerait. Le ressentiment lui pesait lourdement aux épaules. Il se tenait altièrement tout en pensant : « Au diable ! » Une jeep et deux camions défilèrent : sa dignité d'officier ne lui permettait pas de leur faire signe et de tâcher d'y trouver une place. Un taxi approchait, mais il était occupé et passa devant lui, puis s'arrêta. Et le visage de Larry s'éclaira soudain, car l'occupante du taxi était l'infirmière blonde, à la voix paresseuse et aux lèvres qui s'y connaissaient.

— Montez, si vous allez en ville, dit-elle. Il m'a fallu une demi-heure pour avoir ce taxi. Pourquoi n'êtes-vous pas en l'air ?

Larry s'installa près d'elle. Il lui offrit une cigarette et dit « contact » en ouvrant son briquet.

— Pourquoi je ne suis pas en l'air? Je vais voler après déjeuner. Je viens de causer avec notre ami Blount, et il m'en a accordé la permission officielle.

— Bien pour Paul! fit-elle joyeusement.

— Oh! pas comme ça tout de suite, bien sûr. J'ai dû commencer par retirer mon uniforme, et il m'a examiné sur toutes les coutures, comme si je cachais du poison sur moi.

— Les infirmières ne s'occupent que des hommes malades, fit-elle languissamment.

— En service, cela va de soi!

— Nous nous considérons constamment comme en service, lieutenant!

Larry se mit à rire. Bien que ses jours de célibataire fussent passés, il aimait ce jeu, ce langage à double sens, qui contenait à la fois un défi et une compétition : il y avait souvent gagné la partie et la récompense.

— Bien sûr, bien sûr, opina-t-il. Après quoi, il m'a fallu faire le tour de l'écurie en levant les talons, comme un cheval. Il a paru considérer que mes sabots étaient bons.

— Je pense que je ferais bien de lui communiquer les impressions d'un pilote au sortir de l'examen.

— Hé là! N'en faites rien! s'exclama-t-il avec une comique inquiétude. Un vétérinaire est ravi de s'entendre appeler docteur, mais la réciproque n'est pas vraie. Il a regardé mes dents et a dit mon âge.

— C'est très malin, ça. Il faudra que je demande à Paul comment il s'y prend.

— Enfin il a vérifié si je n'étais pas atteint de cornage. Et il m'a permis de remettre mes couleurs. J'étais bon sur tous les points, sauf un.

Un M. P. les arrêta au portail, regarda leurs uniformes, salua et fit signe au chauffeur de continuer.

— Vous n'êtes donc pas, tout compte fait, un spécimen impeccable?

— Pas à ses yeux. Il trouve que je danse trop.

— Danser? (Elle eut son rire de gorge.) Est-ce que Paul a réellement parlé de la danse?

— Eh oui! Et il m'a demandé si je ne faisais rien d'autre.

— Vraiment? (Elle le regarda, les yeux pétillant d'une joie qu'il partageait en songeant au baiser sur la pelouse.) Et vous avez répondu que vous vous arrangiez pour tirer parti de tout?

— Je lui ai dit que c'était fort agréable de danser, d'abord.

— Vous avez toute honte bue! assura-t-elle. Et une si charmante femme!

— Oui. Une femme charmante. Et je le sais. Mais je suis fidèle.

— Combien de fois?

Elle n'attendit pas la réponse, car le taxi roulait maintenant dans les rues de la ville.

— Dites-moi où je puis vous déposer, lieutenant.

— Allons, si vous voulez bien, là où vous aviez l'intention de vous rendre, et le taxi me mettra chez moi ensuite.

— Rien à faire, dit-elle. C'est mon taxi. Où descendez-vous?

— Dans la froide lumière de l'aube, déclama-t-il, vous êtes aussi belle qu'aux feux des lustres d'une salle de bal. Permettez que ce soit mon taxi.

Elle appela le chauffeur pour qu'il s'arrêtât.

— Nous supposerons donc que vous vouliez descendre ici, lieutenant. Je suis enchantée que vous puissiez voler. Vous aimez cela, n'est-ce pas?

— J'aime, répondit-il, sans sourire cette fois. Merci pour la promenade. Quand pensez-vous que je vous reverrai?

— Quand le colonel donne-t-il une autre soirée privée?

Larry soupira:

— La vie est dure parfois!

— N'est-ce pas? Mais le major Thomas n'aimerait pas du tout, je pense, que quelqu'un de son

service s'amuse à jouer avec le séduisant frère
cadet.

— Quoi?

— Il y a du vrai, là-dedans, lieutenant.

— Oh!... Zut!... dit Larry en regardant le taxi
disparaître au bout de la rue.

8

LE pied du soldat n'allait pas bien. Mais on
avait commenté l'opération dans les divers services
de l'hôpital, et tout le long de la journée, officiers
de garde et chefs de section s'étaient dérangés
pour venir féliciter Craig. Il les avait écoutés distraitement, l'esprit ailleurs.

Avant même de déjeuner, le matin suivant, il
voulut examiner la circulation de ce pied et se rendit à la chambre où, lourd de morphine, le jeune
homme reposait. La feuille indiquait qu'il avait
passé une nuit possible, moins bonne toutefois
que la précédente. Après son transport de la salle
d'opération, on lui avait fait une transfusion, et
son teint était plus vif. Mais l'amélioration s'arrêtait là, et, quand Craig vit le pied, il secoua mélancoliquement la tête. Son précédent examen, fort
attentif, ne lui avait rien appris, sauf que son travail était un travail bien fait, que l'artère réparée tenait bon, ne présentait aucune fuite et que le sang y
coulait normalement. Il estima, en conséquence, inutile d'enlever le pansement et d'examiner la plaie. Le

pouls de la cheville était, lui aussi, normal. Mais le pied présentait une légère enflure, une teinte plus livide qu'il n'aurait fallu et une température trop basse. L'infirmière de garde vint s'informer si le major avait besoin de ses services. Non. Il allait déjeuner et reviendrait ensuite.

Au mess des officiers, le colonel Carter, commandant en chef de l'hôpital, remarquant le visage las, les traits tirés et les ombres profondes sous les yeux du major, le fit asseoir auprès de lui :

— Vous travaillez trop et trop dur, Thomas. Passez un peu de votre besogne aux autres. Pourquoi ne pas prendre quelques jours de détente? Une bonne bamboche serait indiquée pour vous distraire. Mais, au besoin, la pêche suffirait. Vous n'avez pas l'idée du bien que le tarpon peut faire à un homme surmené !

Craig secoua négativement la tête.

— Cette opération de l'autre nuit? (Le colonel suivait son idée.) Vous n'auriez pas pu en charger quelqu'un?

— Je crains que non.

— Et moi, je sais bien que non. Je sais trop bien, par le diable ! qu'il n'y en a pas un qui aurait pu... Ça a été une fameuse veine pour le gars que vous fussiez là. Comment va-t-il?

— Moins bien que je ne le voudrais. La circulation est mauvaise dans ce pied.

— Vous avez bien cousu l'artère?

Le colonel relevait ses broussailleux sourcils gris.

— Oui. L'artère va bien.

— Alors la circulation devrait aller aussi.

— Elle devrait. Mais le sang ne s'infiltre pas jusqu'aux cellules qui en ont besoin.

Le colonel Carter, après un « Hum... ! » méditatif, but méditativement son café. Depuis longtemps il n'avait plus pratiqué la médecine ni la chirurgie, mais c'était un bon colonel.

— Si tel est le cas, quelle explication trouvez-vous, Thomas? Et que comptez-vous tenter?

— J'aimerais que vous veniez le voir avec moi, monsieur. Je crois que les petits vaisseaux sanguins sont contractés par un spasme : la chose a été constatée déjà, après un traumatisme violent aux artères ou aux veines principales. Le problème est de détendre le contrôle nerveux qui comprime ces artérioles afin que le sang puisse passer.

— Blocage du grand sympathique, dit le colonel avec une soudaine autorité. Quand vous ferez cela, Thomas, j'aimerais y assister.

Ils constatèrent que la circulation était nettement déficiente. Craig énuméra les preuves qui le tracassaient, et Carter, ayant attentivement écouté, demanda :

— Voulez-vous qu'on l'emmène à la salle d'opération?

— Je puis faire le nécessaire ici.

Il donna par téléphone ses instructions à l'infirmière-chef, précisant le matériel dont il avait besoin.

— Envoyez-moi aussi un supplément de novocaïne. Et une bonne infirmière.

— Miss Marrell conviendra-t-elle, monsieur?

Craig jura en silence. Puis :

— Elle conviendra très bien, dit-il.

Quelques instants plus tard, Siz Marrell entrait, portant les plateaux et suivie d'un garçon de salle. Elle eut un salut respectueux, et le vieux colonel, conquis d'emblée, la considéra d'un œil visiblement approbateur.

Aidé par l'infirmière, Craig fit pivoter le blessé sur le côté, soutenant la jambe avec soin dans la gouttière, afin d'éviter la moindre secousse douloureuse. L'homme ne fit entendre qu'un soupir endormi.

Du pouce, le major suivit le parcours de l'épine dorsale dans sa partie inférieure, repérant les pointes osseuses projetées par chaque vertèbre et les indiquant sur la peau par une croix de mercurochrome. A peu près à deux doigts d'écart de cette double série de marques, il en refit une en direction du flanc. Le colonel commenta :

— Un plan d'arpentage en quelque sorte.

Fixant une mince aiguille à l'extrémité d'une seringue emplie de novocaïne, Craig, à coups rapides, fit lever de légères enflures superficielles d'anesthésique à chacune des croix de la seconde rangée, injectant de petites quantités de liquide dans les tissus profonds. Puis il choisit une aiguille très mince et très longue et l'enfonça sous la peau : trois pouces de métal avaient disparu avant que la pointe rencontrât un obstacle.

— C'est la partie transversale de la vertèbre, commenta Craig. Nous nous en servirons comme d'un repère.

— Je ne vois pas comment vous l'avez touchée si loin que cela grommela le colonel.

— C'est l'arpentage, précisément, qui me l'a permis.

Il déplaça un peu l'aiguille, de manière à faire glisser sa pointe par-dessus l'os, cherchant un passage par où elle pourrait pénétrer. Quand il l'eut trouvé, il poussa plus avant, et l'aiguille s'enfonça encore de deux largeurs de doigt.

— Nous devons être bien près du ganglion sympathique qu'il s'agit de bloquer, dit Craig.

Et, tandis que deux infirmiers maintenaient le soldat immobile, aspirant leurs lèvres à chacune des profondes plongées, Craig, retournant aux premiers emplacements marqués de croix, hérissa le dos d'aiguilles : quatre par côté. Il reprit alors la seringue et fit une injection à chaque aiguille, qu'il retirait à mesure que la novocaïne avait pénétré. Le blessé murmura quelque chose de vague et ferma les yeux patiemment.

— C'est fini, dit Thomas.

Et les infirmiers, avec lenteur et précaution, recouchèrent le soldat, fixant de nouveau la gouttière au cadre de support, au-dessus du lit.

— Nous serons bientôt fixés... Surveillez le pied...

Craig était tendu d'attention. Bleuâtre et gonflé, le pied n'avait pas encore changé. Mais bientôt une coloration faiblement rouge se glissa dans le bleu, s'étendit, s'affirma. Craig posa la main sur le pied malade d'abord, puis sur l'autre, pour comparer.

— La température monte, dit-il.

— Bien, fit le colonel. Très bien. C'est net à présent. La peau prend une couleur normale. (Son approbation était complète.) Fameux travail, Thomas ! Et comment dites-vous que cela a opéré ?

— Les nerfs sympathiques auxquels j'ai injecté de la novocaïne sont ceux qui contrôlent le volume des vaisseaux sanguins. Le choc de la blessure les avait fait se contracter. Le choc inverse les a obligés à se détendre.

Il piqua d'une aiguille l'orteil du patient, maintenant réveillé :

— Senti quelque chose ?

— Oui, monsieur.

— Quoi ?

— Une aiguille, n'est-ce pas ?

Craig eut un soupir de soulagement.

— Vous ne connaissez pas votre bonheur, mon fils ! dit le colonel Carter au blessé. J'avais bien cru le jour venu de vous renvoyer chez vous avec une jambe de bois où dans une caisse en bois. Et vous allez vous en tirer comme neuf !

Une main sur l'épaule de Craig, il se dirigea vers la porte avec lui :

— Vous faites des progrès qui m'effarent, vous autres ! Dans l'armée, bien sûr (sa voix se teinta de regret), un homme cesse d'être un médecin lorsqu'il prend de l'âge. On lui met un tampon de caoutchouc dans la main et on en fait un officier d'administration.

— Oh ! Major Thomas ! (C'était Siz qui l'interpellait.)

— Oui?

— Je ne voulais pas vous interrompre dans votre travail, mais j'ai un message à vous transmettre.

— Bon. Alors quoi?

— Voulez-vous appeler Mrs Thomas, fit-elle de sa voix nonchalante.

Le colonel, en quittant la pièce avec Craig, riait à petits gloussements :

— C'est quelqu'un, cette infirmière! Il y a des médecins ici certainement qui n'ont pas les yeux dans leur poche... Dame! Thomas, je ne puis tout surveiller tout le temps, pas vrai?... Belle chose que d'être jeune!...

-:-

Joan, de toute évidence, décrocha le téléphone au premier appel.

— Craig, ne me dites pas que vous êtes retenu à déjeuner aujourd'hui?

— J'avais l'intention de... Qu'y a-t-il, Joan?

— Je vous en prie, cette fois-ci ne soyez pas occupé. Larry et moi déjeunons dehors et nous souhaitons vous avoir avec nous. Mais je voudrais que vous puissiez venir de bonne heure. J'aimerais vous parler avant qu'il arrive.

Il ne répondit pas tout de suite. Elle reprit :

— Autrefois, et vous ne vous en souvenez probablement plus, je vous ai demandé un jour de guérir ma poupée qui avait une jambe cassée. L'histoire se répète, Craig : c'est moi, à présent, la poupée à la jambe cassée.

Elle ne semblait pas aussi gaie que ses paroles, mais plutôt anxieuse. Il voulut répondre avec humour :

— Attelle? Gouttière?

— Si une vie humaine en dépend, ne venez pas, mais, sauf cet empêchement-là, Craig, je vous en prie, venez. J'ai besoin de vos conseils.

De conseils? Il en demeura préoccupé tout le restant de la matinée. La voix de Joan était presque suppliante. Conséquence du flirt ébauché entre Larry et Siz? Mais il était convaincu qu'elle n'en parlerait jamais, ni à Larry ni à lui. Pourtant, il devait être question de Larry : qu'y aurait-il d'autre dans sa vie pour l'émouvoir à ce point? Arrivé à cette conclusion, Craig sentit un poids très lourd l'accabler. Il ne voulait pas discuter de Larry avec elle. Il ne pouvait pas penser à Larry avec patience. Son indignation contre ce frère frivole jeta une flamme nouvelle, la colère remonta en lui, et, avec la colère, une perplexité, une stupéfaction incrédule : comment n'importe quel homme, fût-il aussi insouciant, aussi irréfléchi que Larry, pouvait-il se conduire de la sorte, flirter de cette outrageante manière, en pleine lune de miel?

Lorsque Joan arriva en taxi, Craig l'attendait dans le hall de l'hôpital. Elle était vêtue d'une robe bleu foncé avec un petit chapeau bleu et blanc.

— Je vous suis reconnaissante, Craig, dit sa douce voix grave.

— C'est un plaisir, répondit-il.

Et, comme il arrivait souvent dans ses rapports avec Joan, il s'en voulut ensuite pour la terne banalité de ses paroles.

La voiture attendait, étincelante au soleil. Il y fit monter la jeune femme.

— Regardez-la ! Aussi brillante... aussi brillante qu'un scalpel. Ça lui est arrivé hier soir. Je soupçonne fort le deuxième classe Henry Smith d'y être pour quelque chose.

— C'est un brave garçon, répondit Joan avec bonne humeur. Il pense beaucoup à son appendice. Craig, voulez-vous que nous prenions la route qui longe la baie?

C'était une jolie route, qui laissait derrière elle la disgracieuse masse utilitaire des bâtiments du camp. La baie s'étendait, allant du bleu au vert, et des oiseaux d'eau exploraient les mares laissées sur la plage par les vagues. Un pélican, pareil à quelque gargouille volante, s'éleva dans le ciel, s'immobilisa, attendit, redescendit d'un seul élan, le cou tendu, heurta bruyamment l'eau, battit des ailes et remonta, alourdi par un grand poisson argenté qu'il emportait dans son bec.

— Avez-vous vu cela?

— Oui. Si nous pouvions détecter les sous-marins moitié aussi bien qu'un pélican détecte un poisson, nous tiendrions cette guerre par la queue.

Ils arrivaient au club. Craig parqua sa voiture à regret : c'était si bon d'avoir Joan, seule à côté de lui, regardant en même temps que lui le même paysage.

— Craig, je voudrais un cocktail, dit-elle, en s'asseyant à table.

— Nous en voulons tous les deux, rectifia-t-il.

Il s'était pourtant fait une règle de ne jamais boire à midi. Mais la requête avait été accompagnée d'un regard si grave qu'il devait être sans rapport avec elle. Et Craig sentit se réveiller l'appréhension qu'avaient dissipée les amicales minutes du trajet.

— C'est au sujet de Larry, dit Joan.

— Il va bien?

— Tout à fait bien. Mais j'ai pensé que vous pourriez m'aider. Je ne connais personne à qui je puisse demander cela, s'excusa-t-elle. Il me semble... Il me semble... qu'il y a un problème dans notre mariage.

Ainsi donc il s'agissait bien de Siz, pensa-t-il, fronçant les sourcils et plongeant dans son verre, le temps de trouver une contenance. Mais Joan le surprit :

— Il faut que je fasse quelque chose, Craig. C'est indispensable. Il le faut pour le bien de Larry. Peut être aussi pour moi-même... je ne sais pas... En tout cas, ce n'est pas mon côté de la question qui me préoccupe.

Craig, perplexe, demeurait silencieux. Joan eut un rire nerveux :

— Voyez-vous, je voudrais lui faire un vrai

foyer. C'est bien là ce qu'on attend normalement d'une épouse. Mais rien n'est normal pendant cette guerre, et cela ne peut être envisagé. D'ailleurs, Larry ne le voudrait pas en ce moment. Il y a trop d'excitation dans l'air. Il aime cette vie militaire. Il sera désolé quand ce sera fini.

— Il fera un joliment bon soldat dans cette guerre !

— Je sais. J'en suis absolument certaine. Mais, pour le garder heureux, il faut que moi aussi je fasse quelque chose.

— Il me paraît très heureux comme ça. Je suis sûr qu'il l'est.

— C'est si difficile à expliquer, Craig, et pourtant c'est si clair pour moi. A moins qu'une femme ne trouve une autre occupation, il n'y a pas grand-chose à faire pour elle que... que d'être une liane... cramponnante...

— Pas vous ! Sûrement ce n'est pas cela qui vous soucie ?

— Mais si. J'ai déjà commencé à en être une, Craig. Comme toute femme amoureuse. Mais ce n'est pas tellement dangereux parce que cela ne peut pas prendre avec Larry.

Elle avait un regard sérieux, qu'il soutenait difficilement.

— Je sais que je dirais volontiers : « Où est, ce soir, mon aventureux vagabond ? »

Craig leva brièvement les yeux sur elle et pensa que, derrière ces mots et ces phrases, il y avait une blessure due à Siz.

— Voyons..., commença-t-il, ne sachant que dire.

— Mais oui, je le dirais. Mais, si j'avais une activité propre, si, outre que je suis sa femme, j'étais quelqu'un par moi-même... Craig, c'est la seule chose que, pour moi, je désire réellement, être sa femme. Je n'ai besoin d'aucun autre intérêt. Mais ne représenter pour lui qu'une obligation, le voir devenir agité, nerveux... Que puis-je ici, Craig ?

— Vous voulez dire, ici, à l'hôpital ?

— Non... Oui..., répondit-elle avec hésitation. Non... je ne crois pas...

— Non. Il y a la cantine. Ce n'est pas impossible.

— Je crains que Larry n'aime guère cette idée.

Trop exaspéré par son frère pour réfléchir, Craig dit trop vite :

— Ecoutez, Joan. La question ne peut pas toujours se poser de la même façon... Ce ne peut pas toujours être : « est-ce que Larry aimerait?... » Vous avez juste autant de droits que lui.

— Oh ! je sais. Mais je ne tiens aucunement à les revendiquer, Craig. Je pense qu'il doit y avoir moyen de trouver quelque chose à faire en ville. Quelque chose qui n'ait aucun rapport avec l'armée : cela ne ferait que piquer Larry davantage. Je m'en rends clairement compte.

Il ne pouvait rien répondre. Il ne pouvait qu'envier irrésistiblement Larry.

— Est-ce que je vous parais chimérique? ou rusée? ou quoi?... Je suis une plus vieille épouse que vous ne pensez.

— Vous êtes quoi, Joan?

— Nous sommes mariés depuis trois mois, répondit-elle en riant.

Et, devant son visage choqué, elle expliqua :

— N'est-il pas étrange que je me sente coupable en vous le racontant? Comme si c'était irrégulier... illégal... que sais-je?... Larry n'avait pas encore ses ailes de sous-lieutenant, et les aspirants ne doivent pas se marier...

— Oh ! dit Craig.

— Larry m'a trompée.

— Oh ! répéta Craig sur un autre ton.

— Non. Pas comme vous croyez. Simplement il ne m'a pas avertie de cette interdiction. Il prétendait que je lui donnais trop de soucis pendant que nous n'étions pas mariés. Ce n'est qu'après qu'il m'a mise au courant... Il a bien fallu, alors, garder le mariage secret.

Craig n'arrivait pas à comprendre pourquoi il tremblait de ressentiment, tandis que Joan n'en montrait aucun.

— Je commence à connaître Larry à fond. Il n'a jamais eu... le type célibataire. Où donc ai-je entendu cette expression ? Ah ! oui ! fit-elle, avec agacement.

Craig la regarda prendre une cigarette et se cuirassa dans l'attente d'une discussion relative à Siz. Ce ne fut pas ce qui se produisit.

— Il est trop séduisant. Et il le sait trop bien, ce beau diable ! (Il y avait de la tristesse et de l'orgueil ensemble dans la voix de Joan.) Au bureau de l'aérodrome du camp précédent, il y avait une jeune fille... Elle est venue me trouver après notre mariage. Furieuse ! (Joan hocha la tête, son orgueil l'abandonna, elle regarda Craig d'un air suppliant.) Je ne savais pas... J'ignorais qu'elle existât... Jamais je n'en ai parlé à Larry... Et, Craig, je n'avais pas l'intention de vous le dire... Cela n'a rien changé d'ailleurs... Seulement, si je pouvais trouver quelque chose d'intéressant à faire... Voici Larry.

Debout devant l'entrée, Larry regardait autour de lui. Il rencontra les yeux de sa femme et se dirigea promptement vers elle et vers Craig avec un sourire enthousiaste.

— Craig, fit rapidement Joan, n'oubliez pas, si vous entendez parler de quoi que ce soit... De n'importe quoi d'intéressant. C'est très important, j'en suis sûre, très important.

— Eh bien ! Quelle surprise ! feignit gaiement Larry en prenant une chaise. Quelle surprise de vous rencontrer ici !

Joan le regarda, son visage, ses cheveux, ses épaules, sa cravate.

— Joli ! dit-elle. Es-tu en retard ?

— A l'heure. Ponctuel. Dans cette armée, Thomas n'est jamais en retard.

Il leva les sourcils en considérant leurs deux verres et, passant ironiquement sa langue sur ses lèvres :

— Et vous buvez, qui pis est ! Pas moi. Je viens de voler. Je vais recommencer à voler.

Avec un grand effort pour se réadapter au ton que prenait la conversation, Craig s'informa :

— Quel genre de vol ?

— Instruction, hélas ! Vol en tandem. Expliquer à un bêta ce qu'il doit faire. Du remplissage, en somme. Chuck est l'heureux chien !

— Que fait-il, Chuck ? s'enquit Joan.

— Il est là-haut, répondit doucement Larry. Avec un nouveau Thunderbolt de chasse. J'aurais bien voulu faire un tour dedans moi-même, ça viendra ! Ecoutez...

Dans le lointain, un bourdonnement aigu montait, s'enflait avec une rapidité étonnante, devenait un grondant crescendo au moment du passage pardessus le club et puis, très vite, un gémissement décroissant.

— Ce doit être Chuck, fit Larry en riant. Il sait que nous déjeunons ici.

— Il vole joliment bas, à ce qu'il me semble, remarqua Craig.

— Il sait bien ce qu'il fait.

Le rugissement bourdonnant revint, plus fort, assourdissant, semblant littéralement exploser audessus du club, au point que les dîneurs se redressèrent sur leurs sièges et, stupéfaits, se regardèrent les uns les autres.

— Je n'aime pas du tout cette faible altitude, dit Craig, et je suis surpris qu'on ne l'ait pas encore rappelé à l'ordre.

— Il a épousseté le toit du club ! constata Larry. Le colonel Flynn a recommandé à Chuck de faire passer l'avion par toutes ses allures. Il pense que c'est de bonne psychologie, cela donne de l'ambition aux apprentis, un but précis à atteindre.

Joan s'exclama, horrifiée :

— Larry ! Est-ce là le genre de leçons et de psychologie que tu enseigneras à tes élèves ?

— Pas seulement aux élèves ! Attends un peu

que je quitte l'instruction pour la chasse! Nous aurons besoin de tous nos moyens, le moment venu, pour faire pivoter ces bébés-là! Nous...

Le sourire s'effaça de ses lèvres. Il se tut. Du terrain d'aviation s'élevait l'appel aigu et lamentable de la sirène.

Déjà Craig était debout :

— Déjeunez, vous deux. Moi, il vaut mieux que je me hâte vers l'hôpital, pour le cas...

— Pas Chuck? cria Joan. Pas Chuck? Il ne s'est pas écrasé?

Larry était blême.

— Craig, peux-tu passer par le terrain? Tu pourras continuer avec l'ambulance.

— Vite alors, viens, dit Craig.

Comme ils quittaient le club en courant, le gémissement plus profond de la pompe à incendie s'élevait à son tour, bientôt doublé par le cri continu d'une sirène d'ambulance.

9

— JE me suis envoyé une belle petite, hier soir, dit le caporal Tyce au deuxième classe Smith.

Il le regardait trimbaler un grand bidon d'huile de la main gauche, parce que son bras droit était raide et enflé à la suite du vaccin. Le visage plissé par l'effort se détendit parce que Henry se préparait à écouter. Aussitôt, une lueur vicieuse s'alluma dans les yeux de Tyce.

— Eh oui ! C'était une étrangère quelconque. Une Grecque, peut-être. Elle ne jaspinait pas tellement bien l'anglais, mais on s'est bigrement bien compris tout de même, Smitty, parce que nous voulions tous les deux la même chose.

— Ce bras ne vaut pas cher, décida Henry Smith, essayant une lente flexion qu'il arrêta sur une grimace.

— Vous savez ce que je veux dire, quand je dis que nous voulions tous les deux la même chose?

— Bien sûr. Vous n'en êtes jamais fatigué?

— Avec une seule femme, ça se pourrait. Mais je m'assure de la variété.

— Vous vous débrouillez bien avec une paie de caporal !

Tyce, d'un coup, jeta feu et flammes :

— Qu'est-ce que ça signifie, ça? Allez, videz votre sac; qu'est-ce que vous insinuez?

Henry Smith demeura stupide d'étonnement :

— Ben... j'ai dit que vous vous débrouillez bien avec une paie de caporal...

— C'était pour rien, gratuit ! jeta hargneusement l'autre. Sur l'herbe, double idiot !

— O. K. ! Alors pourquoi poussez-vous ces cris? qu'est-ce qui vous excite comme ça?

— Oh ! je suis nerveux, parfois... On le serait à moins, à force de travailler tout le temps avec une poule mouillée imbécile, on finit par s'exaspérer. Tant que vous faites convenablement votre ouvrage, ça peut aller.

— Merci, chef, dit Henry, que son bras agaçait, mais je n'ai pas demandé à l'armée de m'assigner cette besogne.

— Vous pensiez que vous piloteriez un de ces joujoux et qu'on vous prendrait pour un as, pas vrai? (D'un ample geste, il désigna l'avion de chasse autour duquel ils s'affairaient.) Il y en a bien d'autres qui ont pensé ça avant vous.

— Je m'en doutais, dit Henry.

129

— Vous êtes bien mieux où vous êtes, petit père. Les deux pieds sur le sol. Sain et sauf. Par exemple, prenez-moi...

— A quoi cela m'avancera-t-il? grommela Henry.

— Prenez un certain nombre de choses que j'ai vues, j'essaye de vous expliquer, essayez de comprendre! Avez-vous jamais vu un homme cuire tout vivant? Jamais senti son odeur?

— Je n'en ai aucune envie.

— Je crois bien que vous n'en avez pas envie. Vous seriez incapable d'encaisser ça. Jamais vu une hélice décapiter un bonhomme?

— Jamais vu.

— Moi, si. L'un et l'autre. J'ai filé tout droit me cacher dans la carlingue d'un autre avion. Jamais vu un homme aplati sous un appareil, juste comme une grande crêpe sanglante dont la terre boit le sang? Jamais vu...

— Oh! la ferme! jeta Henry.

— Vous voyez! Vous ne pourriez pas encaisser. Moi, j'ai vu tout ça! J'ai même tout ça en photos. Les avions ont toujours été mon béguin.

— Tiens? Je croyais que votre béguin, c'était les femmes.

Tyce le regarda longuement d'un air soupçonneux. Et puis son visage s'éclaira d'un sourire sardonique.

— J'ai réfléchi à ce que je pourrais faire de vous, Smitty. Vous êtes grand. Vous êtes bien fichu. Nous sortirons ensemble un de ces soirs. Ces dames vont souvent par paire. Je vous ferai connaître quelque chose de bien!

Henry Smith soupira. Il avait bien pensé prier Tyce de l'emmener un soir ou l'autre. Mais il n'aimait pas Tyce. Et il redoutait sa lourde ironie.

— Je vous apprendrai comment y arriver, dit le caporal, qui, de nouveau, le dévisagea attentivement. Les poulettes ne sont pas toujours disposées. Faut les persuader, savoir s'y prendre.

Henry écoutait, désarmé et fasciné. Toutes les précisions et tous les détails que Tyce accumulait, puisés dans son expérience personnelle, se gravaient dans l'esprit du soldat, le révoltant souvent, le dégoûtant quelquefois, mais faisant néanmoins battre ses artères.

Ils passèrent à un autre avion, et, là, le sergent vint les retrouver et chargea Henry d'une course en ville.

— Peux pas vous exempter de service à cause de votre bras, dit-il, mais prenez votre temps pour aller et pour revenir. Ça vous reposera. Disposez de tout votre après-midi, mais ne le dites pas, comprenez-vous?

— Merci, fit Henry.

— Merci, pourquoi? s'informa le sergent.

— Oh! rien. Façon de parler. Je disais que je vais me mettre en route, répondit Henry en souriant.

Il décida même qu'il déjeunerait en ville. Il achèterait des saucisses chaudes à une certaine roulotte-restaurant où il serait servi par une fille toute frisée, aux cheveux de la même couleur que le café de sa tasse. Il s'était déjà demandé si cette fille sortait avec des soldats, mais il n'avait jamais osé le lui demander à elle!... Il aimerait l'emmener au cinéma et tâcher d'obtenir qu'elle lui tienne la main dans l'obscurité. Il décida qu'il le lui demanderait, mais alors il valait mieux y aller quand serait passée la bousculade de midi.

Il marcha d'un pas rapide jusqu'à la limite du camp, puis il prit la route la plus longue et ralentit son allure, s'arrêtant pour considérer à l'entraînement les avions instructeurs aux ailes jaunes, manœuvrant en formation simple. Et son visage se crispa de chagrin. Il aurait dû être là-haut. C'est pour voler qu'il était entré dans l'armée. Son échec demeurait une sorte de rébus exaspérant et douloureux : comment avait-il pu rater comme il l'avait fait à l'examen d'aptitude? Ces questions et ces problèmes qui l'avaient glacé de panique : à peine avait-il quitté la pièce que leurs solutions lui revenaient d'elles-mêmes à l'esprit. Ce qui l'avait donc perdu, c'était le souci par lequel il s'était épuisé d'avance. Il avait conclu, avec une humiliation profonde et une humilité sincère, qu'un homme qui réagissait aussi maladroitement devant la difficulté n'avait pas l'étoffe d'un pilote.

Il entra dans un bois et, assis sur l'herbe, s'adossa à un arbre pour regarder évoluer dans le ciel des hommes qui valaient mieux que lui. Subitement il se leva. De l'est arrivait un grondement sur notes aiguës : il connaissait cet appareil. C'était lui-même qui avait fait le plein d'essence et d'huile. Au moment où il quittait le terrain, il avait écouté les hommes d'équipage qui chauffaient le moteur du Thunderbolt devant le hangar principal. L'avion tonna par-dessus le bois dans un bruit assourdissant : ça rappelait, en plus fort, le départ d'un obus court.

— Oh! mes amis! dit tout haut Henry Smith, suivant l'appareil du regard jusqu'à ce qu'il se fût fondu dans le ciel.

Il se remit lentement en marche vers la ville. La serveuse du wagon où il allait déjeuner — et, pour ce qui était de ça, n'importe quelle fille à la ronde — n'aurait d'yeux que pour un homme portant au col les ailes de pilote. Il pensa à Mrs Thomas, à son mari qui portait les ailes.

Le Thunderbolt revenait. A fond de train. Le bruit régulier et puissant des cylindres était comme un tambour dans ses oreilles. Mais les arbres lui cachaient l'appareil. Alors il courut vers un espace dégagé. Et il le vit, plus haut, allant et venant comme en une danse serpentine. Tandis qu'il le regardait, tremblant d'émoi, un grand cri s'échappa de sa gorge, et il se prit à courir aussi vite qu'il le pouvait.

Le petit avion de chasse qui s'était élancé si audacieusement dans le ciel n'était plus sous contrôle. Il ne répondait plus au pilote et plongeait presque à la verticale en tournoyant follement, à l'aplomb d'une médiocre éminence distante de cinq cents mètres à peine. Le craquement fut comme le coup d'une formidable matraque : les abominables photos évoquées par Tyce jaillirent dans l'imagination de Smith, tandis qu'il courait pour porter secours.

Déjà, comme il arrivait au petit tertre, des flammes avaient jailli, et leurs langues jaunes léchaient le fuselage mis en accordéon. Une partie du gouvernail avait été projetée dans un buisson, et, sauf pour le crachement des flammes et leur doux ronflement en contrepoint, le silence était terrible.

Smith se couvrit le visage de son mouchoir et courut vers la carlingue. Sautant d'un pied sur l'autre, dans l'herbe qui brûlait, il parvint à regarder à l'intérieur : l'avion était vide. A moins que le corps du pilote ne fût coincé au fond. Il fit un rapide rétablissement pour plonger son regard jusque-là, et le métal surchauffé lui brûla les mains : la carlingue était bien vide !

Suffoquant, il s'éloigna en vitesse pour avaler quelques gorgées d'air respirable. Ses chaussures et son pantalon fumaient, mais ne flambaient pas. Reprenant son élan, il fila en avant de l'épave, cherchant partout où l'aviateur pouvait être tombé et ne trouvant alentour que des débris d'avion épars.

Remettant le mouchoir sur son visage, il repartit vers l'appareil même, où maintenant les flammes rageaient de partout. Mais à travers les crépitements et les sifflements, il entendit une voix d'homme qui gémissait. Le pilote était étendu sous une aile déchiquetée qui avait basculé pardessus lui. La chaleur était effrayante. Henry n'eut que juste le temps de soulever le bord de l'aile sur son genou et de tirer le corps à lui, puis il dut fuir à nouveau vers l'air respirable. Et il revint encore, haletant, pour traîner par les courroies de son parachute l'homme qui était grand, lourd et difficile à manier comme tout poids mort. Il avait, dans la chaleur suffocante, l'impression qu'ils ne gagnaient pas de terrain, dut fuir une fois de plus, une fois de plus revint, put tirer la victime à une douzaine de pas de l'appareil, s'arrêta pour éteindre le feu qui avait pris dans la combinaison de vol, s'éloigna une dernière fois et, désormais, à distance suffisante de l'épave enflammée, put respirer et traîner sans nouvel arrêt le corps du pilote plus vite et plus régulièrement.

Quelqu'un cria : « Ça va, nous le prenons ! » et repoussa de côté Henry qui alla s'asseoir sur l'herbe pour souffler. Son visage était cuisant et tendu, et, quand il regarda ses mains, il les vit pleines de sang.

-:-

— Il est vivant ! constata Craig, penché sur le brancard.

Et sa surprise était grande. Il prit le poignet de Chuck Waller; autour de lui, un cercle compact d'hommes regardaient. L'un portait le parachute plié, qui avait été, en deux coups de couteau, enlevé des épaules du blessé. L'ambulance était là, moteur en marche. Déjà, la pompe à incendie éteignait le brasier. Des hommes couraient. Des portières d'autos claquaient. Un immense ronronnement remplissait le ciel, car tous les élèves présents à l'entraînement avaient été envoyés au-dessus du lieu du désastre.

Le pouls était rapide, mais bon, ni trop faible ni irrégulier, malgré le choc. Le bras gauche était replié à un angle bizarre : Craig y sentit un os brisé.

— Attelle ! dit-il.

Et les infirmiers de l'ambulance s'employèrent aussitôt. Les cheveux de Chuk étaient roussis, une oreille brûlée, mais le front, ni livide ni marbré de noir, ne faisait pas présumer que le cerveau fût atteint. Très probablement des signes de commotion allaient se manifester sous peu, mais jusqu'à présent rien encore n'indiquait de contusions internes.

— Bizarre! dit Craig au capitaine Bland qui était venu avec l'ambulance.

Mais il s'arrêta aussitôt, car il s'était fait une règle de ne permettre à aucune préoccupation relative à un cas de se manifester dans ses discours ou dans ses actes.

— S'il s'en tire avec un bras cassé et un choc nous pourrons dire que l'ère des miracles n'est pas close. A-t-il bougé?

L'auxiliaire qui plaçait l'attelle secoua négativement la tête. Puis il indiqua Smith, derrière d'autres:

— Ce soldat, là-bas. Retirez-vous, vous autres, qu'on puisse le voir. C'est lui qui l'a tiré du feu.

— Smith! s'exclama Craig. Je vais m'occuper de lui dans un instant.

Mais déjà Joan était auprès du garçon qui tournait vers eux un visage cuit comme par un coup de soleil.

— Major Thomas! (C'était le colonel Flynn qui fendait la foule et s'approchait du brancard.) Comment est Waller?

— Tout ce que je peux dire, monsieur, c'est qu'il est vivant.

— Croyez-vous qu'il vivra?

— Le pouls est encore bon et régulier, dit Craig d'une voix rassurante.

Et il fit signe aux aides de mettre le brancard dans l'ambulance:

— Conduisez lentement, évitez la moindre secousse, recommanda-t-il. Dites à l'officier de jour que j'arrive. Qu'il garde le lieutenant Waller dans la salle des urgences et bien couvert.

— Sais vraiment pas comment il a pu en sortir vivant, dit Flynn en contemplant les débris. J'ai bien peur que nous ne découvrions jamais ce qui s'est produit. Sans doute tout s'est-il passé trop vite pour que Waller ait pu se rendre compte. Du diable, Thomas ! Je lui avais dit qu'il pouvait pousser sa machine à fond et lui faire donner tout ce dont elle était capable. Il avait déjà piloté des Thunderbolt : il a d'excellentes notes. Si j'ai bien compris, c'est un soldat qui l'en a tiré? Où est-il? Peut-être pourra-t-il nous dire quelque chose?

Joan conduisait Henry Smith vers eux, une main sous son coude, l'autre bras passé autour de lui pour le soutenir. Il tenta d'esquisser un sourire, mais ses lèvres en sang lui faisaient trop mal. A vrai dire, il ne se sentait aucun besoin d'être soutenu, mais la politesse exigeait qu'il n'en laissât rien deviner, et, au surplus, c'était agréable de sentir cette sollicitude pitoyable et amicale. D'une main mâchurée et saignante, il salua le colonel.

— Repos, mon garçon. Comment vous appelez-vous?

— Soldat de deuxième classe Henry Smith, monsieur.

— Le lieutenant était-il dans l'avion quand vous y êtes parvenu?

— Non, monsieur. J'ai commencé par regarder dans la carlingue. Il avait dû être précipité au-dehors, puis enseveli sous les décombres de l'aile. D'abord, je n'ai pas pu le trouver. Ensuite...

Le colonel l'interrompit :

— Avez-vous vu l'avion s'écraser?

— Je ne l'ai pas vu toucher terre, les arbres le cachaient, mais je l'ai vu descendre, monsieur.

— Avez-vous pu vous rendre compte de ce qui se produisait? Qu'est-ce qui n'allait pas? Le pilote faisait-il un effort quelconque?

— Il descendait effroyablement vite, monsieur. En vrille. Complètement hors de contrôle.

L'officier se mordit la lèvre.

— Vous allez garder ce garçon en traitement, Thomas?

Au signe de tête affirmatif de Craig, il reprit :

— Je retourne sur le terrain. Je vous serais obligé de me faire part de ce que vous aurez pu apprendre concernant Waller. Bonne chance pour lui. Nous avons besoin de lui. S'il parle... de l'avion... il faut en prendre note. J'enverrai quelqu'un.

— Smith, dit Craig, je vais vous emmener à l'hôpital dans ma voiture. Vous avez fait quelque chose de très bien.

Pour ménager ses mains, Henry grimpa à l'arrière en se hissant par les coudes, Joan s'installa près de lui. Larry, qui était demeuré silencieux jusqu'alors, demanda en montant près de son frère :

— Craig, est-ce que Waller pourra encore voler?

— Je n'en sais rien pour l'instant. Nous ne savons rien à propos de rien! Smith, tenez les doigts étendus jusqu'à ce que je les aie pansés; si vous les pliez maintenant, vous souffrirez lorsqu'il faudra les allonger.

— Mary! Pauvre Mary! dit Joan avec ferveur. Le saurait-elle déjà, Craig? Vaut-il mieux que je lui téléphone?

Ce fut Larry qui répondit :

— Il faut lui téléphoner. Mais, pour l'amour du Ciel, Joan, que ce soit toi qui t'en charges.

Ils pénétrèrent, sur les talons de Craig, dans la salle d'urgence de l'hôpital, où l'officier de service entouré de trois médecins examinait Chuck. Craig lui prit le pouls, et, de loin, son frère, Joan et Henry épiaient son visage afin d'y lire si Waller était toujours en vie.

Le pouls maintenant était plus faible et beaucoup plus rapide. Chuck, pâle et immobile, était étendu pareil à un cadavre au visage sale. Craig questionna :

— La tension?

— Pas encore pu la prendre. Je vais le faire. Faible sans aucun doute.

— Il a été durement ébranlé, une commotion terrible. Pendant que je le surveille, donnez-lui donc du plasma. Il n'a pas bougé depuis qu'on l'a amené?

— Non, monsieur. Pas de lui-même. Et je n'ai rien fait pour le stimuler.

Craig glissa la main sous le corps inerte, et, lentement, de ses doigts adroits et sensibles, palpa, l'une après l'autre, l'épine saillante de chaque vertèbre. Aucune ne semblait déplacée. Le procédé était insuffisant pour l'établissement d'un diagnostic infaillible; Craig demeurait incertain, perplexe, préoccupé. Mais il n'osait guère remuer Chuck avant d'en savoir plus long. Cette inconscience dont le blessé ne sortait pas, l'impression particulièrement inerte que lui donnaient les pieds quand il les soulevait, l'inquiétaient.

— Nous allons tenter un examen aux rayons X, Cramer, dit-il à l'officier de jour. Laissez-le sur son brancard et tournez-le avec les plus grandes précautions pour l'examen latéral. Mettez-le ensuite sur un cadre Bradford et faites-lui une infusion de plasma sanguin.

Les hommes qui portaient le brancard disparurent à la suite de Cramer; Larry et Joan, tout aussitôt, se rapprochèrent, scrutant étroitement la physionomie du major.

— Que savez-vous, à présent?

Sans répondre, Craig secoua la tête. Larry, tous les nerfs en boule, explosa furieusement :

— Tant de temps qui passe, tant de monde qui discute autour de lui, et personne qui l'aide! Ne peux-tu donc rien faire pour lui?

— Nous ne savons pas exactement s'il a une fracture du crâne ou de la colonne vertébrale. Ce que nous tenterions peut-être à tort pour l'une pourrait nuire à l'autre. Les rayons vont nous renseigner.

— Les reins brisés, grommela Larry. Veux-tu que je te dise, Craig? Si Chuck doit rester infirme, il aurait mieux valu qu'il fût tué!

— Du calme, fit patiemment Craig. Toi et Joan pouvez attendre un moment. Pas ici. Il y a une salle d'attente.

Une infirmière entra avec un message.

— Mrs Waller est là. Dehors. Sa femme.

Le visage sensible et frémissant de Joan pâlit un peu. Elle prit le bras de son mari.

— Craig, je puis lui dire... que, jusqu'à présent, il ne semble pas qu'il y ait rien de vraiment grave? Une commotion?...

— Oui, dites-lui cela.

Larry se détourna en grognant :

— Un pilote ne devrait pas avoir de femme. (Il eut un sursaut et regarda Joan, puis bredouilla) : Je veux dire que ce genre de choses est plutôt pénible pour une femme !

Et Craig, qui s'était si soigneusement discipliné à ne considérer que les problèmes de la médecine et de la chirurgie et non les gens, pensa, en regardant s'éloigner la svelte silhouette de Joan, qu'elle avait plus de courage que quiconque.

— Venez, Smith, que je panse vos mains.

Il eut alors une impulsion soudaine et fit une chose qui lui était tout à fait étrangère :

— Je regrette d'avoir dû vous faire attendre, Smith. Vous n'avez pas attendu, vous, pour agir, auprès de l'avion, n'est-ce pas?

Les brûlures étaient pour la plupart superficielles, mais la chair avait été profondément déchirée par des morceaux de métal. A l'aide de ciseaux stérilisés et de pinces, il coupa et retira la peau lacérée, grillée, morte, constatant avec satisfaction qu'après la demi-heure dramatique qu'il venait de vivre ses mains étaient précises et sûres. Il couvrit d'un onguent jaune des carrés de gaze. A ce contact frais enveloppant sa peau douloureuse, Smith remarqua :

— C'est agréable, monsieur. Cela soulage.

Avant de mettre la bande de pansement, Craig doubla les épaisseurs de gaze. Le visage était simplement rouge. A part les cheveux et les sourcils grillés, le mal n'était, là, guère plus grave qu'un fort coup de soleil.

— Tout cela guérira promptement. Nous allons

vous garder ici un jour ou deux. Faites-le inscrire, je vous prie, dit-il à l'infirmière, et veillez à ce qu'on lui donne un calmant s'il souffre.

Henry Smith la suivit en hésitant, puis se tourna vers Craig :

— Major, si vraiment j'ai été de quelque utilité à ce pilote, je suis content que ce soit un de leurs amis, du lieutenant et de Mrs Thomas, de votre famille, je veux dire.

-:-

A grandes enjambées, Craig gagna la salle des rayons X. Au premier corridor après la salle d'urgence, il aperçut, sans regarder directement, dans la salle d'attente, Joan et Larry et Mary Waller, rapprochés en un petit groupe. Mary, au son de ses pas, se retourna, mais il passa rapidement comme s'il n'avait vu personne.

Le capitaine Cramer soulevait des films humides : c'était un spécialiste des rayons X, il n'en prenait pas moins son tour de service de jour comme les autres officiers.

— Qu'est-ce qu'on y voit, Cramer?

L'autre secoua une tête perplexe.

— Le corps de la première vertèbre lombaire paraît un peu émoussé au bord, un peu arrondi sur le tranchant. Peut-être cela signifie-t-il qu'il y a eu dislocation... Mais c'est fort peu défini, et je ne trouve rien d'autre.

— Est-ce qu'une dislocation causée par une secousse n'a pas pu se réduire, se remettre en place d'elle-même, au rebondissement?

Thomas fronçait les sourcils en émettant sa supposition. Cramer les fronçait aussi, son amour-propre atteint parce que l'image qu'il avait prise était si peu révélatrice. Mais, en effet, un accident pouvait se produire, faire sortir de sa place une vertèbre et l'y faire revenir aussitôt, sans que rien ne permît alors d'évaluer le dommage subi par la moelle épinière. Il haussa les épaules, soucieux.

— On ne sait pas ce que ça peut donner. Il n'est pas impossible qu'il soit d'aplomb quand il reprendra connaissance.

Craig hocha la tête sans répondre : il n'y croyait pas.

— Il n'y a qu'à le laisser parfaitement immobile et en paix jusqu'à ce que quelque chose se produise, qui nous fournira une indication. Bien entendu, je désire être averti aussitôt qu'il donnera signe de vie.

Il s'éloigna, subitement épuisé. Les obligations que lui imposait la routine quotidienne et qu'il accomplissait d'habitude rapidement et avec intérêt lui apparurent comme interminables, fastidieuses et déplaisantes : il décida de quitter l'hôpital, de marcher et, peut-être, d'aller s'étendre sur son lit. Un appel téléphonique le toucherait aussi facilement dans sa chambre que dans son bureau, plus facilement que si l'on devait le faire chercher parmi les longs couloirs de bois de ces multiples corps d'hôpital. Il appela une infirmière et lui tendit les clefs de sa voiture :

— Voulez-vous avoir l'obligeance d'aller jusqu'à la salle d'attente? Mrs Waller s'y trouve avec le lieutenant Thomas et Madame.

— Volontiers, monsieur.

Il ne désirait pas voir le visage affligé de Joan. Il ne désirait pas voir Larry. Il ne désirait pas discuter le problème du chagrin de Mrs Waller.

— Dites-leur qu'ils prennent ma voiture pour rentrer chez eux. Je continue à m'occuper du lieutenant Waller, et ils seront avertis sans délai si quelque chose de nouveau se produit. Pour le moment, il repose. Voulez-vous leur dire cela?

— Oui, monsieur.

— Merci.

Il pensa qu'il sortirait lorsque les autres seraient partis. Mais, comme il regardait s'éloigner l'infirmière, l'incertitude l'envahit. Puis il se sentit raidir de honte. Un gémissement lui échappa lorsqu'il comprit qu'il ne pourrait pas éluder. Il rappela l'infirmière.

— Annulez, voulez-vous? Je m'aperçois que je dois aller de ce côté, inutile donc que je vous dérange, je remettrai les clefs moi-même.

Il perçut, en entrant, le soupir de soulagement de Joan. Larry se prépara à poser des questions, et Mary Waller tourna vers lui un regard plein d'un douloureux et muet appel. Elle avait les yeux rouges et noyés de pleurs à demi contenus, et sa grande bouche vermeille était une moue tremblante.

— Pour l'instant, les nouvelles sont meilleures que je n'osais l'espérer, annonça-t-il. Mais une expression de chaude sympathie sur le visage de Joan le fit se réprimer. (Il continua plus froidement) : Les rayons X ne montrent pas grand-chose d'abîmé dans le dos.

— Dieu merci pour cela! fit Larry avec une évidente ferveur.

— Il se repose bien. Il est calme et dort. C'est tout présentement. Vous feriez bien de prendre ma voiture et de reconduire Mrs Waller. Nous n'allons pas déranger le lieutenant, madame, et il se peut qu'il n'y ait rien de nouveau d'ici plusieurs heures, c'est même probable. Nous téléphonerons aussitôt que nous saurons quelque chose de plus.

— Mais, major...

Il la prit par le coude et l'entraîna légèrement à l'écart. Il savait qu'il avait parlé de façon trop rassurante. Il aurait mieux valu, et c'eût été peut-être, en définitive, plus charitable, énoncer immédiatement toutes les possibilités défavorables. Donner un direct au menton, pendant qu'on y est, comme disent souvent les médecins. Mais il ne s'était pas senti capable de le faire. Pas à cause de Mrs Waller elle-même, mais à cause de la détresse qui se peindrait aussitôt sur le visage de Joan. Et parce que tout le poids de la douleur de Mrs Waller retomberait sur Joan.

— Il a subi une commotion terriblement violente, Mrs Waller, et il va lui falloir du temps. Mais, pour autant que nous pouvons en juger jusqu'ici, il semble que Chuck ait une grande chance.

— Vous croyez qu'il n'en restera pas de trace?

— Nous saurons cela quand il parlera.

— Vous comptez donc qu'il pourra parler !

Elle avait un sourire tout tremblant d'espérance.

— Bien sûr qu'il parlera ! Et, maintenant, partez avec Joan. Avez-vous déjeuné?

Joan, en partant, murmura tout bas à son mari :

— Il est vraiment très sympathique.

— Qui ça? grogna Larry. Ah ! tu veux dire le vieux coupe-toujours?

10

LES aiguilles lumineuses du réveil étaient presque jointes sur minuit lorsque Craig décrocha son téléphone qui sonnait. Il répondit aussitôt par la formule en usage dans l'armée :

— Le major Thomas parle.

— Ici, Cramer.

— Oui, capitaine. Waller?

— Semi-conscient maintenant. Je pense que vous souhaitez le voir.

— Quelque chose de précis?

— Je crois que oui, monsieur. Et pas bon du tout.

Craig ne s'arrêta pas à demander des détails. Cramer était un homme de valeur, bien rompu à l'habitude militaire qui lui interdisait de faire part de son propre diagnostic à un supérieur sans que celui-ci le lui demandât.

— J'arrive tout de suite.

Quelques lumières seulement éclairaient de loin en loin les interminables couloirs de bois, pâles allées que suivaient les tuyaux du chauffage central et ceux des aspergeurs contre l'incendie. Craig gagna rapidement la salle de garde des officiers. Cramer le rencontra à l'entrée.

— Il a commencé de parler de façon incohérente et, aussi, de remuer un peu.

— Pression sanguine?

— Meilleure.

Un technicien mobilisé, assis près du lit de Waller, se leva. Dans un coin, un caporal se leva également, carnet et crayon à la main. Waller déplaçait ses épaules tantôt vers la droite et tantôt vers la gauche, tordait son visage en grotesques grimaces. Il ne portait qu'un peignoir de lit qu'on lui avait glissé, après avoir découpé son uniforme aux ciseaux pour éviter de le secouer.

— Avez-vous pu tirer une indication de ce qu'il a dit?

— Il ne fait qu'appeler Mary, monsieur. Et il a dit quelque chose que nous n'avons pu saisir au sujet du Texas.

— N'a-t-il pas bougé plus que cela?

— Non, monsieur. Seulement la tête et les bras.

— Pas les jambes?

— Non, monsieur.

Cramer eut un éloquent mouvement d'épaules : c'était le mauvais signe redouté, c'était ce que Craig avait craint. Il fit fermer la fenêtre. Le corps de Chuck était chaud et moite. C'était celui d'un homme bien musclé, à ce que vit Craig lorsqu'il fit baisser les couvertures du torse jusqu'aux pieds. Ses bras étaient lourds et vigoureux, et le chirurgien, faisant jouer celui qui était demeuré intact, sentit une nette résistance musculaire. Mais, quand il souleva une jambe de l'aviateur et la fléchit de manière à rapprocher le pied du corps, il y eut une absence complète de réaction, comme si ce membre n'avait pas appartenu à l'homme étendu. Il allongea doucement sur le lit la jambe qui demeura inerte. Et la même tentative avec l'autre donna un résultat semblable : pas plus de vie ici que là.

Pendant que sa main palpait l'arrière de la cheville pour y trouver l'artère :

— Avez-vous examiné la circulation? s'informa-t-il.

Cramer eut un signe affirmatif, puis :

— Le pouls est très bon dans chaque jambe.

Le flot sanguin battait à présent contre le bout des doigts de Craig. Si totalement démonté que fût le contrôle nerveux, la circulation, elle, n'était aucunement entravée. Craig tapota un point sous le genou, et aussi l'arrière de la cheville, avec le marteau de caoutchouc en usage pour l'examen des réflexes; il finit par trouver ceux-ci, mais presque imperceptibles. Tout s'insérait fort exactement dans le tableau et le complétait.

— Donnez-moi un instrument pour éprouver la sensibilité.

Le capitaine Cramer lui tendit une petite brosse dont le manche se terminait par une aiguille, l'aiguille afin de déceler la réaction, à la douleur, la brosse, la réaction au toucher léger.

Craig enfonça légèrement l'aiguille dans un poignet qui, tout aussitôt, se retira. Même essai sur la poitrine et au visage. Chuck souleva les paupières et roula des yeux effarés.

— Oh! Bébé! Crois-tu qu'on grimpe! dit-il distinctement, puis referma les yeux.

A partir du bas de l'abdomen et tout le long des jambes, le toucher de la brosse ne fit même pas frissonner la peau, et l'aiguille fut enfoncée profondément sans qu'un muscle tressaillît.

— Croyez-vous, Cramer, qu'un nouveau cliché

aux rayons X nous donnerait des précisions plus nettes?

— Non, monsieur. Les épreuves étaient excellentes. Nous ne pourrions pas en obtenir de meilleures.

— Voulez-vous faire mettre les stérilisateurs en marche dans la salle d'opération?

Il appela Paul Blount. Et puis il demanda l'appartement de Joan et de Larry, et la voix de Joan répondit aussitôt.

— Ici, Craig. Je crois que nous allons devoir opérer. Voulez-vous examiner ce qu'il y a lieu de faire du côté de Mary Waller?

— Nous allons tous venir sans retard. Craig, est-ce grave?

— La moelle épinière, apparemment. Cela peut être très grave.

— Le dos brisé?

— Il semble qu'une vertèbre ait été disloquée, puis ait rebondi en place, endommageant la moelle épinière.

— Cela paraît affreux. Nous arrivons tout de suite. Oh! Craig... (Elle eut une courte pause.) Quel terrible fardeau pour vous de savoir que nous comptons tellement sur vous!

— Oh! dit-il.

Et il raccrocha.

Au bureau de l'infirmière en chef, il dit :

— Je pense avoir à faire une opération de la moelle épinière. Je voudrais une excellente... Qui donc est de service?

— A cette heure-ci, major Thomas, nous n'avons personne. Appellerai-je Miss Marrell, monsieur?

— Miss Marrell?

— Nous avons les meilleurs renseignements professionnels la concernant. Et elle s'est proposée pour vous seconder à n'importe quelle heure, major Thomas.

Il réfléchit que la rivalité entre infirmières était chose courante dans les hôpitaux quand il s'agissait de travailler avec des hommes de quelque réputation. Et il n'en connaissait aucune de meilleure sur place.

— Alors, appelez-la, dit-il.

Paul Blount arrivait le long du corridor :

— Qu'est-ce qui se passe, Craig? Vous m'avez interrompu au milieu d'un rêve de blondes, un meilleur rêve que n'en connut jamais Freud.

— Le pilote qui s'est écrasé cet après-midi, Chuck Waller. Je voudrais que vous l'examiniez. Il est dans la chambre du fond. Je serai au bureau des officiers de garde lorsque vous aurez terminé.

Dans l'exercice civil de sa profession, Paul Blount avait été un neurologue extrêmement apprécié. Quand il revint auprès de Craig, son visage était grave.

— Est-ce que les rayons n'ont rien dévoilé?

— Un léger arrondi, un léger émoussement du bord d'une vertèbre. La première lombaire. Il a repris conscience depuis peu. Et c'est là que je me suis rendu compte que Chuck est paralysé à partir de la taille jusqu'en bas.

— Tout me paraît, hélas! concorder, fit Paul. Lésion transversale de la moelle épinière au niveau indiqué. Commotion grave aussi, probablement.

Craig hocha la tête, il pensait de même. Et Paul conclut :

— Il a bien de la chance d'être encore là. Même avec une lésion de la moelle épinière.

— Vivre, mais paralysé pour la vie : je ne crois pas qu'il appellerait cela une chance! répondit Craig en se levant. Je vais ouvrir une fenêtre dans cette vertèbre et regarder à l'intérieur.

Comme ils arrivaient à la salle d'opération, Siz Marrell retirait des instruments d'une vitrine. Plus rien de nonchalant ne demeurait dans ses mouvements pendant le travail. Rien n'était d'ailleurs vraiment paresseux en elle, sauf sa voix qu'elle rendait délibérément lente et traînante. Elle agissait alertement, son uniforme blanc était impeccable, et rien n'indiquait qu'elle avait été arrachée au sommeil.

— La damnée fille! murmura Paul. Votre matériel est prêt, Craig. Et elle est toujours mon désir et mon ambition préférée!

— J'ai préparé les instruments réguliers pour une laminectomie, major Thomas. Vous faut-il autre chose?

Craig fit un signe négatif.

— Dans ce cas, dit-elle, nous serons prêts d'ici quinze minutes.

A la toilette où ils se brossaient rituellement les mains et les bras, Paul, à voix basse, poursuivit le sujet qui lui tenait à cœur.

— Vous devriez la regarder, la regarder bien, Craig. Vous connaissez l'anatomie féminine comme une pendule. Avez-vous jamais vu une plus jolie pendule, mieux construite et qui marche mieux! J'ai comme un pressentiment que, si vous le lui proposiez, elle ferait allègrement tic tac. Et je ne suis pas sûr du tout qu'elle le ferait pour moi!

Siz se brossait les mains à une cuvette voisine.

— Bien aimable à vous d'être venue, dit le major Thomas.

Et il fit en même temps un petit salut correct.

On voyait, par une porte ouverte, une autre infirmière déjà brossée et de blanc vêtue, qui s'affairait autour de tables stérilisées et de porte-cuvettes, répartis comme au petit bonheur à travers la pièce, mais effectivement placés aux endroits calculés pour présenter le maximum de commodité. Ses mains gantées de caoutchouc disposaient les instruments sur la grande table, là aussi avec un maximum d'efficacité. Ceux des instruments qui n'étaient pas répartis sur l'un ou l'autre des supports étaient rangés, sur des plateaux chromés avec lesquels ils avaient été stérilisés, en un ordre prévu de telle manière que n'importe quel instrument d'un certain type spécial pouvait être cueilli promptement, sans tâtonner. Siz Marrell, une fois brossée à fond, enfila une blouse stérilisée qu'on lui tendait, glissa ses mains dans des gants stérilisés qui lui étaient présentés par des mains gantées et, dans le même temps que d'autres mains gantées nouaient derrière elle les cordons de sa blouse et de son tablier enveloppant, elle s'occupa des aiguilles.

— Elle est bonne! soupira Paul.

Les deux chirugiens étant prêts entrèrent à leur tour dans la salle d'opération où fut roulée une table sur laquelle, respirant avec bruit, Chuck Waller était étendu sur le ventre. Cramer, déjà, lui avait donné un somnifère, car Craig se proposait d'y aller doucement avec la novocaïne, et il ne pouvait être question d'anesthésie générale, à cause de la commotion.

-:-

Et tous les minutieux détails préparatoires se succédèrent : le dos entier, des épaules aux reins, passé au mercurochrome, puis recouvert de serviettes aseptisées disposées en rectangle, elles-mêmes recouvertes d'un grand drap découpé en son centre, ne laissant de visible que le champ de peau injectée de novocaïne, au-dessus de la vertèbre suspecte.

— Scalpel.

La lame passa de la main de Siz dans celle de Craig. Après un ou deux essais pour situer avec précision l'endroit exact, il fit glisser le scapel d'un long trait assuré : la peau se divisa. Et, dès ce moment, les doigts habiles et prompts ne s'arrêtèrent plus, n'eurent ni un faux mouvement ni une hésitation, placèrent les pinces d'écartement, de nouvelles serviettes stérilisées afin qu'aucun microbe — s'il en demeurait de vivants à l'intérieur de la peau — ne pût pénétrer dans la chair ouverte. Les doigts habiles et prompts prirent l'un après l'autre de la main de Siz les instruments nécessaires et, en un temps remarquablement court, eurent mis à jour trois épines osseuses au milieu d'une découpure rectangulaire qui s'enfonçait de deux pouces dans le dos de Chuck.

— Aucun déplacement de vertèbre, dit Craig à Cramer, en se redressant. Je vais couper le ligament entre la première et la seconde lombaire... Il y a de l'hémorragie par ici... Il faut enlever le sommet de la première lombaire.

Et, de nouveau, ce furent des minutes d'intense concentration, de travail minutieux et prompt. Un gémissement ayant échappé au pilote, Craig s'interrompit pour prendre une seringue à longue aiguille et faire une injection profonde de novocaïne destinée à bloquer les racines nerveuses.

— Il y a de l'hémorragie tout le long ici, dit-il en retirant plusieurs caillots sombres et filamenteux, indubitablement elle fait pression sur la moelle.

— Mais la moelle elle-même? s'enquit Paul Blount.

Craig releva les yeux emplis d'une sérénité délibérée, comme il le faisait souvent au moment le plus critique d'une opération. Car ses propres nerfs avaient toujours besoin d'aide et, de donner une impression de calme aux autres, lui rendait effectivement son propre calme.

— Dans un instant, je le saurai, j'ouvrirai la membrane pour voir, mais je veux avant tout m'assurer que l'hémorragie est arrêtée.

Et, tantôt à l'aide de cire d'os, douce et très malléable, tantôt par l'application d'éponges mouillées, chaudes, tantôt en apposant de minuscules morceaux de tissu musculaire qui adhéraient aussitôt, Craig arrêta l'écoulement du sang par les plus petits vaisseaux. Quand tout fut sec et propre :

— Nous pouvons couper la première membrane, dit-il.

Du fluide mêlé de sang apparut, à peine fendue cette épaisse peau intérieure. Et Blount le recueillit avec l'appareil à succion qui n'avait pas cessé de fonctionner depuis le début de l'opération.

Un grand silence tomba, une sorte de rigidité saisit chacune des personnes présentes : le mouvement suivant révélerait si l'aviateur était sauvé ou condamné. Craig redressa un instant la tête pour faire jouer le cordon trop serré sur sa nuque et qui ajoutait à son extrême fatigue. Il vit la grande bouche généreuse de Blount réduite à une ligne dure, ses sourcils joints sous l'effet de la tension intérieure. Avec le plus grand soin, il souleva la corde blanchâtre, regarda dessous, retira quelques petits caillots, reposa doucement la moelle dans son canal de vertèbres et, contournant la table, fit exactement la même chose de l'autre côté. Finalement, ayant étudié avec une attention anxieuse la surface inférieure aussi bien que la supérieure, il réinstalla le cordon médullaire dans sa position normale.

Pendant de longs moments, il étudia, examina, cherchant à se représenter la moelle épinière plus haut et plus bas que la portion découverte :

— Elle est intacte, dit-il enfin. A part d'imperceptibles pointes d'hémorragie, je ne vois aucune lésion à la moelle même.

— Ah ! que voilà une bonne chose ! soupira Paul Blount.

Et d'autres soupirs de soulagement firent écho au sien. Et tous les visages se détendirent, s'illuminèrent de sourires. Les acclamations ne sont pas de mise dans une salle d'opération, et le chirurgien ne peut être porté en triomphe sur des épaules enthousiastes. Mais les cœurs y étaient. Tous ceux qui se trouvaient là savaient qu'une lésion de la moelle épinière signifie une paralysie définitive, tandis que le retrait des caillots qui la comprimaient signifiait selon toute probabilité une guérison complète.

Craig alla laver ses gants dans une cuvette proche de la table.

— Fermons maintenant, dit-il. Le catgut chromé, je vous prie, Miss Marrell.

Pour important que fût tout le reste, l'excitation générale tombait. Tour à tour, les os, les muscles, la peau reprenaient leur place. La plaie guérirait doucement et ne laisserait qu'une faible cicatrice.

Finalement, Craig Thomas s'écarta de la table et commençait de retirer ses gants lorsqu'il se ravisa :

— Passez-moi une aiguille, demanda-t-il à l'infirmière.

Et, relevant la couverture des pieds de Chuck Waller, il piqua l'aiguille en pleine chair, sans que ce coup rapide provoquât de réaction. Un second coup, menant l'aiguille plus profond, produisit une contraction du pied et un net mouvement.

— La fonction revient, constata-t-il. Tout doit aller bien.

-:-

Paul Blount lui prit la main, pour une seule secousse, avec la vigueur d'un coup de pompe. Siz le regarda, les yeux brillants, les lèvres entrouvertes, prêtes à parler. Il la prévint :

— Merci. Avertissez la garde que vous ne reprendrez le service qu'après midi.

Déconcertée, elle secoua les épaules.

Il trouva Joan et Larry et Mary Waller dans la petite salle d'attente au bout du long corridor.

— Donne-moi une cigarette, Larry. Les nouvelles sont bonnes. Très bonnes même.

— Il s'en tirera intact?

La voix de Larry s'étranglait d'émotion.

— Intact.

— Major Thomas, comment pourrons-nous jamais vous remercier? demanda Mary Waller. Il s'en tirera intact?

— Intact, répéta Craig. Des caillots comprimaient la moelle, nous les avons enlevés. Elle est dégagée, et tout ira bien.

La femme de l'aviateur porta son mouchoir à sa bouche frémissante.

— Craig, vous nous avez fait peur quand vous êtes entré, dit Joan, qui le regardait attentivement. Vous êtes très fatigué. Est-ce que cela a été très dur?

— Non, dit-il d'une voix blanche. Cas extrêmement intéressant.

— Major Thomas! (C'était de nouveau Mrs Waller.) Est-ce que Chuck a déjà parlé? Qu'a-t-il dit?

— Il n'a fait que demander une certaine Mary...

Elle saisit Joan par les épaules et sanglota, appuyée à elle. Craig et Larry se sentaient mal à l'aise et ne regardaient pas les femmes, mais leur propre cigarette.

— Bonsoir, tout le monde, dit sévèrement Craig, qui se détourna et s'en fut.

11

LE soldat de deuxième classe Henry Smith, pendant ses deux premiers jours à l'hôpital, respira l'air que respirent les héros. Les malades debout venaient les uns après les autres s'asseoir sur son lit et lui poser des questions relatives à l'avion en feu et lui expliquer qu'il avait fait preuve de beaucoup de cran et d'un joli sang-froid en se lançant à travers l'essence flambante.

Une infirmière apporta la nouvelle que le pilote s'en tirerait, et Henry donna de furtifs regards orgueilleux à ses mains bandées. Mrs Thomas vint lui faire une petite visite amicale. Un soupçon commença de remuer au fond de lui : il n'était pas impossible qu'une promotion l'attendît... et même, pourquoi pas?... qu'elle lui rendît une chance d'aller à l'entraînement de vol? Plusieurs de ses visiteurs avaient spontanément émis cette idée.

— On va te faire caporal après ça, mon vieux !

— Ou même sergent, on peut pas dire.

Mais un autre avait marchandé tout de suite :

— Non, pas sergent. Pas d'un coup. Mais avec une belle petite action d'éclat, comme ça, à ton actif, ils continueront à te pousser.

Une fois, le major Thomas accompagna lui-même l'auxiliaire qui poussait la voiture de pansements.

— Fixe ! dit le sergent de salle.

Henry et tous les hommes en état de se lever furent aussitôt debout, rigides, au pied de leur lit.

— Repos, fit le major, qui descendit la rangée jusqu'à Henry.

— Comment vont les mains, Smith?

— Très bien, monsieur.

— Beaucoup souffert?

— Non, monsieur. A peine.

Le major coupa aux ciseaux les pansements. Deux morceaux de gaze collaient à la chair blessée. « Peroxyde », dit le major. Et le liquide mousseux et froid détacha instantanément les bandages. Il refit des pansements frais et avertit le sergent que le soldat Smith pouvait circuler et sortir comme il voulait.

— Tu sais qui c'était, celui-là? demanda un des patients à son voisin.

— Le chef de tout le service !

Regardé avec une considération unanime, Henry se sentait à peu près assuré d'une promotion, jusqu'au moment où le caporal Tyce vint lui rendre visite.

— Vous avez fait de la bonne besogne, Smith, dit-il. Tout le monde en parle. Avez-vous vu l'avion s'écraser?

Et Henry raconta toute l'histoire une fois de plus.

— De quoi avait-il l'air? s'enquit Tyce. Je veux dire, en descendant? Est-ce que vous vous êtes rendu compte de quelque chose qui n'allait pas?

— Ça s'est passé trop vite. Les ailerons ne paraissaient pas pouvoir l'en tirer, mais ce n'était peut-être qu'une impression, je ne suis pas sûr. Le colonel Flynn me l'a déjà demandé.

— Oh! celui-là! fit sombrement Tyce. Je vais y venir après. Tout de même, Smitty, sans vous, il grillait, l'homme. Faut dire que, d'une certaine manière, il l'avait cherché. Il n'a eu que ce qu'il demandait. Bien heureux de ne pas l'avoir eu pour de bon.

— Comment ça?

— Volait trop bas, tiens donc! C'est là le hic! (Le caporal parlait avec une assurance positive.) J'en ai vu s'écraser comme ça avant lui! Il avait décidé de montrer qu'il était un fou volant.

— On ne peut pas dire, fit placidement Henry. A la manière dont il conduisait sa machine, il ne m'a pas semblé fou du tout. Il était bien.

— Volait trop bas! répéta Tyce. Complètement oublié où était le sol. Je sais comment ça se passe. J'étais avec un cirque volant avant que votre type ait jamais bouclé un parachute sur le dos.

— Alors, pourquoi n'êtes-vous pas entré à l'entraînement de vol?

— Des dattes! Pas resté assez longtemps à l'école.

— Et qu'est-ce qu'il y a à dire du colonel Flynn?

— Il va peut-être vous poser des questions. Il m'en a posé. Il nous en a posé à tous. C'est l'avion soigné par nous.

— Comme si je ne le savais pas, fit Henry, que cette idée mettait mal à son aise.

— Il avait l'air de vouloir rendre responsable l'équipe à terre. Nous avons tous dit la même chose.

Que l'avion était en bon état et au point. Il était en bon état. Et au point. C'est le pilote qui s'est amusé à courir trop de risques. Mais il faut bien qu'ils fassent un rapport et qu'ils mettent tout ça dedans.

Henry sentit s'évanouir ses chances de promotion. Il se lamenta :

— Quelle tuile !...

— Ça ne veut rien dire, assura Tyce. Ce qu'il faut, par exemple, c'est bien rester tous d'accord. Une chose, tenez Smitty. Je n'ai pas parlé de votre patte folle.

— Qu'est-ce que mon bras a à voir avec tout ça?

Henry sentait la moutarde lui monter au nez.

— Du calme, vieux. Du calme ! Votre bras n'a rien du tout à voir avec ça. Ce que je dis, c'est qu'il ne faut pas leur donner quoi que soit pour y planter leurs crocs. On ne sait pas ce qu'ils seraient capables d'en faire ! Si vous leur dites que votre bras n'allait pas, ils se retourneront sur moi et me demanderont pourquoi je ne le leur ai pas dit tout de suite. Alors, c'est moi qui serai embêté à cause de vous. Il n'y a qu'à laisser tomber.

— Personne n'a besoin de me couvrir, pour n'importe quoi. Le sergent savait parfaitement tout ça. C'est même pourquoi...

— Ecoutez, interrompit Tyce. Bien sûr que le sergent le savait. Mais il ne pouvait pas raconter que votre bras allait si mal qu'il vous a fait faire une commission à la noix pour vous permettre de lâcher le boulot, parce qu'alors le colonel demanderait pourquoi un homme qui avait un bras dans cet état-là était à travailler sur cet avion. Alors le sergent n'en a pas parlé. Ce sont des choses qui arrivent, Smitty.

— Mon bras n'a rien à faire avec tout ça. Sortez d'ici. Qu'est-ce que vous avez eu besoin de venir ici, d'ailleurs?

Le caporal s'étira et eut son vilain sourire :

— Je vous explique comment on se soutient l'un l'autre, Smitty. Vous vous rappelez la dame dont je vous ai entretenu, celle qui ne savait pas très bien parler l'anglais?

— Ça va. Je ne veux pas en entendre parler.

— Elle n'est pas fidèle; il faut bien l'admettre. Avant-hier soir, je l'ai vue qui sortait avec un parachutiste. Mais, hier, Smitty, attendez que je vous raconte, hier soir...

— Vous me rendez malade, déclara Smith. Qu'est-ce que vous attendez pour vous en aller? Oh! fichez le camp, dites!

— Vous parlez d'un copain! fit Tyce en se levant.

Toute la joie du sauvetage avait disparu en Smith. Le spectre d'un bras enflé de vaccin et complètement dépourvu d'intérêt le hantait. Il pensa libérer sa conscience et raconter tout au colonel, mais il craignait que le colonel ne lui répondît que, si ce n'était pas important, il n'y avait pas lieu de l'encombrer maintenant de cette histoire et que, si c'était important, il n'y avait pas lieu de la passer sous silence quand il l'avait questionné et pourquoi le caporal et le sergent n'en avaient-ils rien dit? Il ne voyait pas clair devant lui. Des embêtements. Une cachotterie ridicule et déshonnête. Et si le colonel découvrait tout seul, alors quoi?

-:-

Smith fut bientôt en état de quitter l'hôpital. Mais, au terrain d'aviation, l'ordre l'attendait de se rendre chez le colonel. Longue attente nerveuse à la porte du bureau. Nervosité aggravée du fait que, successivement, trois officiers lui demandèrent, avant de le laisser passer, l'objet de sa visite.

La crainte au cœur, au lieu de l'assurance d'un héros, Henry salua, très raide.

— Repos, dit le colonel avec un bon sourire. Smith, je n'ai pas eu le temps de vous féliciter sur le lieu de l'accident. C'est pourquoi je vous ai convoqué, car je tiens à le faire maintenant.

— Oui, monsieur. Merci.

— Asseyez-vous, dit le colonel. Vous avez montré le genre de courage et de décision dont nous avons besoin dans l'aviation. Vous faisiez partie de l'équipe qui a vérifié et soigné l'appareil, n'est-ce pas?

— Oui, monsieur.

— Y a-t-il eu quelque chose qui clochait et que l'équipe de terre s'est trouvée dans l'obligation d'arranger? Vous souvenez-vous?

— Pas que je sache, monsieur.

— Qu'avez-vous fait exactement à l'appareil, Smith?

— Vérifié l'huile et les bougies, monsieur. Fait le plein d'essence. Graissé les roues.

— Le but de ces questions n'est pas de blâmer quiconque, notez-le bien. C'est de découvrir ce qui a pu arriver. Le pilote n'est encore guère en état de rien nous dire. Vous n'avez pas touché les commandes?

Henry eut une brève hésitation. Le colonel le regardait fixement, mais amicalement.

— Je me suis assis aux commandes, monsieur. Je les ai manœuvrées.

— Essayées, vous voulez dire?

— Oh! non, monsieur. On ne nous donne pas d'essais à faire. Je les ai manœuvrées, tout simplement.

— Je ne comprends pas Smith.

Henry rougit violemment.

— Pour me rendre compte, monsieur. Pour savoir comment c'était, ce qu'on éprouvait. Je les ai manœuvrées.

Le colonel fronça les sourcils :

— Ça ne me paraît pas faire partie de votre tâche. Je suppose qu'elles fonctionnaient bien?

— Oui, monsieur. Très bien.

— Parfait. Merci, Smith. Vous avez fait de l'excellente besogne au moment de l'accident. Vous pouvez disposer.

-:-

Comme on était au samedi, de gros autobus orange se remplissaient de soldats, rieurs et siffleurs, impatients d'être partis pour une fin de semaine, de voir des choses, de faire des choses et de dépenser l'argent qui leur brûlait les doigts. « Smitty! cria un couple. Grimpe à bord, mon gars. » Ils étaient trop joyeux. Le deuxième classe Smith se prit à errer sans but, gonflé d'un sombre ressentiment qu'il ne pouvait arriver à secouer. Après ça, il regretta de ne pas être parti avec eux, histoire de rouler pendant quelques kilomètres jusqu'à la ville, de voir un spectacle et de partir à la recherche d'un beefsteak à point.

Il retourna jusqu'à l'hôpital, vit la voiture du major Thomas et entreprit de l'astiquer. Deux heures durant, il la polit, sans se détendre. C'était la seule chose, dans cette armée, qu'il pouvait faire de son chef, faire bien et sans crainte de choc en retour, encore que, pendant qu'il frottait à user les chiffons, il marmonnât : « Est-ce qu'on sait? Peut-être que même cela se retournera contre moi! » Mais l'éclat impeccable de l'auto lui rendit meilleur moral.

Il retourna jusqu'à la tente désertée; ses regards désemparés, désorientés, ne savaient où se poser; et lui ne savait que faire. Le coin de son œil, tout à coup, fut accroché par un des magazines du caporal Tyce. Tous les magazines du caporal Tyce avaient pour objet exclusif le nu dit artistique. Lesté de cette pitance intellectuelle, Henry Smith alla s'étendre sur son lit. L'une après l'autre, il étudiait chaque page, d'où des filles aux hanches galbées le regardaient coquettement sous la grille emperlée de rimmel de leurs cils baissés, à moins que, courbées jusqu'à toucher leurs orteils, leur coup d'œil lui vînt, particulièrement stimulant, entre de fines chevilles ou des mollets nerveux. Par malheur, et quelles que fussent leur pose ou leur expression, elles étaient toutes drapées de gaze et de mousseline là où l'intérêt s'en trouvait diminué. La perspective d'une morne fin de semaine fit lever en Smith une détermination, une décision, qui lui avaient jusqu'alors fait défaut. Quiconque, se dit-il, a le cran de retirer un pilote de sous un avion en flammes doit avoir le cran qui lui est personnellement nécessaire en n'importe quelle circonstance. Encore s'agissait-il de voir son homme pour commencer et d'obtenir de lui les indications utiles, et cela signifiait beaucoup de déconcertants bavardages et de manœuvres d'encerclement.

Le caporal Tyce entra et lança sa casquette sur un clou planté dans le cadre de bois de la tente.

— Z'êtes encore là? fit-il. Pourquoi n'êtes-vous pas parti en ville?

— Pas envie.

Tyce grogna.

— Ces magazines sont pure fichaise, Smith. Tromperie sur la marchandise. Je ne sais pas pourquoi je gaspille mon argent à les acheter. Les dames ne portent pas autant de vêtements que ça, vous pouvez m'en croire. Est-ce que le colonel vous a accroché une médaille au cou? Je ne vois rien...

— Non, fit l'autre, sombre.

— Qu'a-t-il dit?

— Il m'a demandé si l'avion était O. K. Je lui ai répondu qu'il l'était.

— Qu'est-ce que vous auriez bien pu dire d'autre? remarqua gaillardement le caporal. Et c'est tout?

— Il a dit encore : « Vous pouvez disposer. »

Cela fit rire Tyce.

— Vous êtes un garçon très bien, Smith. Pourquoi ne quittez-vous pas cette saloperie de tente? Allez, debout! Venez avec moi, je m'en vais à Boomtown.

Henry s'assit sur son lit.

— Il y a une nouvelle revue.

— Ah !

Le ton d'Henry indiquait son désappointement.

— Peut-être trouverons-nous quelque chose à faire ensuite.

— Attendez que je me donne un coup de peigne.

Henry était déjà allé à Boomtown pour monter dans la Grande Roue, manger des saucisses chaudes, regarder avec une alternative extase les filles qui passaient et regagner gentiment le camp ensuite. Mais l'endroit était en pleine fête quand Tyce et lui descendirent du taxi — le caporal refusa noblement la monnaie. Les rues couvertes de sciure regorgeaient de soldats. D'aucuns allaient, riant largement, bras dessus bras dessous, par deux ou davantage, zigzaguant un brin, à la fois dans leur satisfaction d'être en vie et parce qu'ils avaient bu. D'autres, une fille joyeuse au bras, debout devant les échoppes, jetaient des anneaux sur des quilles ou des balles sur les personnages de la noce.

— Cette nouvelle revue dont je vous parlais, elle est à l'autre bout, dit Tyce. J'ai entendu dire qu'ils ont une stripper (1) absolument épatante ! Je n'ai pas vu de burleycue (2) digne de ce nom depuis que j'ai quitté New York. Déjà vu ça, Smitty ?

Henry secoua négativement la tête.

— C'est là que ça se tient, dit le caporal, le guidant d'une main sur l'épaule. J'ai vu les gars faire un tel raffut que les « strippers » ont été obligées d'enlever jusqu'à leur fil de pierreries autour des hanches et de faire le « présentez armes » en ne gardant rien que leur Floyd Gibbons.

Henry savait ce que c'était que le « présentez

(1) To strip = enlever ses vêtements, se déshabiller. Une « stripper » est une danseuse qui abandonne progressivement en scène chacun de ses vêtements, pour ne garder que l'équivalent de notre classique feuille de vigne.

(2) Burleycue ou burlesque = spectacle complètement excitant propre à l'Amérique du Nord : ils sont d'une si complète grossièreté que les Européens les moins collet monté s'y sentent mal à leur aise.

armes », mais le Floyd Gibbons le laissait perplexe.

— C'est... le petit masque... que la loi les oblige à porter pour qu'on ne puisse pas dire qu'elles sont nues. Et elles ne se le posent pas sur l'œil, eh ! oiseau de basse-cour !

Devant la caisse des tickets d'entrée, qu'entouraient des affiches représentant des beautés coquettes et pratiquement nues, une longue file de soldats piétinaient patiemment. De l'intérieur, arrivaient des éclats alternés de musique et d'applaudissements. Puis la musique reprit seule, et ensuite, après une ou deux minutes, les applaudissements devinrent rafales.

— Elle plaît aux garçons, dit Tyce avec un reniflement nerveux. C'est la femme nue.

Au bout d'un moment, un torrent de soldats dévalèrent vers l'extérieur. Et un aboyeur, à côté de la caisse, lança son boniment chantonnant, d'une bouche si tordue qu'elle prenait la forme d'une poire couchée sur le côté :

« ... Parade patriotique en culottes... de dentel-
» les... Les femmes qui dansent et enchantent. Et,
» messieurs, pour que vous vous sentiez comme chez
» vous, les beautés en liberté et les filles qui fré-
» tillent. Venez, venez. Entrez, entrez. Et faites la
» connaissance de notre merveille, la plus désira-
» ble des inaccessibles, la reine des « strippers »
» du monde entier. Elle s'appelle Gloria, et il y a
» de la gloire dans sa grâce et du rythme dans le
» moindre de ses muscles. Elle s'appelle Gloria,
» et ses formes sont trop glorieusement belles
» pour être cachées ! Gloria est douée d'un pur
» génie — ai-je dit pur? — jusque dans le balance-
» ment de ses hanches ! Gloria !... »

Henry Smith et le caporal Tyce avaient fini par arriver à la caisse au moment où deux filles sortaient en folâtrant de la tente et grimpaient sur les tréteaux à côté de l'aboyeur. Elles portaient vraiment le minimum de short et de soutien-gorge sur des corps poudrés au blanc de plâtre et elles souriaient et levaient leurs sourcils en manière de gaminerie à l'adresse de la foule.

— Allons, Dotty! Donnez à ces messieurs un petit échantillon de votre art! cria l'aboyeur.

Mais elle secoua gaiement la tête.

— Elle dit que non, messieurs. Non. Pas tant qu'ils n'auront pas acheté leurs tickets! Allons Dotty...

Tyce et Smith plongèrent dans un bain de fumée de cigarettes et s'installèrent sur un banc, dont ils trouvèrent la planche encore chaude. Tout autour d'eux, d'autres planches craquaient — et des allumettes! — et la tente se remplit aussi rapidement qu'elle s'était vidée. La soirée du samedi ne comportait aucun répit pour la troupe; cinq musiciens hors d'âge remplissaient un espace ménagé entre la scène et les premiers rangs du public; le pianiste attaqua l'un après l'autre deux accords virulents; la musique préluda, les lumières s'éteignirent; la toile de fond — abondamment moisie — qui représentait une pelouse s'enroula, serrant dans ses plis un lac décoloré et le cygne qui s'y prélassait : elle était un peu fripée et un peu de travers lorsque, après quelques secousses, elle arriva à bout de course.

Au désappointement d'Henry, les filles qui formaient à la fois le chœur et le ballet, vêtues de robes longues et portant au bras des paniers de fleurs artificielles, exécutèrent sur scène quelques entrechats assez lourds. Mais, peu à peu, les lumières de la rampe s'éteignirent, et, en arrière des filles une rangée de fortes lampes s'allumèrent, leur éclat montant progressivement jusqu'à ce que les vêtements des danseuses parussent transparents.

— Ça a beau ne pas être nouveau, dit Tyce, c'est astucieux.

Vers la fin de la danse, les lampes du fond s'éteignirent; la rampe se ralluma, et, des coulisses, ondulante à souhait, surgit en pleine clarté la danseuse nue (ou du moins presque, pour commencer). Elle semblait glisser sur le sol, et les soldats l'accueillirent par un véritable hourvari d'enthousiasme, trépignant, criant, sifflant.

Tyce poussa Smitty du coude : « La stripper », murmura-t-il, la bouche sèche.

Parmi le tintamarre, elle continua de glisser, aller et retour, tout le long de la scène, secouant la tête en souriant, comme si les soldats étaient des gamins pas sages. Elle ne dansait pas, mais il était impossible de dire qu'elle marchait. C'était une allure toute spéciale, onduleuse et ondoyante, et qui l'emmena dans la coulisse. Deux comiques entrèrent.

— Oh ! caporal !... soupira Henry Smith.

— Elle va revenir, idiot ! Ne vous en faites pas.

Les soldats se tordirent d'une joie simple à toutes les plaisanteries fatiguées, tout comme s'ils ne les avaient jamais entendues encore. Mais elles prenaient pour eux un sel tout particulier, du fait que le plus bête des deux jocrisses, celui qui tombait perpétuellement sur la figure, portait le brassard des M. P. (1). Après une demi-heure où alternèrent le chœur et les scènes comiques, la musique s'arrêta brusquement. Entre les rideaux fermés, parut le maître des cérémonies. Debout, la main levée, il demeura rigide comme une statue, puis, dans le silence, abaissa la main. Et, aussi solennellement qu'il aurait proclamé un armistice, il annonça :

— Miss Gloria Mundi. Dans la Danse de la Cape.

La musique reprit sur une cadence ralentie. Henry se redressa, envahi tout à coup d'une tension anxieuse et sentant qu'une langueur semblable étreignait tous les spectateurs. Rejetant au passage le rideau qui siffla, la fille blonde passa sur scène et, drapée du menton aux orteils dans une

(1) Military Police.

cape blanche, attendit, patiemment immobile, la fin des acclamations. Alors, avec un clin d'œil, elle commença le long des planches sa coquette et ensorcelante promenade. Autour du soldat Smith, les hommes sifflaient et tapaient du pied en cadence, et, tout à coup, il s'aperçut que ses pieds aussi suivaient le rythme.

Tandis que la fille blonde glissait, la musique s'élevait pour retomber. Quand elle s'éleva jusqu'au fracas, la fille ouvrit sa cape, révélant un costume en deux pièces, tout en sequins. S'échappant de centaines de jeunes corps vigoureux et durs, une rafale d'applaudissements monta vers elle. Elle repartit, de son allure langoureuse et toute chargée de sexualité, parut chercher quelque chose sous sa cape et, au moment où éclata de nouveau le fracas des instruments, jeta vers la coulisse son soutien-gorge et rouvrit sa cape : au bout de chacun de ses seins fermes et dressés, fleurissait une rose.

Pas un instant, les pieds des hommes ne cessèrent leur trépignement rythmique, et leurs sifflets enthousiastes prenaient du volume. La musique recommença ses alternances aboutissant à un éclat, et une rose vola dans la coulisse, puis l'autre, puis ce fut au tour des shorts. La fille, arrivée au bout de la scène, faisait chaque fois un tour sur elle-même, et la cape tourbillonnait en s'étalant autour d'elle. Et le rythme avait saisi toute l'assistance, hypnotisée comme par de sauvages tam-tams, et tous trépignaient et réclamaient à grands cris : « La cape ! ». Pour montrer qu'elle comprenait fort bien, elle prenait des mines scandalisées, un air comiquement horrifié. A la dernière envoûtante remontée de la musique, elle lança la cape blanche dans la coulisse, leva les bras et s'étira, longue et nue, et les pointes rigides de ses seins étaient comme de jeunes cerises. Il ne lui restait à enlever que le mince fil scintillant qui dessinait les aines ; elle le décrocha et l'envoya voler, puis les lèvres retroussées en un sourire qui porta à son comble le délire de tous ces hommes, elle disparut.

Le spectacle était terminé, Henry se leva, chaud de partout, mal à son aise, incapable de parler.

— Ce bébé-là devrait être à New York, décréta solennellement le caporal Tyce. Elle fait son numéro avec classe et distinction !

A l'air libre, ils vaquèrent en silence et sans but jusqu'à ce qu'Henry indiquât d'un mouvement de tête un bâtiment gaiement éclairé, dont l'enseigne clignotante esquissait, en néon vert, la silhouette d'un alligator.

— Qu'est-ce que c'est que ça ?

— L'*Alligator-Club,* répondit Tyce, avec un malaise soudain. Pas pour moi.

— Qu'est-ce qu'il y a là ?

— De la bière. De la danse si l'on veut. Des tas de filles.

Le caporal examina une fille non accompagnée qui lui souriait au passage.

— Allez-y, Smitty. Pour moi, après avoir vu Gloria Mundi, j'ai quelque chose qui me tracasse.

Henry Smith le regarda qui rattrapait la fille et s'éloignait avec elle : elle avait posé la main sur son bras.

« Pas plus difficile que ça ! » pensa Smith. Mais, pour ce qui était de lui, il ne voudrait pas d'une rapide rencontre de passage comme celle-là. Il voudrait avoir le temps de bien regarder la jeune femme, de faire, en somme, un peu connaissance. Il entra à l'*Alligator.*

Tout le long du bar, et dans tous les boxes autour de la salle, des hommes et des femmes bavardaient et, sur le plancher, au milieu, des danseurs virevoltaient. Smith se sentit gagné par une grande irrésolution, qu'il combattit aussitôt en redressant les épaules et en s'avançant d'un pas ferme. Juste en face du bar, un petit alvéole, à peine assez grand pour deux, était vide. Il semblait confortable et accueillant. Smith alla s'y asseoir et, par-dessus la barrière basse, considéra le plancher de danse. Il débordait de filles extrêmement ornementales qui dansaient avec une grâce fluide tout contre des soldats. Elles dansaient si bien, elles étaient si jeunes, si gaies, qu'Henry douta de ce qu'il avait ouï-dire. Il ne lui paraissait pas possible qu'elles ôtassent tous leurs vêtements en l'honneur du visiteur d'un soir, comme on lui avait certifié qu'elles le faisaient.

— Vous disiez?

— Rye (1), fit Smith, glacé.

— De la bière seulement, copain, dit le garçon, lassé de répéter la même chose.

— Oh! alors de la bière.

Une fille rousse qui entrait à ce moment même à l'*Alligator* arrêta l'œil d'Henry. Elle ajustait une cigarette dans un long fume-cigarette et se dirigeait vers le bar d'une démarche onduleuse qui rappelait vaguement celle de Gloria Mundi. Mais, la considérant avec attention, il décida qu'elle avait à la fois plus de raffinement et de beauté. Secouant avec coquetterie ses cheveux rouges, elle dit au barman :

— Bonsoir, Art.

— Bonsoir, Dolly.

Le garçon posa le verre de bière sur la table, mais Henry ne baissa pas les yeux.

— Z'attendez quelqu'un, copain? s'informa le garçon. Elle, là-bas? Je vais l'avertir que vous êtes ici.

Le destin avait noué ses fils : la fille se dirigeait vers Henry avec un petit salut fort correct, comme si elle le reconnaissait de loin. Il se leva promptement à son approche.

— Voulez-vous me faire le plaisir de vous asseoir?

(1) Alcool de seigle, sorte de whisky.

Elle lui venait à peine au menton.

Elle lui sourit. Ses dents étaient parfaites et très blanches.

— La plupart des soldats n'en savent même pas assez pour se lever pour une dame, remarqua-t-elle et, satisfaite, se glissa dans l'alvéole.

Henry s'assit avec précaution à côté d'elle. Son parfum, la ronde douceur de sa joue, la ligne de son cou, la poudre sur quelques taches de rousseur, tout le bouleversait et le rendait perplexe sur ce qu'il fallait dire et faire. En tout cas, aller au plus pressé. Et comme elle levait les yeux vers le plafond, avec un sourire absent et rêveur, en exhalant délicatement un filet de fumée :

— Voulez-vous prendre quelque chose ? s'informat-il. De la bière ?

— Merci, répondit-elle. Un jus d'orange.

« Un jus d'orange ! » songea-t-il, accablé.

Il n'y avait rien de lascif dans cette fille-là !

12

— VOUS ne ressemblez pas aux autres filles d'ici, affirma le soldat Smith, qui semblait soulagé de le constater.

La distante hauteur de Dolly Varn se réduisit tout à coup. Elle étudia le visage du garçon, et ses cheveux, et un indéfinissable je ne sais quoi qui témoignait de la nouveauté que constituait pour lui sa présence en un lieu tel que l'*Alligator*.

— Vous êtes sympa, dit-elle, posant une main sur la sienne. Comment vous appelez-vous?

— Henry Smith.

— Oh ! dites, soldat...

— Oui, je sais. Mais qu'y puis-je si des tas de gens portent ce même nom?

— Le mien, fit-elle en traînant un peu sur les mots pour leur donner toute leur valeur, le mien est Dolly Varn.

— Vous êtes jolie.

Elle vit bien qu'il pensait ce qu'il disait et qu'il penserait tout ce qu'il dirait et qu'il n'avait pas en lui une ombre de chiqué. Elle se promit de surveiller ses propres paroles, car, bien que deuxième classe, il était sans aucun doute un gentleman.

— Non. Pas vraiment jolie. (Elle garda un instant la tête inclinée selon l'angle le plus seyant.) Mais je suis ravie que nous nous soyons rencontrés.

— Si j'avais su, il y a longtemps que je serais venu.

— Vous me plaisez, et je vous plais, dit-elle avec une amicale légèreté.

— Ça, c'est un fait. Voulez-vous un autre jus d'orange? Moi, je voudrais bien une autre bière.

— Volontiers, dit-elle, tout en se demandant où cela pourrait la mener.

Car il ne s'agissait pas d'oublier qu'après tout c'était un samedi soir. Elle lui serra la main d'une pression encourageante et questionna :

— Pourquoi êtes-vous venu ici, Henry?

Il sourit à son sourire, avec une subite hardiesse, qui se fondit aussitôt en incertitude.

— J'ai vu l'enseigne du dehors, et je suis entré. Et c'est bien agréable de vous rencontrer ici. Que penseriez-vous d'une boîte de bonbons? Aimeriez-vous une boîte de bonbons, Dolly?

Parce qu'il était grand et timide et désespérément désireux de lui plaire, l'idée d'une boîte de bonbons fit qu'elle eut au cœur une absurde petite palpitation.

— Vous n'avez aucune amie en ville?

— Non. Ni ailleurs. Je ne suis pas beaucoup sorti, ici.

— Un gentil garçon comme vous, gloussa-t-elle, et pas de copine? (Elle but une gorgée d'orange et déclara :) Henry, j'ai une roulotte.

Quand elle vit le pouls soudain battre avec violence au cou du garçon, elle sut qu'elle n'avait pas perdu son temps. Mais elle fut fort surprise d'une chose incroyable : son propre pouls aussi battait violemment.

— Aimeriez-vous la visiter?

— Oui. Oh! oui, certainement.

— Tendez votre main sous la table. (Elle y déposa une clef.) C'est la clef. Le nom de la roulotte s'y trouve. *La Solitaire,* elle s'appelle. Je pars devant, mais il vous faut attendre. Je n'aimerais pas que les gens se rendent compte. Buvez encore un verre de bière, Henry.

— Bien sûr, Dolly! murmura-t-il. (Il se leva et salua lorsqu'elle partit.) Bonsoir, Dolly. Et il se rassit.

— A bientôt, souffla-t-elle dans un sourire et avec un clin d'œil.

Elle donna un regard de rapide, mais attentive inspection à l'intérieur de sa roulotte. C'était un joli petit coin soigneusement tenu, sauf pour un bas de soie qui pendait à demi hors d'un tiroir. Elle le rangea, se regarda dans la glace, trouva son teint agréable à voir et se menaça légèrement du doigt :

— Allons, Dolly! Ecoute... Ne fais pas de bêtises!...

Elle enleva sa robe et la pendit soigneusement dans le placard, ses souliers, et les mit dans un tiroir. Elle regarda dans la glace son petit corps ferme et potelé et prit la houpette à poudre, qu'une impulsion subite lui fit reposer, tandis qu'elle ouvrait le placard et en retirait une chemise de nuit de crêpe de Chine noir extrêmement diaphane qu'elle leva devant la lumière avant de s'y glisser en souriant d'aise. Elle ne savait pas au juste pour quelle circonstance elle l'avait gardée jusqu'ici. Elle mit un peignoir assorti, des pantoufles et, se considérant une fois de plus, décida que ces vêtements la mettaient en valeur. Avec ses yeux étincelants et son heureuse coloration de chevelure et de peau, elle se plut et respira profondément à plusieurs reprises pour voir ses seins se lever et s'abaisser, selon la meilleure tradition cinématographique.

Puis elle regarda sa pendule, se demanda si, peut-être, il avait changé d'avis. Pourtant, il était bien rare que des hommes lui manquassent de parole, mais enfin c'était arrivé, et c'était un coup dur pour l'amour-propre. Le garçon était timide, mais il viendrait. La clef farfouilla dans la serrure.

— Entrez, dit-elle.

Henry passa par l'entrebâillement de la porte une tête irrésolue.

— Venez, venez, Henry ! fit-elle.

Et derrière lui, il ferma la porte au verrou.

Il grimaça un sourire gêné, regarda tout autour de lui :

— Je vous ai apporté ceci, dit-il, lui tendant gauchement une boîte de bonbons que sa main libre tirait de sa poche, où elle retournait pour en ressortir nerveusement.

— Vous êtes bien gentil, Henry !

Sa voix avait de curieuses petites fêlures. Elle posa la boîte sur la commode et, s'approchant, glissa les bras autour du cou du garçon, puis l'embrassa.

— Ne t'en fais pas, Henry !... murmura-t-elle affectueusement. Je vais te mettre à l'aise. Veux-tu une tasse de café?

— Une tasse de café. Oui. C'est ça !...

Elle versa deux tasses de la cafetière posée sur le fourneau. Au bout de la roulotte, un petit siège rembourré derrière une table faisait minuscule salle à manger. Ils s'y installèrent et burent vertueusement leur café, Henry tenant sa tasse d'une main tremblante.

— Donne-moi un bonbon.

Elle grignota délicatement un chocolat en y mettant toute la grâce qu'elle avait observée à l'écran.

— Ils sont excellents !

Dolly se sentait pénétrée d'une bonté chaude et tendre à l'égard de ce garçon. Et sa roulotte, qu'elle considérait d'un œil critique, lui donnait satisfaction : c'était une situation très distinguée, tout à fait comme une dame de la société recevant un monsieur à l'heure du thé. Visite marquée d'un irréprochable raffinement.

— D'où es-tu, Henry ?

— De l'Illinois. Pas de Chicago même. A cent milles de là, à peu près.

— Tu es distingué et bien élevé. Où as-tu fait tes études ?

— Je suis allé au lycée et au collège. Mais pas jusqu'au bout.

— Tu es tout de même un garçon qui a fait des études secondaires.

— Oui, si l'on veut.

— Faisais-tu partie de l'équipe de football ?

Elle lui serrait gaiement le bras.

— Tu penses !

Une petite tape amicale sur la tête, puis :

— Aimerais-tu faire le tour du propriétaire ?

— Oh ! oui ! Tout m'a l'air très bien.

Elle le conduisit par la main du fourneau, qui marchait à l'essence ou au butagaz, au petit frigidaire, qui contenait une bouteille de lait, mais pas de jus d'orange. Dans l'office, des plats en matière plastique incassable s'alignaient gaiement sur les rayons, au bord desquels des tasses étaient accrochées. Un minuscule cabinet de toilette, très ramassé mais complet, jusqu'à une petite lumière au-dessus de la glace.

— C'est tout, dit-elle ; il n'y a rien de plus.

— C'est vraiment très net et bien compris, c'est à toi?

Elle secoua négativement la tête :

— Je loue à la semaine.

Pendant un instant, ils demeurèrent tous deux figés dans un silence embarrassé. Puis elle éteignit une lumière, ne laissant que la veilleuse au-dessus de la glace. Et elle fit glisser son peignoir.

— Dis-moi, Henry, est-ce que je suis jolie?

Il ne répondit pas tout de suite, contemplant, fasciné, sa silhouette dans la chemise de nuit diaphane.

— Tu es belle, répondit-il, avec un chat dans la gorge.

Dolly rit doucement. Mais un pas pesant sur l'escalier fit craquer la roulotte, un poing heurta la porte.

— Qui est-ce? demanda nerveusement Henry à voix basse.

— Ne dis rien, murmura-t-elle, le cœur plein d'amertume.

— Ohé! *La Solitaire!* (C'était indubitablement une voix mâle.) Je voudrais savoir si vous êtes solitaire?

La voix était pleine de résolution alcoolique. Dolly se tenait debout contre Henry, un bras passé autour de lui, comme si elle cherchait sa protection.

Le poing cogna de nouveau. Henry s'informa :

— Veux-tu que j'aille lui casser la figure?

— Non, murmura-t-elle. Attends...

— Si l'un est seul et que l'une est seule, pourquoi ne pourraient-ils pas s'entendre pour être deux?

Dolly posa sa tête sur l'épaule d'Henry, qui lui mit sur l'épaule une main rassurante. En dehors de cela, il se sentait pétrifié dans le plus rigide inconfort.

— Vous croyez que je n'ai pas d'argent? Mais vous avez tort! J'en ai! dit la voix extérieure.

Dolly frissonna :

— Il y a des hommes qui ont une façon de se tenir!...

— Fiche le camp d'ici ! tonna Henry.

— Oh ! bien, alors !... (Le gars partit en riant.) Excuses, copain, pas d'offense !

Ils l'entendirent s'éloigner. Dolly eut un regard sincèrement anxieux vers Henry :

— Tu as du courage ! Moi, une affaire comme cela me retourne !

— Oh ! il était saoul, tout bêtement, fit le soldat. J'aurais aimé lui casser la figure. Veux-tu que j'y aille? Tu n'as qu'à parler...

— Tu n'irais pas me quitter maintenant, Henry. Tu ne ferais pas cela.

Elle se serrait contre lui, qui était pénétré, imprégné de sa chaleur. Elle le tira par les cheveux pour lui amener l'oreille devant sa bouche et chuchota :

— Enlève tes vêtements, Henry, et viens dans le lit !

Elle termina sa phrase par un baiser, éteignit la petite lumière, ouvrit la porte du placard qui, déployée, divisait la roulotte en deux toutes petites chambres, rangea soigneusement le peignoir, les pantoufles et la chemise de nuit. Puis, dans l'obscurité, elle se mit à manger un bonbon par bouchées haletantes. L'interruption occasionnée par le soldat ivre n'était, en aucune manière, un épisode inédit et, parfois même, il était bien venu. Aujourd'hui, sans contredit possible, il s'était produit au pire moment. Elle pensa à Henry, à sa timidité, retrouva le sourire et conclut :

« Je lui fais un bien énorme, à ce garçon ! »

Elle se glissa dans le lit, le cœur battant fort, se serra contre le grand corps allongé, appuyant ses seins sur la poitrine de l'homme et rivant sa bouche à la sienne, après avoir murmuré :

— Embrasse-moi.

— C'est merveilleux ! soupira-t-il.

— Embrasse-moi encore.

Longtemps après, Henry soupira de nouveau :

— Il faudrait que je m'en aille... J'ai l'impression d'être resté ici un long bout de temps...

C'était l'avis de Dolly.

— Quand faut-il que tu sois rentré au camp?

— Pas avant le réveil.

Elle lui baisa doucement la joue, puis :

— Connais-tu un endroit plus agréable où passer le temps?

Le soldat eut un rire heureux, replaça ses bras autour d'elle :

— Non, dit-il.

-:-

Elle le secoua pour le réveiller :

— Lève-toi, grand gars. Il n'est que temps pour le réveil.

Il se leva, s'habilla, la couvrant encore de regards affamés, pendant que, les mains jointes derrière la tête, elle le considérait.

— Je veux un bonbon avant de partir, annonça-t-il. Quand puis-je te revoir, Dolly.

— Salut militaire! commanda Dolly.

Il sourit largement, gauchement, salua et revint à son idée :

— J'ai encore une permission ce soir.

— Tu veux que je t'attende ici, Henry?

— Tu veux bien?

Troublée, elle se disait qu'elle ne pouvait pas passer tout le temps à ne rien faire, ou du moins à ne rien gagner. Mais elle souhaitait le revoir. Et souvent. Avec une moue de regret, elle répondit :

— J'aimerais beaucoup, Henry, mais...

— Mais quoi, Dolly? Tu ne penses pas que...

Il s'arrêta, embarrassé par ce qu'il lui restait à dire. — Il faut bien que Bébé vive!

— Le Bébé n'a qu'à se nourrir de bonbons aujourd'hui, décida-t-il, jovial.

— Heu! heu!... Tu ferais mieux de te sauver maintenant.

Il resta debout un moment près d'elle, puis rejeta en arrière la couverture, pour la regarder encore :

— Je serai là ce soir ! Seigneur ! Que tu es belle !... Il la baisa au front et partit.

Elle demeura étendue quelques instants encore, somnolente et langoureuse. Vivre de bonbons !... Elle pourrait préparer un léger médianoche d'œufs brouillés au lard, de pain grillé et de café ?... Peut-être avait-il laissé quelque chose dans la boîte à bonbons ? Elle l'espérait, tout en se disant qu'il ne saurait pas combien laisser. S'il n'y avait rien dans la boîte, il ne la retrouverait évidemment pas dans la roulotte ce soir... Cette idée la fit jaillir du lit : la boîte contenait deux billets de dix dollars. Un rapide pas de danse la conduisit jusqu'à la glace, et elle brandit les billets devant le miroir :

— Ce soldat ! Il ne peut pas se permettre des dépenses comme celle-là ! Dolly, petite folle... (Elle se sourit, à demi rendormie...) n'oublie pas d'acheter de la marmelade.

13

C'ETAIT son dernier élève de la journée. Et c'était le troisième atterrissage de l'élève. Les deux premiers n'avaient été que heurts, cahots, écarts. Mais celui-ci était irréprochable. Parfait. Un roulement régulier, doux et d'un ralentissement progressif sur la piste. Larry enleva ses lunettes :

— Un vétéran n'aurait pu mieux faire, dit-il.

Et il quitta le jeunet, tout souriant d'allégresse et de fierté.

Une des rares consolations imparties au pilote pressé de prendre l'air pour son compte, de faire la chasse au-dessus d'une mer ou d'un sol étrangers et condamné au rôle d'instructeur, c'était le respect admiratif de ses cadets. Chaque jour, la radio et les quotidiens donnaient les noms et commentaient les prouesses des as de l'aviation, et, lui, il était toujours là, près de Joan. Quelque chose pourtant le réjouissait ce soir : avec l'aide de Craig, il avait pu acheter une voiture. Les pneus dureraient bien jusqu'au moment où il serait envoyé sur le continent, après quoi ils pourraient encore rendre service à Joan pour ses petites courses personnelles.

Lorsque Larry entra dans le bureau, le colonel Flynn leva vers lui des yeux pleins de bienveillance.

— Vous réussissez à merveille, Thomas. Je viens précisément de pointer les notes.

— Merci, monsieur.

— Aimez-vous être instructeur?

Larry eut une moue expressive :

— Aimeriez-vous cela, monsieur?

Le colonel sourit :

— Je comprends bien. Mais ce genre de travail fera de vous, en fin de compte, un meilleur pilote encore. Tenez bon.

— Oui, monsieur.

L'approbation de son supérieur lui remontait le moral et alla jusqu'à lui retirer le malaise imprécis que lui causaient cette partie vulcanisée du pneu avant gauche et la pièce posée sur l'éclatement du pneu de secours.

— Quelles nouvelles de votre ami Waller?

— Bonnes, monsieur. Son état fait de sensibles progrès. Je vais le voir maintenant. Ce qui le préoccupe, c'est qu'il ne peut pas arriver à comprendre comment il s'est écrasé. Les choses se sont passées trop vite, mais il croit que les commandes des ailerons n'ont pas répondu. Il n'est sûr de rien, mais il a l'impression que quelque chose était détraqué. C'est mon opinion aussi, monsieur; car j'ai volé avec lui, et c'est très réellement un pilote de grande classe.

— J'en suis convaincu. Et malheureusement il est peu probable que nous sachions jamais à quoi nous en tenir. Donnez-lui mon souvenir et mes vœux.

-·-

Lorsque Larry parqua sa voiture devant l'hôpital, il décida que les coussins avaient besoin de housses. Mais, par veine, les détails de ce genre perdaient aujourd'hui presque toute leur importance. Au bureau de réception, après un signe de tête au sergent, il continua sans s'arrêter jusqu'à la chambre de Chuck. Mary Waller et Joan s'y trouvaient déjà, et l'homme du Texas reposait à plat dos, une de ses grandes oreilles tournée vers l'histoire que lisait sa femme.

— Hello, Larry ! Je suis bon pour me la couler douce ! Comment vais-je ?

— C'est précisément ce au sujet de quoi je viens m'instruire.

— Moi, ce que je demande, c'est ce qu'en dit Craig. Je vous avais bien recommandé de l'espionner et de saisir furtivement ses paroles !

— Il dit que vous faites de grands progrès, Chuck ! Et que vous serez hors d'ici avant d'avoir eu le temps de vous ennuyer.

— J'espère bien que non, protesta Mary Waller.

— Elle ne veut rien comprendre, se lamenta Chuck. Je lui ai expliqué que c'est au sol que je me suis écrasé et pas en l'air, que le danger vient de la terre. Ça n'avance à rien. Combien faut-il de temps pour que Craig trouve qu'on a le droit de s'ennuyer ?

— Il n'est pas absolument précis. A deux ou trois mois dans un sens ou dans l'autre, il ne veut pas se compromettre. Environ deux ans au lit. Et puis un an assis. Et puis un an...

— Oh ! la ferme ! Qu'a-t-il dit ?

— On ne tire pas grand-chose de Craig, vous devez bien le savoir, Chuck. Mais il a vraiment dit que l'amélioration est exceptionnellement rapide. Et que vous voleriez sans aucun doute de nouveau. J'ai demandé quand.

— Mais c'est précisément ça que je veux savoir, tête de mule.

— Il m'a répondu « quand vous seriez complètement rétabli ».

Chuck Waller gémit cocassement :

— C'est bien le seul et unique point sur lequel les médecins sont d'accord. O. K. ! Me voilà donc encore à terre. Dites, Larry, si j'essayais d'expliquer cette chute, est-ce que cela aurait l'air d'un alibi ?

— Bon. Allons-y. En dehors d'avoir allumé une cigarette, que s'est-il passé ?

— Allez au diable ! gronda Chuck. Cigarette, en vérité ! Il y avait quelque chose d'anormal à l'avion. Je suis sûr que les commandes n'étaient pas en l'état qu'il aurait fallu. D'un seul coup, elles ont cessé de répondre... Je voudrais avoir eu le temps de me rendre compte exactement de ce qui arrivait...

— Ils disent tous ça, Chuck, remarqua Larry.

— O. K. ! Mettons alors que c'est un alibi. Vous pouvez le croire. Pas moi. Racontez-moi les nouvelles.

Larry commençait à énumérer les diverses manifestations d'activité du camp lorsqu'on frappa à la porte.

— Entrez ! dit Chuck.

Siz Marrell entra, mais s'arrêta pile à la vue des visiteurs :

— Excusez-moi. Je cherchais le major Thomas, le colonel Flynn a téléphoné.

Elle s'attarda un instant, puis, s'adressant non à Chuck, mais à Mary Waller :

— Tout va comme vous voulez? Puis-je vous apporter quelque chose?

Mary sourit :

— Non, merci. Absolument rien.

— Eventuellement, n'hésitez pas, insista Siz. Voyez-vous, le lieutenant Waller est la vedette parmi nos patients !

— Vous voyez, Larry, souligna Chuck, personne n'a l'emploi d'un pilote qui vole. Ce n'est qu'après qu'il a capoté...

— Les autres sont trop loin, hors d'atteinte, répondit Siz avec son lent sourire et elle sortit.

— Un peu appuyé, ne trouvez-vous pas? (Mary, un sourcil relevé, considérait Joan.) Que pensez-vous de cette personne?

— Voici venir la poussière, observa Chuck. Qu'elle vole ! Je parie que nos femmes peuvent déplacer plus de poussière qu'une paire d'hélices, Larry.

Joan s'interdit de regarder son mari et sourit à Mrs Waller :

— Au risque de désappointer, Chuck, il faut reconnaître qu'elle a tout pour elle.

— Sauf un mari, rétorqua Mary, acerbe. Qu'entendez-vous par « tout pour elle »?

— Je crois qu'elle est une remarquable infirmière.

— Oh ! ça !...

— Elle est très séduisante.

— Ça, je n'en sais rien, fit Mary, les sourcils froncés. Sa ligne est bien, évidemment.

— Sans le moindre doute, répondit Joan en riant.

— Elle n'a pas trop l'air de le savoir, reprit Mary.

— Nous attendons la poussière, remarqua Chuck patiemment. Vous n'avez pas l'intention d'animer un peu le débat?

Sa femme lui sourit :

— Vous avez raison, Joan, nous risquons de désappointer Chuck. Elle a tout pour elle, et cela se voit à l'œil nu. Chacun peut s'en rendre compte.

Waller expliqua discrètement à Larry :

— Ces dames ne parleront pas librement devant une assistance mélangée! Siz est épatante pour un type qui a le dos brisé : ses oreillers sont merveilleux.

— Chuck!

Il ne fit que rire :

— J'avais peur de Mary quand j'étais d'aplomb sur mes deux pieds. Maintenant je n'ai plus peur de rien.

Pourtant le visage de Chuck se voila d'inquiétude au moment où la tête de Craig passa par la porte entrebâillée.

Le major fit un signe cordial et rapide.

— Le dos? Très mal?

— Pas très. Mais croyez-vous que cette plaisanterie sera de longue haleine?

— Assez longue et demandant pas mal de patience.

— C'est que je n'ai pas envie de louper cette guerre. Un de ces quatre matins, ils vont exporter Larry et les camarades.

— Il restera bien assez de guerre pour vous, assura Craig.

— Alors je puis avoir de la patience, admit Chuck. Tant que Larry est avec moi sur la liste des inaptes.

— Vous dites presque vrai, gronda Larry, mais zut pour vous!

Craig fit le tour du lit, inclina légèrement Chuck sur le côté pour regarder son dos et sortit. Joan le suivit et il ferma la porte derrière elle.

— Craig, je pense que vous n'avez rien trouvé pour moi? Rien à faire?

Il lui prit le bras et le lâcha aussitôt, puis secoua la tête :

— Vous avez fait d'excellente besogne pour Mary Waller, vous l'avez soutenue et remontée à merveille. Je ne vois rien d'autre, Joan.

— Je crois, dit-elle lentement, que je n'aurais pas dû vous ennuyer avec cette histoire.

— Voyons! Joan! Vous ne m'ennuyez pas le moins du monde. Seulement il faut que je parte maintenant.

Il ajouta, au moment de prendre congé : « Il y a bien des façons de faire la guerre, n'est-ce pas? Tout compte, tout sert. »

Elle se demandait si ces paroles contenaient une réprimande à son égard. Probablement pas. Craig était visiblement mal à son aise et désireux de partir. Ses paroles, son attitude avaient une sorte de brusque nervosité qui repoussait l'insistance.

— Avant de vous quitter, Craig, dit-elle, d'une voix presque pitoyable, je voulais vous demander si vous viendrez bientôt dîner à la maison?

— J'aimerais beaucoup, vraiment, Joan, mais...

— Vendredi?

— Vendredi peut-être.

— C'est presque un acquiescement définitif, dit-elle en riant à présent. Nous aimerions vous entraîner à passer une soirée dehors...

Mais elle se sentait déçue en retournant vers la chambre de Chuck, bien qu'elle prît soin de n'en rien laisser voir. Elle rit en écoutant la fin du récit que Larry faisait à Waller de la mésaventure arrivée à un élève qui avait atterri en pleine route nationale pour arrêter une auto afin de s'informer de l'endroit où il se trouvait et qui était tombé sur une voiture d'état-major.

Son histoire terminée, Larry dit brusquement :

— Chérie, il est temps de rentrer. Voulez-vous que nous vous déposions, Mary?

— Merci, non, je rentrerai en taxi. Je vais continuer à surveiller Chuck pendant un moment.

En longeant les couloirs, Larry changeait de visage, fronçait les sourcils, s'assombrissait. L'excellente humeur qui ruisselait de lui lorsqu'il était entré dans la chambre de Chuck était épuisée. Joan se demanda si les réflexions concernant Siz l'avaient gêné. Elle n'aimait pas se dire que c'était chose probable.

— A quel sujet, la conférence avec Craig? questionna-t-il. Si elle concernait Chuck, j'aimerais être mis au courant.

— Tu n'as pas supposé que je prendrais Craig en dehors de toi, et surtout de Mary, pour le questionner relativement à Chuck? (Elle était froissée, et sa voix le laissait entendre.) Il m'a paru qu'il était temps de renouveler cette invitation à dîner.

— Tu ne m'en as pas parlé.

— Je n'aurais pas fixé de date ferme sans ton accord, Larry.

— Alors, ça va, dit-il, apaisé. Chuck est plutôt pâle, ne trouves-tu pas? Plein de cran tout de même.

En cours de route, il raconta ce que le colonel Flynn lui avait dit à propos de ses élèves et conclut que, peut-être, c'était bon signe, et puis peut-être pas.

— Mais c'est bon, ça! s'exclama Joan, enchantée. Je suis fière de toi.

Non, ce n'était pas bon, si cela devait incliner Flynn à le garder au camp comme instructeur, expliqua Larry. Aucun aviateur ne se souciait de garder cet emploi. Mais, par ailleurs, c'était bon, si cela décidait le colonel à laisser prochainement Larry partir comme pilote contre l'ennemi. Ayant dit, il revint à la question Craig.

— Dis donc, Bébé, je t'ai épousée, n'est-il pas vrai?

— Je me suis trouvée présente à ce moment-là, fit-elle, perplexe.

— Mais je n'ai pas épousé Craig en même temps que toi.

— Larry! (Elle ne prit aucune peine pour masquer son indignation.) Comment te permets-tu de dire une chose pareille?

— Ça va. Je t'expliquerai pourquoi. Nous en parlerons à la maison.

Après cela, il conduisit dans un silence complet. Et Joan remarqua ses lèvres résolument serrées, ses sourcils froncés de colère. Elle sentit qu'il tentait de l'impressionner par ce silence obstiné. Une peur étrange s'empara d'elle. Non qu'elle eût rien fait de mal, mais cette fureur de Larry était puérile et allait mener à de puériles explications. Puis la peur s'évanouit, et une chaleur lui gonfla le cœur à l'idée que Larry, grand, fort, résolu, pouvait être ébranlé par une jalousie d'adolescent.

Le visage toujours fermé, il rentra la voiture, puis revint auprès de sa femme, qu'il prit par le bras pour monter l'escalier.

— Buvons, dit-il. Ce soir j'ai envie de boire.

— Et tu as l'air grave et sérieux à ce propos !

— Non. Je ne suis pas grave et sérieux. Mais je bois à t'avoir épousée. Sans Craig.

Elle eut envie de glousser comme une écolière. Elle eut envie de répondre : « Sans doute Craig préfère-t-il sa carrière ! » ou quelque autre absurdité de ce genre. Mais elle réprima les deux impulsions.

Larry s'assit, les genoux écartés, les deux pieds solidement appuyés sur le tapis et dit :

— Craig me fait mal au ventre !

— Qu'est-ce qu'il a commis pour ça ?

— Rien. C'est bien ce qu'il y a de grave.

— Mais, Larry, il a merveilleusement réussi pour Chuck.

— Il réussit toujours merveilleusement.

— Et cela, dit-elle, lui soufflant la suite, est cause qu'il te fait mal au ventre ?

— Voilà ! fit Larry en se servant une autre rasade.

— Nous n'avons vraiment pas beaucoup vu Craig, fit pensivement Joan. Il n'y a pas moyen d'obtenir qu'il vienne ici. Et j'ai l'impression qu'il me fuit.

— Non. Il *me* fuit.

— Et pourquoi, Larry ? Pourquoi te fuirait-il ?

— Simplement pour être équitable.

— Cette fois, je ne te comprends pas du tout, s'exclama Joan, alarmée sans savoir pourquoi.

Il répondit la voix mauvaise :

— Cherche donc la raison pour laquelle tu essayes toujours de le voir accrocher son chapeau dans notre entrée.

— Toujours? Deux fois, ce n'est pas toujours. C'est ton frère. J'ai cru...

— Evidemment, tu as cru! Bien sûr, tu as cru! Je vais te le dire, moi, ce que tu as cru. Tu as cru que Craig aurait une bonne influence sur moi. Voilà ce que tu as cru.

Joan rougit violemment, car rien n'était plus exact. C'était en effet une partie d'un petit plan d'ensemble qu'elle avait combiné en elle-même pour construire autour de son Larry dissipé, sauvage et séduisant, une barrière invisible d'influences capables de le maintenir et de l'équilibrer. Elle espérait lui être ainsi salutaire et faire en même temps du bien à Craig en les faisant vivre tous deux dans une atmosphère vraiment familiale. Et, parce que Larry avait découvert sa petite stratégie avant même qu'elle pût produire ses premiers effets, Joan se sentit envahie d'un désespoir et d'un découragement accablants.

— Je crois que tu t'imagines des choses, Larry.

— Non. C'est un calcul qui a toujours été fait. Chacun s'y est, de tout temps, complu autour de moi. Pourquoi pas toi? (Il parlait avec une intense amertume et mâchait son sujet comme de la bile.) Vois-tu, Craig est un homme très connu. Il est respecté unanimement. Il est honnête. Stable. Sûr. Responsable. Equitable. Il a tout un damné catalogue de vertus garanties et poinçonnées. Dis que ce n'est pas vrai?

— Il est fier de toi, Larry!

— Ha! Ha! Ha! Si c'était vrai, je ne voudrais même pas ça! Allez, viens, que je te prépare quelque chose à boire.

Elle secoua la tête :

— Veux-tu que nous dînions dehors, Larry? Ou que je prépare quelque chose ici?

— Ne pouvons-nous pas manger ici? D'ailleurs, j'ai des intentions sur toi, Bébé.

Elle s'occupa, dans sa cuisinette, à préparer le dîner avec des mouvements lents et elle était pensive et consternée. Des intonations « un peu blues » perçaient déjà dans la voix de Larry : il ne fallait pas qu'elle montrât la moindre inquiétude, la moindre méfiance, car, instantanément, il se braquerait dans un défi dont on ne pouvait prévoir les suites. Sa rébellion solidement ancrée contre tout contrôle, contre toute discipline, c'était l'aboutissement de sa longue défense contre son frère aîné. Il était désormais évident qu'elle ne pourrait s'adresser ni à Craig ni à qui que ce fût pour l'aider. Le seul moyen de garder un peu d'influence personnelle serait donc de suivre Larry dans sa perpétuelle course à l'excitation vis-à-vis des plaisirs plus calmes. Elle considérait sans les voir les plats de la batterie de cuisine cabossée et se demandait quelle profondeur cette rancune, cette révolte atteignaient en lui.

-:-

Larry vint dans la cuisinette et mit la main sur l'épaule de Joan :

— Vois-tu, douce, nous devons vivre nos deux vies propres ensemble. Nous deux, rien que nous deux. Mari et femme. Tu es bien sûre que tu n'as pas envie d'un autre verre?

— Non. Et toi non plus, Larry. Le dîner sera prêt dans un instant.

— Tu as tout à fait raison. Je n'ai pas envie d'un autre verre. Mais j'en boirai un tout de même. Il me semble que c'est ce que la bouteille attend de moi.

Il s'éloigna, puis reparut et s'appuya au chambranle, son verre à la main.

— Paul Blount me traite comme un cas spécial. Je suis un cas spécial. Je suis le frère du chirurgien notoire Craig Thomas. N'est-ce pas merveilleux?

Même l'armée m'envoie dans son camp. Pas ailleurs! Dans le sien. Ma femme trouve tout ça fort bien, et...

— Larry! Tais-toi, veux-tu? Tu n'es pas juste avec moi. Tu n'es pas juste avec Craig. Tu n'es même pas juste avec toi.

— Je ne suis pas juste avec Craig. Air connu. Mais il a toujours été juste avec moi. Air connu. Je sais tout ça. Mais je me tairai si tu me laisses te préparer un verre.

— Si tels sont les termes du traité, dit-elle avec un rire nerveux, verse-moi à boire.

— Parfait, dit Larry. Nous allons donc pouvoir boire ensemble.

— Oh! Larry! Vas-tu réellement boire encore?

— Ce ne serait vraiment pas poli de ma part de te laisser boire seule. Et mes manières, du moins, défient toute critique. Parfaites. Meilleures même que celles de Craig.

Joan, sursautant, allait répondre, puis, la sagesse l'emportant, se tut et but avec une détresse profonde le verre préparé par Larry. Larry avait toujours la main lourde quand il tenait une bouteille. Elle ouvrit le petit four où rôtissait un plat. Larry restait debout contre le chambranle. Elle le regarda avec une expression aussi joyeuse qu'il lui fût possible de prendre.

— Tu sais, je suis vraiment enchantée de la façon dont le colonel Flynn a apprécié ta besogne. Raconte-moi encore ce qu'il t'a dit. Les paroles exactes.

— Il a dit... (Larry lui adressa une grimace comique.) Il a dit... Mais, d'abord, bien entendu, je l'ai salué. (Il redressa les épaules et se mit au garde-à-vous.) Il a dit : « Lieutenant Thomas, vos » élèves marchent très bien. Vous réussissez à » merveille. Je viens précisément de pointer les » notes. Je comprends fort bien, je sais ce que » c'est, vous aimeriez mieux vous battre qu'être

» instructeur. Mais tenez bon jusqu'à ce que vous
» receviez l'ordre de départ. »

Joan sourit de soulagement.

— C'est épatant, Larry. Qu'y a-t-il d'autre?
Qu'as-tu dit?

— Oui. Le petiot a l'air de ne pas mal s'en tirer.
Le colonel y va de ses félicitations personnelles. (Il
revenait à son thème habituel et se reprenait à mâ-
cher ses rancœurs, avec, cette fois, une persistance
d'ivrogne.) Le petit frère marche bien. Tout le
monde en est surpris. Mais le petit frère, lui...

— Larry, supplia-t-elle, je commence à avoir
mal à la tête !

— Navré, ma douce. Mais tu vas voir, je vais
arranger ça. Simple affaire de tension nerveuse.
Viens avec moi.

Il passa ses bras autour d'elle, attira la tête de
la jeune femme contre son épaule et se mit en devoir
de l'entraîner hors de la pièce.

— Larry ! Mais qu'est-ce que...

Il lui ferma la bouche d'un baiser, puis dit :

— Devine ! Je te donne une chance de deviner.

— Pour l'amour du Ciel, Larry ! Pas maintenant ! Notre dîner brûle. Est-ce que tu ne le sens
pas ?

Il releva les sourcils, flaira l'air avec une mimique d'extrême attention, puis admit :

— Il y a quelque chose d'étrange dans l'atmosphère. Quelque chose d'étrange en vérité. D'insolite
même.

— Lâche-moi, ça brûle. Seigneur ! Larry, lâche-
moi donc !

— Eh bien ! décida-t-il. Que ça brûle ! Laisse
aller !

Elle se débattit brusquement et, aussitôt, il resserra la pression de ses bras. Il la souleva du sol.
Elle le repoussait et tentait de le cogner de ses
poings clos, mais elle était étouffée par la force.

— Chatte sauvage ! murmura-t-il. Je t'aime bien

quand tu es une colombe, mais, quand tu es une chatte sauvage, je t'aime.

Avec, au cœur, le dégoût et l'amertume de la défaite, elle se laissa aller, indifférente et molle. Il l'emporta dans la chambre à coucher.

— Je vais fermer la porte, expliqua-t-il avec la courtoisie volubile de l'ébriété. Je vais fermer la porte, et tu ne sentiras plus le dîner qui brûle. Tu comprends, Joan, je t'aime, et j'ai envie de passer une soirée tranquille à la maison.

14

LE lendemain matin, Larry était l'enfant de la pénitence et de la contrition. Joan le réveilla, après l'avoir longuement regardé. Il était si beau, il paraissait si sain et si frais, avec son visage adolescent et détendu, ses longs cils recourbés, qu'elle soupira, ne sachant que faire : elle y avait longtemps songé, allongée sans dormir, et maintenant elle se demandait ce que valait sa résolution.

— Oh ! là ! chérie ! Fichtre ! s'exclama-t-il, l'air inquiet, je vais être en retard !

Elle avait du café tout prêt pour lui. Le déjeuner complet, chaud, attendait sous le couvercle-cloche dans la cuisinette.

Il balança les jambes hors du lit, prit contact avec le sol, se redressa, secoua lentement la tête, puis, l'air surpris, la secoua vite et vigoureusement.

— Je pourrais avoir la gueule de bois, ce matin, et une tête comme un boisseau, avoua-t-il. Pas trace. C'est vraiment une chance, parce que je me suis mis une solide lampée hier soir.

Il s'en fut rapidement sous la douche, et elle l'entendit se frapper la poitrine et danser sur place tandis que l'averse froide ruisselait sur sa peau. Il s'habilla promptement, avala son déjeuner rapidement, et Joan, qui, pourtant, le connaissait, s'étonnait de le voir si frais, si jeune, si simplement gai, l'affreuse expression de perversité de la veille totalement effacée de ses traits. Il la regarda, une expression de trouble navré passa dans ses yeux :

— Joan, je suis désolé ! J'ai été infâme hier soir. Je ne sais pas ce qui m'a pris. Tu ne mérites pas d'être traitée de la sorte.

— Oublie. N'y pense plus, dit-elle, la voix enrouée d'émotion. Ce que tu as de mieux à faire pour l'instant, c'est de garder l'œil sur la pendule.

— Je sais. Tu es très chic. Mais je suis profondément peiné. Vrai, Joan !

Elle leva un doigt pour le faire taire.

— Bon. Entendu. Mais je réparerai, Joan. Qu'est-ce qu'il y avait dans cette casserole ?

Parce qu'elle s'était si attentivement occupée de son déjeuner et qu'elle semblait si douce et presque résignée, Larry se sentit très impressionné par son propre repentir. Qui lui parut une chose très sérieuse, très grave même. Désormais, il tâcherait de refréner son animosité déraisonnable contre Craig. C'est à cause de cela qu'il s'était monté la veille et qu'il avait trop bu. Il lui fallait désavouer ce sentiment, le bannir. Il lui fallait traiter Joan avec douceur, courtoisie, avoir égard à ses souhaits et désirs. L'ardeur pour le moins excessive dont il avait témoigné la veille au soir finirait, peut-être, avec le recul, par apparaître comme un épisode drolatique ; pour l'instant, il en avait honte.

Tandis que se défaisaient les derniers vestiges cotonneux du whisky pendant sa course vers l'aérodrome, la calme satisfaction de la vertu future, prochaine, définitive, s'installa en lui.

Il était surpris lui-même de son excellente condition physique. La moindre indigestion, le moindre mal à la tête pouvaient servir de prétexte à un nouvel examen général : les pilotes et les avions étaient trop précieux pour que l'armée prît des risques inutiles. Tandis qu'il emmenait ses élèves pour de courts vols d'exercices d'atterrissage, il se rappelait la remarque relative à l'index Schneider, qu'amélioraient souvent quelques verres bien dosés. Après tout, peut-être le whisky de la veille l'avait-il sonné plus rapidement qu'il ne s'en était rendu compte et n'avait-il en vérité pas bu grand-chose?

L'élève était le jeunet qui avait rayonné d'une si parfaite allégresse la veille après son dernier virage réussi. « Montez », dit Thomas par le tube acoustique.

— Oui, monsieur. Nous décollons.

L'avion prit progressivement de la vitesse sur la piste et, après deux secousses prémonitoires qui firent froncer les sourcils de l'instructeur, s'éleva.

— Montez lentement et faites quelques tours.

Il regarda par-dessus le bord. Au-dessous de lui, il pouvait voir l'innombrable et sombre activité du camp. Les jeeps filant sur les routes. D'occasionnelles escouades en marche, avec des reflets amortis sur leurs casques d'acier vert brun. Un groupe s'exerçant sur mannequins au maniement de l'arme blanche, et l'éclat des baïonnettes. Le puzzle de pavillons imbriqués qu'était l'hôpital : et il pensa à Chuck, allongé, immobile, identifiant au son de leur moteur les avions qui passaient dans le ciel. Les uniformes blancs des infirmières circulant sur les allées de gravier qui joignaient l'hôpital aux divers bâtiments environnants : peut-être Siz Marrell était-elle du nombre. Ses cheveux d'or fluide réfléchiraient les rayons du soleil, alors que les cheveux des autres femmes les absorberaient. Il sourit non sans un peu d'aigreur au souvenir de ses lèvres chaudes et de la ferveur non réprimée avec laquelle elle les avait rivées à sa propre bouche. C'était agréable pour un homme d'avoir de tels souvenirs dans son passé, mais un époux avisé les y laisserait soigneusement.

L'élève continuait à faire des tours. « Cela suffira », dit Larry par le tube acoustique. « Nous allons essayer quelques plongeons en piqué. Je vais prendre les commandes. »

Il fit grimper l'avion presque à pic et, quand la hauteur fut suffisante, le fit piquer du nez. Le vent sifflait dans les haubans tandis que l'appareil filait vers le sol. Alors il tira doucement sur les commandes, et bientôt l'avion avança avec la régularité d'un traîneau qui aborde la ligne droite au bout d'une descente : il convertit une partie de la vitesse en amorce pour une nouvelle montée.

— Vu comment ça marche? questionna-t-il en reprenant de la hauteur.

L'élève fit un signe affirmatif.

— Je vais recommencer une fois encore.

Et, de nouveau, il envoya vers le sol l'avion qui hurlait à travers les couches d'air. Il se rappelait combien, à ses débuts, ces exercices pompaient sa force nerveuse, lui coupaient le souffle, le laissant haletant d'angoisse, et combien vite une sûreté, une précision venaient d'elles-mêmes habiter le pilote, passaient à l'état de réflexe, si bien que l'homme pouvait considérer avec calme les arbres ou les bâtiments qui montaient vers lui à toute allure, sachant qu'il pourrait à sa volonté, les éloigner de lui, les faire retomber, comme un grand pan de paysage qui pivoterait sur ses gonds. Nonchalamment, Larry regardait le sol venir à sa rencontre; il savait exactement quand il ferait jouer les manettes qui redresseraient l'appareil.

L'élève se retourna, et Larry lui vit la bouche ouverte, les yeux comme gelés de panique. Il fit signe de la main pour le rassurer et, en même temps, manœuvra les commandes, passant à quelques pieds à peine au-dessus d'un bouquet de pins d'Australie dont les cimes vibrèrent sous le déplacement d'air.

Larry épongea la sueur qui, d'un coup, ruisselait sur son visage. Il avait passé trop de temps à muser pendant la descente, de sorte qu'il avait fait une erreur dans le jugement de distance et venait de l'échapper belle. Si la chose avait été remarquée du camp, le colonel lui en raconterait tout à l'heure ! Il réamorça promptement la montée suivante :

— Croyez-vous que vous pourrez y arriver ?

La tête casquée devant lui fit un signe affirmatif, sans excès d'assurance.

— Alors, à vous.

L'élève était gauche, mais exécuta quelques plongées sans grande profondeur. Il était nerveux aux commandes, et Larry croyait bien savoir pourquoi.

— Rentrons, dit-il, mais il nous faut un atterrissage impeccable.

L'élève amena l'avion non sans quelques heurts. Lorsqu'il sortit de la carlingue, son visage était pâle et ses jambes molles.

— Ah ! quel plongeon, monsieur ! Vous étiez bien près, n'est-ce pas ?

Affectant une légèreté confiante, qu'il était loin d'éprouver, Larry répondit :

— Une des premières choses qu'il faut apprendre, c'est d'apprécier exactement l'altitude !

Un soldat le salua lorsqu'il se rendit au vestiaire pour enlever sa jaquette de vol :

— Le colonel Flynn désire vous voir, lieutenant Thomas.

Larry rendit le salut :

— Merci.

La descente en piqué semblait avoir eu de très nombreux témoins, tous les hommes présents sur le terrain l'avaient suivie, souffle coupé. Et, sans aucun doute, le colonel, pour l'instant, durcissait sa langue. Larry s'en fut au rapport, le visage préoccupé. Se pouvait-il que « la chose » eût quelque relation avec le whisky de la veille? Jamais, cependant, il ne s'était senti l'esprit plus clair, les yeux plus nets.

Le colonel écrivait à son bureau.

— Vous vouliez me voir, monsieur?

— Ah! oui, Thomas. (Le colonel posa sa plume.) Vous avez exécuté des vols supplémentaires ces derniers temps, n'est-ce pas?

— Oui, monsieur. Mais ça ne fait rien.

— Je sais. Vous nous avez donné du bon travail. Je vous en ai parlé hier.

— Merci, monsieur, dit Larry en qui montait le soulagement.

— C'est pourquoi nous ne voulons plus de performances du genre de celle que vous venez d'exécuter. Les acrobaties ne sont pas de mise quand vous avez un élève avec vous.

— Ce n'était pas de l'acrobatie, monsieur, dit honnêtement Larry.

— Alors, comment appelez-vous cela?

— Je ne sais comment; j'ai fait une erreur dans l'évaluation de l'altitude.

— Ce n'est ni le lieu ni le moment pour des erreurs de jugement, souligna le colonel. Cela vous est-il arrivé souvent, ces temps-ci?

— C'est bien la première fois de ma vie que cela m'arrive, monsieur.

— Il doit y avoir une explication. Aurait-il fallu vous faire porter malade ce matin?

— Non, monsieur.

Le colonel Flynn se retourna vers son bureau et écrivit rapidement quelques lignes.

— Arrêtez-vous au bureau de l'adjudant de place, Thomas. Je désire que vous passiez une révision générale demain matin. Peut-être nous faisons-vous travailler trop dur.

— Mais, monsieur...

— Mais quoi?

— Je ne me sens pas du tout fatigué, je n'ai pas

travaillé trop dur, certainement. J'aime ce travail. Peut-être ai-je eu une légère indigestion après déjeuner? Pas même suffisante pour que je la sente. Et j'ai passé un examen complet il y a peu de temps.

— Révision générale demain, j'ai dit.

Le colonel fit un geste de la main qui était un congé.

-:-

Larry sortit gravement du bureau. Le colonel n'avait pas été trop dur. Il fallait bien admettre que l'extrême proximité du sol demeurait une sensation fort déconcertante. Un engagé l'attendait avec un message :

— Téléphone, monsieur.

Il prit l'appareil et dit lugubrement .

— Lieutenant Thomas.

— Larry?

C'était la voix de contralto de Joan, et il éprouva comme le contact bienfaisant d'une main fraîche sur son front.

— Tu te rappelles que je t'ai parlé de ma tante Catherine?

Il se souvint, en effet, qu'elle lui avait dit avoir une tante à la ville voisine et qu'elle avait exprimé le vœu de la voir.

— Vas-y chérie. Feu ! Elle est arrivée?

— Non. Je viens de lui téléphoner. Je vais lui faire une visite de quelques jours.

— Mais... quand cela, Joan?

— Tout de suite. Je pars dans quelques instants.

— Mais, douce ! protesta-t-il. Aujourd'hui?

Il allait dire — et se retint juste à temps — qu'il avait compté sur une soirée tranquille à la maison.

— Joan? Est-ce à cause d'hier soir?

— Je désire la voir. Le moment m'a semblé bon.

— Je le mérite, dit-il. Mais c'est dur tout de même. Quand reviens-tu?

— Je passerai la fin de la semaine avec elle. Je rentrerai lundi.

— La fin de la semaine ! Et tout ce que je peux faire est d'encaisser à la pointe du menton.

— Tu as un bon menton solide, dit-elle.

— Bébé, afin de maintenir les liens familiaux, écris l'adresse et le numéro de téléphone et laisse le papier sur la table.

Il y en avait pour quatre ou cinq jours, et déjà la solitude lui pesait. Ce qui lui pesait plus encore, c'était de n'avoir pu faire amende honorable et lui montrer combien et combien sincèrement il l'aimait. Ceci émoussait ses meilleures intentions.

— Il faut que je puisse te téléphoner pour te dire combien je me sens solitaire !

Il s'arrêta au bureau de l'adjudant de place et remit la fiche du colonel. Le capitaine Bland prit aussitôt contact avec le capitaine Blount :

— Quand voulez-vous le lieutenant Thomas pour une révision générale, capitaine?

Puis, à Thomas :

— Demain matin, à neuf heures.

— Bien, monsieur, répondit Larry avec soumission.

-:-

Sans Joan, sans sa présence, sans possibilité de lui parler, la soirée promettait d'être un désert de vide et de solitude. Il soupa au club, se refusant même un verre de bière. Il projetait de se coucher très tôt, bien que l'idée de se trouver dans l'appartement vide le fît gémir sur la mauvaise fortune de cette journée. Ses paroles avaient convaincu le colonel Flynn qu'il devait être admonesté pour sa témérité certes, mais qu'il y avait autre chose, que tout ne tournait pas rond en lui.

Plus que probablement le vieux Flynn avait ensuite téléphoné à Blount : « Le jeune Thomas a failli se tuer aujourd'hui et tuer en même temps l'élève qui était avec lui. Parti en piqué et a oublié que la terre approchait, pour n'y penser que lorsqu'il était presque trop tard. Examinez-le à fond, faites-lui sérieusement peur et tâchez de découvrir comment et pourquoi il a fait un truc comme celui-là. »

Blount ferait le nécessaire méticuleusement et ne se déclarerait satisfait que lorsqu'il aurait trouvé quelque chose qui ne collait pas. Blount, à qui, lors de la réception chez le colonel, il avait si gracieusement coupé l'herbe sous le pied en s'adjugeant Siz, allait bien probablement lui faire payer cela en le déclarant impropre au vol.

Larry régla son addition avec une subite et vive impatience et s'en fut voir Chuck.

La radio diffusait doucement les informations, et Chuck, allongé à plat dos, comme toujours, avait l'air d'écouter, mais Larry s'aperçut qu'il dormait. « Zut ! » fit-il en se dirigeant vers la porte.

— Hé ! Où allez-vous ?

Chuck venait de se réveiller.

— Je m'éclipsais discrètement, pour ne pas troubler la cure de repos.

— Je suis fatigué de dormir ! Coupez la radio, voulez-vous, ça me réveillera. Où est Joan ?

— En visite chez sa tante Catherine. Ne reviendra que lundi.

— Oh ! Oh ! fit Chuck. Rien qui cloche, j'espère ?

— Rien qui cloche. Tout au moins pas de ce côté-là.

— Eh bien ! Elle vous fait confiance plus que je ne le ferais. Etes-vous venu me rendre visite pour m'apporter du réconfort, ou si c'est moi qui suis censé vous remonter le moral ?

— Cette fois, c'est votre tour. J'ai bien failli casser du bois cet après-midi. Un avion-école.

— Ah ! voilà enfin un sujet de conversation. Je me sens tout ragaillardi. Quel dommage que vous n'ayez pas capoté tout à fait. A moins qu'il n'y ait eu un élève dans la carlingue.

— Il y en avait un. Et il devait aussi y avoir le vieux Flynn à sa fenêtre en train d'observer ça.

— Allez, racontez. Qu'est-ce qui est arrivé?

— Je descendais en piqué et j'ai dû mal juger mon altitude, je ne sais pas... A la fin de la plongée, j'ai épousseté le faîte des arbres.

— De quels arbres? Et le vieux ne vous a pas mis à pied?

— Non. Il veut que je passe une révision générale. Mon vieil ami Blount m'inspectera demain matin.

— Saoulez-vous ce soir pour que votre index Schneider monte.

— Ce n'est pas l'envie qui m'en manque. Seulement, je n'arrive pas à me saouler. Ce qu'il y a de sûr, c'est que j'ai les foies. A mon dernier examen, je m'étais déjà trouvé en difficulté avec la perception de profondeur, et ça m'avait valu huit jours de rabiot de mise à pied. Je me demande ce que ce sera cette fois-ci.

— Ah! là! là! Je vous envie, Larry, de pouvoir la passer, cette révision, et d'aller tournoyer sur le tabouret à pas de vis de cet excellent Blount! Mais, si la terre est montée vers vous à toute vitesse dans votre avion d'entraînement, rendez-vous compte de la façon dont elle a pu venir à ma rencontre dans mon Thunderbolt!

Siz Marrell passa la tête dans l'entrebâillement de la porte et, semblant ne pas voir Larry, ne s'inquiéta que de Chuck :

— Besoin de rien, lieutenant? Confortable?

Elle souriait, et Larry dit soudainement :

— Lui? Il est tout ce qu'il y a de plus confortable. C'est moi qui en ai plein le dos.

Elle sursauta, le regarda et s'enquit :

— D'où venez-vous?

— De nulle part dans l'ici, soupira-t-il. Qu'est-ce que vous pourriez me donner pour un mal à la tête complet, une belle migraine?

Elle se tourna de nouveau vers Chuck et, lentement :

— C'est ma dernière tournée avant le départ. Vraiment besoin de rien?

— Merci, Siz, grimaça comiquement Chuck. De rien.

Larry trouva qu'elle aurait bien pu plaisanter quelques minutes avec lui, mais personne ne semblait avoir besoin de lui aujourd'hui. Et lui-même moins que personne.

Vexé, il dit à Chuck :

— Vous auriez pu vous démolir et tomber sur une infirmière moche ! Bien balancée, votre affaire, en somme. Hein?

— Oui, répondit drôlement Chuck, elle est bien balancée ! Ça me fait de l'effet quand je vois la façon dont Mary la regarde. Jalouse d'un type dans l'état où je suis ! Pouvez-vous imaginer ça?

Larry se leva.

— Je vais en écraser ! dit-il résolument. Et je vais essayer de préparer dans le silence du sommeil une belle petite série de réactions à l'usage de Blount. Vous verrai demain, Chuck. Vous dirai comment ça c'est passé.

— Chance, vieux !

Hors de l'hôpital, Larry alluma une cigarette et traîna dans l'ombre en réfléchissant. Une promenade en voiture dans la fraîcheur du soir. En compagnie de Siz Marrell qui ajouterait l'agrément de la conversation, ce serait mieux encore. Il fut d'accord avec lui-même, approuva son idée et pensa que cela donnerait un piquant, secret mais certain, à sa séance avec Blount du lendemain. Cette perspective le rendit tout guilleret.

Siz sortit de l'hôpital, marchant rapidement dans l'ombre du trottoir. Quand elle fut juste à sa hauteur, il émergea de l'obscurité :

— Est-ce que je puis vous déposer?

Elle sursauta :

— Vous m'avez saisie.

— Vous... n'aviez pas prévu que je serais ici?...

— Peut-être bien que si, répondit-elle en souriant.

— J'ai besoin d'air pour ma migraine. Me tiendrez-vous compagnie.

— Sais pas trop. Des lettres à écrire.

— Ne perdez pas votre temps comme ça. (La légèreté reparaissait dans sa voix.) Mes pneus sont garantis pour vous y conduire et vous en ramener.

— Dans ce cas, répondit-elle languissamment, je vais aller changer mes vêtements de travail contre des vêtements de jeu.

— Ma voiture est sous les arbres. Je vous attendrai. Impatiemment.

Il fallut à peu près deux cigarettes à Larry pour occuper son attente : Siz s'était changée, avait passé quelque chose de jaune et avait un ruban jaune dans les cheveux.

— Joli. Nettement mieux que l'uniforme. Où allons-nous?

— J'ai soif.

— Alors un verre de bière d'abord et une promenade ensuite.

Un débit du bord de la route leur offrit la bière, après quoi ils tournèrent dans une avenue de gravier qui encerclait la baie, non loin de la plage. Il parqua dans un espace découvert, au bord de l'eau. D'autres voitures y étaient déjà. De temps en temps, une allumette flambait, un rire fusait, on entendait des chuchotements. Il éteignit les lumières, alluma la radio en sourdine, et de la musique douce emplit la voiture.

— Tous les avantages du chez soi, dit Siz.

— Bien sûr.

Il se sentait un peu raide, réticent, désappointé, déçu en somme de sa propre incapacité à trouver quelque agrément à tout ceci.

— Cigarette?

Elle acquiesça, se cala dans l'angle de la voiture, la tête contre les coussins.

— Où est votre femme?

— Pourquoi amener ce sujet de conversation? fit-il, agacé. Pardon. Mais ne lancez pas de questions comme ça. Comment va Blount?

— Paul est un brave type, admit-elle avec un amusement paresseux. Où est votre femme?

— En visite chez une tante.

— Voilà donc ce qui ne va pas! Elle vous manque beaucoup?

Il s'agita nerveusement, sans répondre.

— Evidemment, elle vous manque. Un homme ne peut pas sortir et s'amuser pour de vrai, n'est-ce pas, à moins de savoir que sa femme est sage et seule à l'attendre au foyer conjugal.

— Ecoutez, commença Larry, je vous en prie... Elle l'interrompit en riant doucement.

— Et vous voilà furieux contre moi.

Elle jeta sa cigarette, se pencha et l'embrassa, ne retirant pas ses lèvres d'un très long moment.

— Est-ce que cela vous guérit?

— Non, dit-il joyeusement. Ça ne fait qu'aggraver. Un traitement de ce genre encore, et...

Après plusieurs minutes, elle se redressa dans ses bras et se regarda dans la glace de son poudrier.

— Me voilà bien! constata-t-elle. Et je suis de la première équipe demain matin. Et de service chaque soir.

— Chaque soir?

— Presque. Mais je quitte la ville dimanche après-midi. J'ai des amis qui ont un cottage à Gulfview.

— Des amis mariés? hasarda-t-il.

Elle rit :

— Presque...

Il sentit son cœur donner quelques secousses coupables. Mais agréables.

— Dimanche après-midi? Il se pourrait que je roule par-là. Comment serais-je accueilli si tel était le cas?

— Croyez-vous que vous vous sentirez encore solitaire d'ici dimanche? s'informa-t-elle gaiement.

— Pour quelle heure devez-vous rentrer?

— Pour sept heures.

— Où est l'endroit?

— Conover Cottage, juste avant Gulfview.

Il remit la voiture en route, grimaçant un sourire dans l'ombre :

— Vous m'avez fait beaucoup de bien.

— C'est peut-être aller un peu vite...

Il la quitta à la porte du pavillon des infirmières :

— Bonne nuit, lieutenant, dit-elle en descendant de voiture.

— Bonne nuit, lieutenant, fit-il en écho.

En rentrant chez lui, il se sentait vraiment mieux. Il n'avait fait aucun tort à Joan. Et, s'il allait nager le dimanche à Gulfview, il ne lui ferait encore aucun tort.

Il s'en fut se coucher, souriant.

Et s'endormit aussitôt.

15

L E soldat de deuxième classe Henry Smith chantait sous la douche. Sa besogne du jour était terminée, il était libre jusqu'au réveil, Dolly l'attendait dans la roulotte baptisée *La Solitaire,* mais, s'il ne tenait qu'à lui, elle ne serait pas solitaire souvent.

— Oh! dis donc! Bing Crosby! s'exclama un soldat sous une douche voisine, qui donc t'a mis un nickel (1) dans la mécanique?

Henry sourit largement, essuya ses cheveux avec exubérance et, le peignoir de bain noué lâche autour de la taille, remonta à la plate-forme en ciment qui conduisait à la longue rangée de tentes. Certains soldats étaient logés dans des baraquements faits de planches et de lourd carton de construction, mais les tentes étaient préférables en été. L'air y circulait plus aisément et la chaleur y était moindre.

Henry mit un uniforme frais, impeccable, aux plis nets, au col lisse et bien repassé. Il noua sa cravate et en passa les bouts entre le premier et le second bouton au-dessous du col, ainsi que le prescrit le règlement. Il rangea ses grosses chaussures de travail et mit une paire de souliers bas qui lui appartenaient en propre et qu'il polit jusqu'à ce que le cuir fût comme un miroir, posa son calot à l'angle qui lui parut le plus avantageux et s'admira dans le miroir pendu au clou d'un piquet de soutien. Puis il sortit. Sur la colline où se dressait le mât du drapeau, la retraite avait déjà sonné, le clairon avait lancé les notes : « Aux Couleurs ! », le drapeau, amené par un homme détaché de la garde, plié exactement quatre fois dans le sens de la longueur et dix fois en travers, puis une fois en biais, de manière à lui donner la forme d'un tricorne, était déposé au poste de garde. Le soleil du lendemain le ramènerait à la pointe du mât avec tout le cérémonial voulu, les hommes en rang dans un garde-à-vous rigide et les officiers saluant. Mais, jusqu'à ce moment-là, lui, Henry, serait près de Dolly.

Des hommes flânaient de tous côtés, en pantalon et tricot de dessous, qui lisant, qui jouant aux car-

(1) Un nickel : cinq « cents ». — 1 cent est la centième partie d'un dollar. Pratiquement, le « nickel » (bien que valant davantage!) correspond à notre pièce de cinq sous défunte et le cent à feu notre petit sou.

tes. Du terrain de sport montaient les cris des joueurs de base-ball et, des courts de tennis, le « zinng » aigu de la raquette frappant la balle. Henry pensa que c'était vraiment un endroit épatant et s'étonna d'avoir pu le trouver lugubre. La nourriture était bonne, et il y en avait beaucoup, les officiers étaient bons et raisonnables en somme, si l'on faisait ce qu'on avait à faire et obéissait aux règlements. Si l'on y manquait ou si l'on ne faisait rien ou si l'on faisait mal, les officiers vous tombaient dessus : on ne pouvait pas nier que ce ne fût juste. Henry ne voyait pas, vraiment, ce qui demanderait une amélioration.

Il était tôt encore; Henry décida de parcourir à pied les quelques kilomètres qui le séparaient de Boomtown. Il ne pouvait pas décemment rejoindre Dolly avant le coucher du soleil (elle lui avait bien fait la leçon sur ce point, désireuse qu'elle était, disait-elle, de sauvegarder sa réputation). Comme il arpentait la route conduisant à la sortie du camp, il croisa beaucoup d'officiers rentrant du club ou se disposant à quitter le camp pour la nuit. Il salua chacun d'eux avec exactitude et précision, le bras droit parfaitement horizontal, l'avant-bras à quarante-cinq degrés, la main étendue, paume vers le sol et le bout des doigts touchant le calot juste au-dessus de l'œil droit. La main redescendait vite et sec dans le mouvement de retour dès que la réponse au salut était faite. Ce n'est pas parce que le soldat devait saluer le premier qu'il ne devait pas le faire de son mieux.

Au portail Henry montra sa permission et passa. Beaucoup de soldats attendaient impatiemment l'autobus, mais lui continua, au bord de la route, vers la ville, veillant à éviter la poussière à ses souliers brillants.

Lorsqu'il atteignit l'angle de l'*Alligator* et prit le chemin étroit qui menait au camp des roulottes, les petites lumières clignotaient de toutes parts, indiquant les dispositions industrieuses des occupantes, prêtes au travail de nuit. Mais, chez Dolly, la petite lumière ne brillait pas. Il en éprouva une joie enfantine. Cette enseigne raccrocheuse qui lançait son « Lonely One » (*La Solitaire*) au cœur de la nuit avait le don d'arrêter sur ses lèvres son allègre sifflet. Il cogna deux fois comme Dolly lui avait dit de le faire.

— Eh bien! tu es là de bonne heure! s'exclama Dolly, je termine à peine ma beauté!

Elle lui passa les bras autour du cou pour l'embrasser, et la patte de lapin pleine de poudre qu'elle tenait à la main marqua la nuque de l'homme d'une poussière pâle.

— Hey! lança-t-il, avec un joyeux glapissement. Enlève-moi ça, Dolly!...

Tandis qu'il l'embrassait, il éprouvait une fois de plus la joyeuse surprise de constater qu'il pouvait le faire à n'importe quel moment et rencontrer toujours son regard rieur, la sentir se blottir joyeusement contre lui. Une semaine auparavant, l'idée que pareille chose fût possible lui aurait paru incroyable, il n'aurait pas osé se risquer, la vie était vide et déserte.

— Tu es décidément trop bonne pour être vraie! affirma-t-il avec ferveur.

Elle arborait une coiffure nouvelle, toute en bouclettes sculptées, portait un vêtement d'intérieur, à large pantalon flottant, vert tilleul, et souleva un pied pour faire apprécier une sandale de même ton :

— Elles sont assorties! dit-elle avec une satisfaction ingénue. J'aime toujours que les choses soient assorties. Et toi? Elles te plaisent?

Elle était plus jolie qu'il ne l'avait jamais vue encore et, débordant d'un contentement admiratif, il cherchait avec enthousiasme les mots capables de l'exprimer.

— Tu es écrasante (1), Dolly!

_____

(1) « You are a knock out. »

Elle fixa soigneusement une cigarette au bout du long tube dont le maniement lui plaisait :

— J'ai quelque chose pour toi aussi !

— Pour moi !

Il rayonnait.

— Uhuh !

— Quoi donc?

— Surtout, ne ris pas ! Un pyjama. Et une brosse à dents. Et un rasoir avec de la crème à raser.

Il passa la main sur ses cheveux rouges qu'il aimait et l'embrassa de nouveau :

— C'est magnifique, mais tu n'aurais pas dû faire cela !

Elle ouvrit un paquet et drapa le pyjama sur son bras. Il était en soie rouge avec des oiseaux jaunes. Henry pensa qu'elle l'avait payé cinq dollars, ou davantage.

Elle rit de voir son expression :

— Je sais qu'il est assez étourdissant. La brosse à dents est rouge aussi. Assortie.

Elle eut un soupir dramatique et continua :

— Mais là s'arrêtent les bonnes nouvelles. Les autres sont mauvaises.

Ses yeux baissés emplirent Henry d'inquiétude :

— Qu'est-ce qui ne va pas, Dolly? Que veux-tu dire?

— Simplement que nous ne pouvons pas continuer comme ça... Tu es venu quatre nuits entières de suite, Henry.

— Sûr ! Et j'ai la permission de nuit demain. Je ne peux pas venir?

Elle passa sur son front une main manucurée et la retira, doigts écartés :

— Et je ne vais pas à l'*Alligator* ! Et, naturellement, les autres filles parlent !...

— Qu'elles parlent ! Laisse-les dire ! fit-il violemment. Est-ce la question d'argent, Dolly? N'ai-je pas bien fait les choses?

— Tu les as faites épatamment, Henry. Tu

n'aurais pas pu faire mieux si tu avais été un sergent ou quelque chose d'approchant.

— J'aurai bientôt de l'avancement, dit-il d'une voix sombre.

Elle haussa les épaules :

— C'est la roulotte, Henry ! C'est le loyer !

Voyant son visage perplexe et peiné, elle expliqua :

— On double le loyer. Il va falloir que je prenne une autre fille avec moi.

— Mais, Dolly ! protesta-t-il. Et nos heures ensemble ? Ici, c'est presque un foyer pour moi. Tu ne peux pas vivre avec une camarade ici.

— Je sais, dit-elle avec résignation. Quand j'ai appris la chose, j'ai été si furieuse que j'ai acheté un demi-litre de whisky pour nous remettre... Je vais te préparer un whisky à l'eau, Henry.

Il garda le verre en main, maussade.

— C'est un toupet insensé ! Vingt dollars par semaine ! Il faudrait que je ne fasse qu'entrer à l'*Alligator* et en sortir !...

Elle le regarda attentivement, puis, se tournant vers la fenêtre, considéra l'enseigne lumineuse qui clignait, tout près :

— Ce que je peux le détester, cet alligator vert ! fit-elle d'une voix tragique.

— Tu es beaucoup trop bien pour être là. De toute façon, il faut que tu t'en ailles d'ici. Tel que je me connais et avec ce que j'éprouve, le premier type que je verrais sortir de la roulotte se réveillerait à l'hôpital.

— Tu en es bien capable ! répondit-elle en un éclair d'admiration. Henry, cessons de nous tracasser. Contentons-nous d'être heureux un moment.

— Heureux ? demanda-t-il en un soudain éblouissement. Quatre-vingts dollars par mois pour une roulotte. Combien coûterait un appartement ?

— Henry... est-ce que tu es en train de me faire une proposition ?

— Je voudrais te sortir d'ici. Je vais te dire quoi. Nous allons filer en ville. (Son ton prenait de l'autorité.) Nous ferons un bon dîner. Nous pourrons voir un film, si tu veux. Et nous pourrons faire un tour et visiter quelques appartements, voir de quoi ils ont l'air. Il y a quelque chose que tu ne sais pas : j'ai soixante-quinze dollars par mois qu'une tante m'a légués.

La pensée d'avoir un appartement, d'y vivre avec Dolly, comme mari et femme, lui qui, moins d'une semaine auparavant, avait peur des femmes, le faisait chanceler devant sa propre audace.

— Allez, apprête-toi ! Il y a, en tout cas, un bon western à l'Orpheus. (Il parlait en maître et s'en réjouissait profondément.)

Elle lui passa les doigts dans les cheveux.

— Tu es vraiment chic avec moi, Henry. Je vais te donner un second whisky pendant que je m'habille. Et voici un magazine : tu n'as pas besoin de me regarder.

— Mais je peux ?

— Bien sûr, tu peux !

Elle accrocha soigneusement son pantalon neuf et circula dans la roulotte en culotte et soutien-gorge.

— Si seulement je n'avais pas de taches de rousseur aux épaules ! Crois-tu qu'elles sont terribles !

— Je les aime. Elles sont très bien.

Elle s'assit devant le miroir et se brossa les cheveux longuement et minutieusement, puis se livra à des opérations diverses avec toute une série de crèmes, poudres, fards et cosmétiques variés, dont il ne soupçonnait pas l'existence, et il suivait avec un vif intérêt et une joie tout neuve cette scène intime. Elle revêtit un petit tailleur, qu'elle aplatit de la paume de la main au long de toutes ses courbes :

— Ai-je bon air, Henry ?

— Tu es belle.

— Tu me taquines toujours avec cela. Tu ne peux donc pas dire la vérité?

Dans l'autobus, quelques soldats les dévisagèrent avec une curiosité avouée : Henry n'y prit point garde, et Dolly s'assit, digne, rigide, convenable, les mains jointes sur les genoux, et, sur le visage, cet air de froideur hautaine qu'elle avait souvent étudié sur Greta Garbo. Henry lui donnait de furtifs coups d'œil, retrouvant la première expression qu'il lui avait vue, lorsqu'elle était entrée à l'*Alligator* — et que sa vie à lui avait été changée. Elle n'employait plus cette expression quand ils étaient seuls, mais, pour le public, c'était une excellente idée, pensait Henry.

Il l'emmena dans un restaurant italien — poulet frit et spaghetti, — et ils burent du vin rouge en mangeant.

— Je ne raffole pas des westerns, déclara Dolly. Ça remue trop et trop vite! J'en ai mal aux yeux.

Ils cherchèrent un appartement. Un gamin vendeur de journaux avait passé dans le restaurant avec les feuilles du soir, et ils avaient pointé les petites annonces.

— Cela ne coûtera rien d'aller voir, concéda Dolly. Mais, après une roulotte, ils n'auront pas l'air de grand-chose. C'est toi qui parleras, Henry, moi, je cannerais.

Henry lui tapota cordialement la main sur la nappe avec une assurance qu'il était loin d'éprouver. Mais, tandis qu'ils marchaient côte à côte et qu'il regardait son joli visage et sa ravissante silhouette, il se sentait débordant de fierté, d'un peu d'angoisse aussi, en pensant à leurs relations si secrètes encore peu d'heures auparavant.

Ils montèrent beaucoup d'escaliers. Partout une dame d'un certain âge les examinait de près, les conduisait dans une chambre au papier terne et défraîchi, avec un fourneau à gaz dans un placard ou une alcôve faisant cuisinette, disait le prix, qui était trop élevé, et leur indiquait la salle de bains au bout du couloir. Henry rêvait à un lieu net et clair où Dolly cultiverait des fleurs sur le rebord de la fenêtre.

— La roulotte vous gâche pour la vie en appartement, commenta sombrement Dolly. La roulotte est propre et pratique; une fois que les choses ont bien leur place et que ce qui a une anse est accroché, vous avez tout sous la main.

— Je crois volontiers que, sous cet angle, une roulotte est difficile à battre. Mais je ne désire pas que tu y retournes.

— Je pense, moi, que nous devrions y retourner tout de suite. Tu as eu une idée délicate et gentille, mais qui m'a bien l'air de n'être qu'un rêve.

Ils étaient arrivés au bout de la ville, devant un petit cottage au porche encadré de vigne.

Henry pensait à la roulotte confortable et douillette et aux instants qu'ils allaient passer sur le siège du fond; enlacés, fumant une cigarette en prenant une tasse de café, et puis, au lit.

— Je le crains, répondit-il.

Une femme courte et grasse descendit du porche par la petite allée, jusqu'au trottoir :

— Vous cherchez le chemin? demanda-t-elle aimablement. Je vous vois là, debout...

— Non, merci, répondit Henry. Nous cherchions un appartement, mais nous allons retourner en ville.

— Il n'y a pas beaucoup d'appartements, remarqua la femme.

— Et ceux qu'il y a ne sont guère propres, fit Dolly, l'air délicatement offusqué et navré.

— J'ai un gentil logement au-dessus du garage, annonça la femme. Je vais aller chercher la clef et vous le montrer.

Ils la suivirent par un escalier extérieur. Elle ouvrit une porte et donna de la lumière :

— Un officier et sa femme l'ont quitté hier, dit-elle avec un sourire dubitatif. L'état dans lequel ils l'ont laissé m'a quelque peu surprise, mais peut-être n'ont-ils pas eu le temps... Etes-vous officier?

— Non, madame.

— Dans l'aviation, expliqua Dolly, qui examinait le minuscule logis.

Un lit Murphy (1), une fois descendu, transformait le studio en chambre à coucher. La kitchenette contenait un réfrigérateur électrique et un fourneau à gaz; il y avait une lumière indirecte au-dessus du petit évier. Sur une fenêtre, des pétunias dans une boîte à fleurs. Dans la petite salle de bains, un tub et une douche.

— Il y a de la vaisselle et toute la batterie de cuisine nécessaire. Je change le linge chaque semaine.

— Cela paraît bien, dit Henry.

— Quel prix? s'enquit Dolly.

— Quarante dollars par mois.

Henry répéta :

— Cela paraît bien.

— C'est propre et tranquille, dit la grosse propriétaire. Voulez-vous en discuter avec votre femme? Je puis retourner à la maison, et vous viendrez me rendre la réponse avec la clef.

Henry fit, à l'adresse de Dolly, des signes violemment approbateurs.

— Pourrions-nous emménager demain? Pour cette nuit, nous sommes à l'hôtel.

La femme sourit à Dolly qui venait de parler.

— Demain serait fort bien. Je nettoierai le matin et mettrai le linge. Je dois vous signaler les boîtes à fleurs : il faut arroser tous les deux jours, sans quoi les pétunias mourraient.

— Je vais vous régler un mois d'avance, dit Henry.

-:-

(1) Fausse armoire durant la journée : une fois les portes ouvertes, le lit mural joue sur ses charnières et descend.

Ce n'était pas plus difficile que ça, et il en était éberlué. Pourtant, ce lui fut un soulagement de se retrouver sur le trottoir avec Dolly.

— Je me demande comment ça sera, dit-elle, serrant son épaule contre celle du garçon. Je ne puis pas encore y croire! Et toi?

— C'est un peu subit, admit-il. (Mais l'émerveillement de leur conspiration, de leurs projets d'avenir, l'emplissait d'une fierté coupable.) Nous nous en tirerons parfaitement. Ce sera magnifique. Sautons dans un taxi.

Un bras autour d'elle pendant le trajet du retour, il supputait le nombre de permissions de nuit qu'il pouvait attendre. Si seulement il pouvait affirmer à l'armée qu'ils étaient mariés, il aurait chaque jour la permission de la nuit, afin qu'il pût vivre chez lui, et n'aurait à se présenter à l'appel qu'après le déjeuner. Malgré toute l'ardeur de son désir, il n'oserait pas mentir à l'armée pour une chose comme celle-là.

Dolly prépara du whisky, des toasts, des œufs brouillés.

— Faire de la cuisine pour un grand bêta comme toi! blagua-t-elle, je ne savais pas que j'étais une fille comme ça, une femme d'intérieur! Mais je serai contente... (Elle s'interrompit, le nez hors de la fenêtre, inspectant ce qui s'y trouvait.) Cette bouteille de sauce tomate, décida-t-elle sèchement, peut disparaître.

— Surtout, fais attention que je ne veux pas te voir porter des choses lourdes. Prends un taxi pour emporter tes biens.

C'était une sensation épatante que de lui dire, avec décision, ce qu'elle avait à faire. Que dirait le caporal Tyce s'il savait combien le deuxième classe Smith avait fait de chemin? Mais il n'allait certainement pas en parler à Tyce pour entendre quelques sales plaisanteries.

Dolly Varn, assise sur ses genoux, lui caressait le front.

— Es-tu bien sûr que c'est là ce que tu veux faire, Henry? Moi, je ne souhaite que te voir heureux.

— Mais, moi, je veux te rendre heureuse, Dolly. Tu me rends heureux tout le temps. Le bien que tu m'as fait déjà! Quoi! Quand je pense que je détestais l'armée!

— Nous mettrons un petit drapeau américain sur le mur. J'aurai de la bière et du fromage dans la glacière pour toi. As-tu vu les boîtes à fleurs? Nous pourrons avoir les fleurs sur la table. (La beauté de ses propres paroles faisait trembler sa voix.) Oh! Henry! Allons nous coucher et prends-moi dans tes bras.

— Oui, Dolly.

Sa voix aussi frémissait d'une grande émotion. Il souleva la jeune femme et l'emporta à l'autre bout de la roulotte.

— Oui, Dolly. C'est ça. Allons nous coucher.

Et, quand elle fut dans ses bras, il dit lentement :

— J'ai réfléchi, Dolly. Nous allons faire un essai, nous nous rendrons compte tous les deux si nous sommes faits l'un pour l'autre pour vivre ensemble. Si c'est oui, pourquoi ne nous marierions-nous pas? Alors j'aurais tous les jours la permission de nuit.

Dolly l'attira contre sa poitrine.

— Ne pensons pas à cela pour le moment, Henry. C'est une décision qui demande mûre réflexion. Une fille doit y penser sérieusement avant de promettre ça. Nous pourrons en parler plus tard, quand nous saurons comment cette vie nous va. Pour l'instant...

16

LA raideur militaire de Craig Thomas était de plus en plus raide, sa brusquerie décidée de plus en plus décidée et de plus en plus brusque et son attention à son travail marquée d'une telle concentration que le colonel Flynn disait de lui : « Cet homme-là ne pense absolument à rien d'autre qu'à son devoir. Et il se tuerait à le faire. » Mais, à l'intérieur de cette armure, l'esprit de Craig n'était qu'une faible chose où revivaient obstinément les paroles, les mouvements, les gestes, les expressions de Joan, les moindres détails de leurs rares entrevues. Leurs rencontres étaient aussi espacées qu'il les pouvait faire, c'était là son seul succès sur lui-même. Le désappointement qui avait voilé le cher visage, hors de la chambre de Waller, lorsqu'il avait à demi accepté à demi refusé son invitation à dîner, le hantait. Il y avait en elle un appel muet à l'aider dans les difficultés de sa vie avec Larry, du moins, c'est ce qu'il lui avait semblé. Et il avait dû lui paraître dur. Que lui avait-il dit exactement ? Et quelle impression avait-elle retirée de ses paroles ? Il n'osait pas, en vérité, se montrer moins dur...

Et puis il y avait eu un appel téléphonique, juste avant qu'elle partît.

— Craig (et dès le premier mot sa calme et chaude voix, si pleine, le bouleversait), je vais rendre visite à ma tante, à la ville. Vous vous souvenez que

nous avions une manière de projet pour dîner ensemble vendredi?

— Oui évidemment.

Il aurait dû se sentir soulagé de ce qu'il n'y eût
pas de dîner le vendredi, car il avait l'intention de
l'annuler sous la pression de quelque cas urgent et
grave. Mais non, il n'éprouvait aucun soulagement.
Il était inquiet, alarmé de ce départ et de l'impuis-
sance où il se trouvait d'aider Joan.

— Cela vous contrarierait-il si nous le remettions
à plus tard? Et si je vous voyais à mon retour?

— Non. Pas du tout. J'espère que vous aurez un
séjour agréable.

Il maudit sa langue lorsqu'il s'entendit ajouter :

— Serez-vous absente longtemps?

— Jusqu'à lundi, je pense.

Il ne voulait pas que cette voix quittât le téléphone.

— Et comment se comporte ce frère?

Y eut-il une pause? Ou se l'imagina-t-il?

— Le colonel l'a félicité pour ses élèves, dit-elle.

Et Craig trouva que, subitement, ses intonations
avaient perdu toute résonance, sa voix était plate et
sans vie. Comme il ne savait que dire, il répondit :

— Mais c'est parfait!

Ne trouvant rien d'autre à ajouter, il répéta :

— C'est parfait!

-:-

Il aurait voulu appeler Larry, sous n'importe quel
prétexte, l'inviter à dîner au club, voir comment il
parlerait du départ de Joan, car il ne doutait pas
que Larry eût fait quelque chose pour la blesser.

Mais, parce qu'il avait si grande envie de savoir,
il ne fit rien pour voir son frère. Il débattit la question en lui-même, deux soirées durant, dans sa
chambre, jusqu'à ce qu'elle se ramifiât et prît de
vastes proportions : qu'avait pu faire Larry pour
que Joan l'ait quitté? Il essaya de congédier toutes ces préoccupations, de se persuader qu'il s'amol-

lissait et devenait sujet à des imaginations sans cause.

Ces pensées tumultueuses, ce douloureux bouillonnement intérieur contribuaient à l'austérité de son apparence extérieure. De plus en plus, il se réfugiait dans le travail, se concentrant dans ses obligations de chirurgien-chef. Par ailleurs, pénétré de respect pour le jugement de Craig depuis le cas du soldat aux pieds froids, le colonel Carter le recherchait chaque jour davantage et lui apportait ses problèmes à résoudre.

— Nous avons un cas que je voudrais vous voir examiner, Thomas, bien qu'il ne s'agisse pas de chirurgie. Pas encore, tout au moins. Tout l'air d'une méningite.

Ils gagnèrent ensemble la chambre où se trouvait un jeune aviateur tout récemment arrivé au camp, étendu, le corps absolument rigide et plongé dans le coma.

— Capitaine Sanders, expliqua le colonel, j'ai amené le major Thomas. Trois avis valent mieux que deux. Et je crains que ce garçon ne soit en train de passer.

» Le voilà, Thomas. Qu'en pensez-vous? Il était encore en bonne santé hier en fin d'après-midi. Et puis il s'est plaint de maux de tête à un autre pilote qui croit l'avoir vu prendre de l'aspirine. Ce matin, il a passé la visite. Ne se sentait pas trop mal. On lui a simplement prescrit une journée de repos à terre. S'est allongé sur son lit. On l'y a trouvé après-midi tel que vous le voyez. La seule indication que nous possédions, c'est qu'il a eu un accident d'auto il y a six mois, avant d'entrer dans l'armée. C'est bien tout, n'est-ce pas, Sanders?

— Oui, monsieur. Tout ce dont nous disposions pour nous guider.

Craig sentit une pointe de jalousie en Sanders, et comprit qu'il construisait ses défenses.

Il se pencha sur le garçon endormi, souleva d'abord une paupière, puis l'autre : les pupilles étaient égales et de taille normale. Craig prit l'ophtalmoscope sur le plateau, à côté du lit, et examina l'intérieur du globe, le fond de l'œil : apparemment, il était sain. Mais le garçon était visiblement très bas. Pouls affolé. Respiration haletante.

— Des détails relatifs à l'accident?

— Peu de chose, monsieur, dit Sanders. Une fêlure légère au sinus frontal. Très minime. Le film pris cet après-midi ne nous a rien révélé d'autre.

Craig hocha machinalement la tête. Il passa la main sur le front qui se parcheminait, et la peau chaude et sèche lui apprit que la température du malade était élevée. Il médita quelques instants et, tourné vers le colonel Carter :

— Un cas fort net de méningite, à ce qu'il me semble. Je n'ai vraiment rien à ajouter à ce que sait déjà le capitaine Sanders.

Sanders eut un signe d'approbation cordiale. Mais, Carter prenant Thomas par le bras, s'éloignant avec lui :

— Méningite donc, mais je ne donnerais pas cher des chances du garçon. Je voudrais que vous puissiez tourner ça eu un cas chirurgical et le tirer de là.

Puis un large sourire éclairant son visage couturé :

— Et cette ravissante infirmière, Thomas? Trop jolie pour valoir grand-chose?

— Non, rectifia honnêtement l'autre, elle est excellente.

— Alors ça, c'est une heureuse combinaison, sourit le colonel Carter. Au bon vieux temps... Enfin, Thomas...

Il s'interrompit pour tourner à droite et entrer dans un pavillon.

— Merci d'être venu examiner ce garçon. Je pense que tout ce qui pouvait être fait l'a été. Navré de vous avoir inutilement éloigné de votre travail.

Le regret qui teintait la voix du colonel accompagna Craig pendant qu'il continuait sa route. Le vieillard avait vu bien des morts sur les champs de bataille et dans les hôpitaux. Il devait avoir depuis longtemps appris à les considérer comme un pourcentage inévitable, et pourtant il était encore capable d'éprouver du souci devant la forme rigide du jeune aviateur se débattant dans son coma pour retrouver le souffle.

Craig s'arrêta, consterné. A grandes enjambées, poussé par un élan intérieur, par l'urgence, il rejoignit Carter.

— Colonel! Retournons voir le méningique!

La physionomie du colonel s'éclaira d'espérance :

— Avez-vous trouvé quelque chose, Thomas?

— Je ne sais pas. Je ne sais pas encore.

Mais, intérieurement, il se sentait terrifié. Le colonel se hâtait à son côté, surveillant l'expression de son visage.

Au regard surpris du capitaine Sanders, le colonel répondit... par ce qu'il savait :

— Le major Thomas a une idée..

Le cou du garçon était-il rigide? La petite fêlure du sinus aurait dû tout de suite lui faire évoquer ce symptôme. Et cet autre, dit épreuve de Kernig, l'impossibilité d'amener la jambe verticalement à angle droit avec le corps du malade couché.

Thomas passa la main sous la nuque du patient et tenta de lui soulever la tête : le haut de l'échine était raide comme une bûche, mais la douleur de cette expérience traversa même le coma, et l'homme bougea. Il bougea encore lorsque Craig tenta de relever la jambe et rencontra la même résistance, la résistance du bois.

— Puis-je voir le film pris aux rayons X, capitaine?

La fêlure du sinus paraissait effectivement minime, néanmoins tout concordait : fracture du sinus frontal, et plus tard, des mois plus tard, maux de tête, inconscience, fièvre.

— Cela me paraît une méningite pneumococcique, dit-il.

Jusqu'à ce que le nouveau remède actuellement

en usage fût découvert, tous les malades sans exception en étaient morts.

— Pneumococcique? s'étonna le capitaine Sanders. Pourquoi pas méningococcique? Bien entendu, je ne mets pas en doute votre diagnostic, mais pourquoi pneumococcique, monsieur?

— Je le crois. Avez-vous fait une ponction?

— Tout est prêt pour cela. Vous plairait-il de faire la ponction vous-même, major?

Craig secoua négativement la tête et, s'adressant au colonel :

— Je préfère voir le capitaine Sanders la faire. Sanders la fera bien.

Le visage du capitaine s'éclaira. Pourtant, c'était une ponction difficile. Le dos du malade, bloqué en une rigidité totale, ne pouvant pas être courbé afin d'ouvrir un écart entre les vertèbres. Et Craig, suivant avec attention chaque mouvement, approuva silencieusement Sanders lorsque celui-ci inséra sous la peau une minime parcelle de novocaïne. Le capitaine obviait ainsi au faible risque que la légère douleur de la piqûre accrût encore la rigidité dorsale, et donc la difficulté. Sanders choisit une aiguille longue et mince, si souple et si flexible qu'elle pouvait presque se ployer en demi-cercle, et l'inséra dans la cloque soulevée par l'anesthésique. Il la poussa doucement, régulièrement, sans heurts, la guidant le long des os jusqu'à ce qu'une sorte de léger déclic transmît à ses doigts l'avertissement que la pointe avait pénétré dans les enveloppes gonflées de la moelle épinière. Alors il glissa un petit tube sous le robinet fixé à l'aiguille et l'ouvrit avec précaution. Le liquide bientôt commença de s'égoutter dans le tube. Sans infection dans l'espace entourant le faisceau nerveux vital, le fluide eût été blanc et clair : il était épais, nuageux, coloré. Aucun doute possible.

— C'est incontestablement du pus, dit le capitaine Sanders pendant que le niveau montait lentement.

Il remplaça par un autre le récipient rempli.

— Nous allons en envoyer au laboratoire. Faut-il en tirer beaucoup?

— Suffisamment pour réduire la pression. Mais il faut y aller très doucement. (Des hommes sont morts parce que leurs nerfs, trop brusquement libérés de cette pression, se sont tassés.)

Le capitaine Sanders acquiesça:

— Ne m'attendez pas. Allez de l'avant et découvrez ce qu'il y a là-dedans.

Au laboratoire, le technicien, que l'œil attentif du colonel Carter rendait nerveux, étendit un mince voile du fluide nuageux sur une lamelle de verre qu'il mit à sécher.

Sur une petite lamelle graduée, il déposa une autre goutte et recouvrit le tout d'un mince couvercle de verre : il introduisit l'ensemble dans un compteur à cellules qui, aussitôt, cliqueta rapidement.

— Trois mille environ, monsieur, dit le technicien.

— C'est énorme, commenta sourdement Craig.

Vint alors le tour de la plaque précédemment mise à sécher. L'homme du laboratoire y laissa tomber une goutte d'huile, la glissa sous le microscope et baissa la lentille jusqu'à ce qu'elle trempât dans l'huile, puis mit habilement au point.

— Pneumocoques?

— Cela en a tout l'air, monsieur.

Craig prit place sur le tabouret et ajusta le microscope binoculaire. Semblables à des statues sur une scène drapée de bleu ciel, les cellules de pus étaient là, avec leur noyau sombre bizarrement formé et teintées par le bleu de méthylène de la préparation. Déjà l'opérateur travaillait sur une autre lamelle, suivant cette fois la méthode Gram qui a pour résultat de séparer les bactéries en deux groupes selon la couleur qu'elles prennent.

— Quelle abondance de microbes ici! commenta Craig. Voulez-vous regarder? monsieur?

Partout s'étalaient, tantôt par paires, tantôt en chaînes, des germes oblongs, plus grands que le méningocoque.

La lamelle teintée selon la méthode Gram était prête : le technicien la tendit à Craig. Les méningocoques apparaîtraient rouges : sur la plaque, tous les microbes étaient d'un pourpre sombre, donc des pneumocoques.

— Thomas, dit le colonel Carter, combien je voudrais être aujourd'hui au début de mes études médicales! J'aimerais savoir ce qui se passera pendant les cinquante années à venir!

— Cherchez le type de ces pneumocoques, je vous en prie.

Le technicien opéra des mélanges du fluide chargé de pus avec diverses mixtures de sérum dont il avait tout un assortiment. Quand il eut préparé plusieurs lamelles, il les examina en succession, en rotation plutôt. A un moment donné, son sourire de soulagement témoigna qu'il avait trouvé ce qu'il cherchait.

— Voulez-vous examiner ceci, monsieur, dit-il, cédant à Craig tabouret et microscope. Ça m'a tout l'air d'être du groupe deux.

Craig étudia attentivement la plaque. La détermination dépendait de la présence, autour de chaque germe, d'une délicate capsule qui, mêlée à un antisérum du même type, se gonflait jusqu'à former un cercle serré autour du germe plus sombre installé au centre. C'était une belle épreuve, un critérium tout à fait positif. Les capsules étaient enflées, gonflées à bloc.

— C'est en effet, bien le type deux, confirma Thomas.

Le capitaine Sanders entra, portant plusieurs tubes de fluide.

Le major s'informa :

— Comment va le garçon?

— Le cou moins raide.

— On pouvait s'y attendre. C'est du pneumocoque, type deux. Avez-vous du sérum?

Le capitaine Sanders secoua la tête :

— Non. Nous ne nous en servons autant dire plus depuis que, contre la pneumonie, nous employons la sulfadiazine.

— Il faudrait lui en donner, dit Craig, et aussi des ampoules à très forte concentration de sulfadiazine, en piqûres intraveineuses. Ce garçon est très malade. Il a besoin de tout ce qu'on pourra faire pour lui sous le ciel.

— Passez-moi l'hôpital Mac Dill, demanda Sanders au téléphoniste.

La communication terminée, il annonça en se frottant les mains :

— Ils vont envoyer le sérum immédiatement par avion. Nous l'aurons dans une heure ou deux. Entre-temps, nous commencerons avec la sulfadiazine.

En repassant par les longs couloirs, le colonel, cette fois, souriait de contentement. Mais Craig, prenant automatiquement place à sa gauche comme le doit l'officier de moindre rang, avançait dans un cauchemar de remords et d'auto-accusation, se sentant mortellement fautif parce qu'il ne pouvait écarter Joan de son esprit.

— C'est une idée magnifique qui vous est venue après coup, Thomas, dit le colonel, avec un coup d'œil rapide et perçant vers le major. Vous avez sauvé un aviateur pour l'armée, n'est-il pas vrai?

— Il a une bonne chance de s'en tirer maintenant, admit Craig d'une voix morne. Il y a un an ou deux, on n'aurait su que faire.

Mais il avait été bien près de manquer le diagnostic correct; sa bévue, en négligeant une possibilité majeure, était tellement incroyable et damnable !

Le colonel Carter frappa ses mains l'une contre l'autre :

— Des tas de vos camarades m'obsèdent pour avoir des permissions, et ce matin même j'ai examiné les... records de loisirs... Votre moyenne est la plus basse de toutes : zéro ! Ne vous ai-je jamais parlé de tarpon ?

— Si vous avez quelques minutes, je voudrais bien avoir une conversation avec vous, dit Craig d'une voix tout à coup décidée.

— Mais bien sûr. Allons dans mon bureau. Un tarpon avec cent cinquante mètres de fil derrière lui et le dévidoir presque vide, un grand, de plus de cent livres, qui saute comme un nom de... enfin, comme un tarpon. Thomas, tous nos médecins pourraient espérer vivre plus longtemps, si, dès la Faculté de médecine, on leur enseignait l'art et la manière de pêcher le tarpon.

Dans son bureau, le colonel cogna une courte pipe contre son panier à papiers, la remplit et remarqua :

— Le commandant à l'œil sur vous, Thomas. Vos notes sont remarquables. Et maintenant que puis-je pour vous ?

— M'exporter d'ici, dit Craig. Me faire passer au service continental.

— Allez au diable ! explosa Carter. Piqué par cette mouche-là, vous aussi ?

— Oui, monsieur. Je voudrais partir.

— Je comprends ça, répondit le colonel sans aucune sympathie. Je l'ai eu sérieusement sec en 1917 lorsqu'on m'a laissé à terre et que j'ai agité mon mouchoir à l'adresse de ceux qu'on avait embarqués. Je m'y suis fait plus tard. Sans doute vous y ferez-vous aussi, plus tard. Pour autant que cela dépendra de moi, ce sera beaucoup plus tard.

— Monsieur, c'est une demande formelle que

223

je vous adresse, dit Craig avec une sécheresse dont il s'étonna lui-même. Je ne joue pas avec une idée !

Le visage couturé du colonel se durcit un instant, puis se détendit en un sourire :

— Ça va, Thomas. Je ne veux pas avoir l'air de prendre ça à la légère. Nous avons besoin de bons médecins sur tous les champs de bataille, et aussi à l'arrière. C'est un service très utile. Du raccommodage d'urgence. Cela vous ramènerait d'un seul coup à vos jours d'internat dans la salle des accidentés.

— C'est un travail absolument essentiel.

— Mais bien sûr. Aussi avons-nous un tas de jeunes médecins qui peuvent s'en charger et ne s'en font pas faute. Confidentiellement, Thomas, je vous dirai même que nous avons des médecins qui me font plutôt l'effet de vétérinaires. Ils s'en tireront fort bien dans le tas. Pour le bricolage. Pour appliquer des tourniquets et des garrots. Faire des piqûres de morphine. S'ils y restent, leurs familles les pleureront. J'irai jusqu'à admettre que, dans certains cas, leur communauté ne s'en trouvera que mieux. Comme tout le reste, c'est un problème de valeur humaine.

— Monsieur, reconnaissez-vous alors qu'il y a dans les hôpitaux de base, en arrière des fronts, un véritable travail de chirurgie ?

— Mais naturellement. Et loin de moi l'idée d'en minimiser l'importance. Il y a évidemment ici un équipement beaucoup plus perfectionné. Et non moins évidemment les cas les plus difficiles seront ramenés au pays. Jamais je ne m'étais vu attribuer un aussi parfait outillage.

Avec un air d'orgueilleuse satisfaction, il souffla un nuage de fumée :

— Vous avez fait du beau travail sur ce gosse, Thomas.

Craig secoua une tête obstinée. Mais le colonel Carter fermant les yeux à demi :

— Mon devoir le plus certain est de confier le meilleur outillage aux meilleures mains sur lesquelles je puisse mettre la mienne ! Où est votre devoir le plus certain, Thomas ?

— Monsieur, il n'est pas ici.

— Est-ce que nous vous faisons travailler trop dur ?

— En aucune façon.

— Alors ? Qu'y a-t-il derrière cette requête ?

Craig grogna. Il ne pouvait pas expliquer au colonel Carter — ni à quiconque — que lui, officier austère et capable, était secrètement miné et secoué par un amour sans espoir, et ce au point de n'avoir plus aucune confiance, aucune foi en lui-même.

— Raisons personnelles, dit-il seulement. Si je ne puis les expliquer, je compte néanmoins que vous ne supposerez pas qu'elles sont peu importantes. S'il en était ainsi, je ne vous demanderais pas ce transfert.

Le visage du colonel s'épanouit jusqu'à la jovialité, avec quelque chose du renard dans son triomphe :

— Vous voyez, Thomas. Vous voilà coincé ! « Raisons personnelles ! » Dans l'armée !!! Et c'est vous qui... Voyons, vous savez bien qu'il ne peut être question de raisons personnelles dans l'armée ! Je regrette. Elles seraient peut-être fort valables dans le civil...

Le colonel indiqua derrière lui une ligne et un moulinet, en panoplie sur le mur.

— Il n'y a pas beaucoup d'hommes à qui je ferais suffisamment confiance pour leur prêter cela, Thomas. L'outillage ordinaire pour les hommes ordinaires, l'outillage de choix pour les hommes de choix. Et ce bambou fendu n'est pas de l'outillage ordinaire. Mais j'aimerais vous voir l'emporter pour une semaine et voir comment vous vous débrouillez avec un tarpon. Tenez ! (Il se leva.) Je vais vous le remettre tout de suite !

Thomas secoua la tête en un refus sec :

— Merci, colonel. Je ne dis pas que plus tard... Mais, cette semaine, j'ai deux cas importants...

Le rire de Carter l'interrompit tout net :

— Pour un homme qui croit qu'il devrait aller ailleurs, vous vous y prenez curieusement. A l'envers en somme. Je dors mieux parce que vous êtes ici, Thomas. Merci d'être venu.

Le commentaire du colonel retirait à Thomas la seule solution qu'il eût entrevue. D'une certaine et étrange manière, c'était un soulagement de savoir qu'il avait fait tout ce qu'il pouvait et qu'en dépit de lui-même il était contraint de demeurer là où il verrait occasionnellement Joan. Mais il fit un honnête effort pour nier que ce fût un soulagement et, lorsque son esprit évoqua de possibles rencontres avec elle, il lutta sévèrement et inutilement avec lui-même.

-:-

Blount, arrivant peu après dans sa chambre pour l'emmener vers le club et un verre de bière, fut reçu par un « Non. Au regret, Paul » décourageant et bourru.

Mais Blount, pas découragé du tout, restait à le regarder en riant sous cape.

— J'ai un problème, et il me faut votre aide.

— Rien à faire, Paul. Je vais me coucher. Emmenez vos endocrines où vous voudrez. Sans moi.

— C'est évidemment une partie du problème, admit Paul. Mais la moindre. Si vous ne voulez pas venir pour celle-là, peut-être viendrez-vous pour le reste.

Il perdit son joyeux ricanement et considéra Craig avec gravité. Mais Craig secoua négativement la tête et entreprit de dénouer sa cravate.

— L'autre partie du problème concerne Larry.

La réponse de Craig fut violente, effrayée :

— Quoi à propos de Larry? Qu'y a-t-il, Paul?

— Au diable! Allons boire de la bière.

Craig remit brusquement sa cravate en ordre :

— Paul, il vaut mieux que vous ayez vraiment quelque chose à me dire. Parce que, si, d'aventure, c'était là votre idée de la plaisanterie... Je vais chercher ma voiture.

— J'ai vraiment quelque chose à dire. Peut-être pas tellement mauvais, je ne sais pas. Mais peut-être pourrez-vous me donner un conseil, un avis?

— Bon. De toute façon, maintenant, je vous accompagne. Allez-y. Qu'est-ce que c'est?

— Le colonel Flynn m'a téléphoné aujourd'hui. Il m'envoie Larry demain matin. Révision complète. Et il a dit complète en soulignant! Larry a failli s'écraser au sol.

Craig gémit et dit sans lien apparent :

— Joan est partie. Sa femme est allée rendre visite à une tante.

— Vraiment? fit Blount. Allons boire de la bière.

Dans la voiture, Blount jeta brusquement son bras autour des épaules de Craig et lui raconta ce qu'avait dit le colonel. Au cours d'une descente avec un élève, Larry avait mal évalué la distance jusqu'au sol. Ç'avait l'air, vu d'en bas, d'une terrifiante acrobatie, mais ce n'en était pas une.

— Il y a ça de bon qu'il n'a pas voulu faire d'épate, ni même voulu laisser croire qu'il en avait fait, dit Paul avec bonne humeur en entrant dans le club. Vous aviez besoin de bière de toute façon, et j'ai maintenant la conscience pure.

Mais un nuage de contrariété reparut sur ses traits bienveillants et mal dégrossis :

— J'aurais joliment préféré qu'il ne me fût pas échu cette fois encore! Seulement, c'est votre frère. Alors si vous avez quelque chose à suggérer?

— Le fait qu'il est mon frère n'a rien à voir là-dedans.

— C'est vous qui le dites! riposta Blount. Enfin, si vous êtes au courant de quelque chose à propos de quoi vous souhaitiez que je laisse tomber une allusion ou un conseil, si vous voulez que je lui fasse un sermon...

— Non, fit Craig.

— Bien. Ce n'est pas de chance, avec son petit foyer tout neuf et une fille aussi bien que Joan, commenta Paul, lançant un rapide coup d'œil vers les traits tirés de Craig. Dommage que le gosse ait eu cette défaillance. Toutefois, ça peut n'être pas grand-chose. Il faut évidemment que je le sonne, mais j'espère qu'il s'en tirera bien. Je ferai tout ce que je pourrai, naturellement. C'est votre frère.

— Oh! Zut pour ça! s'exclama Craig.

Mais son esprit envisageait la pénible possibilité que Larry fût mis définitivement à pied, avec toutes les conséquences probables.

— Okay. J'en prendrai soin.

Paul leva sa chope à la hauteur des yeux.

— Dites-moi, Craig, si vous n'étiez pas au courant, qu'est-ce alors qui vous avait mis tellement à cran ce soir?

— Pas à cran, Paul. Mais j'ai parlé à Carter de service outre-mer...

— Uh! uh! Ainsi donc vous voulez partir d'ici?

Craig le regarda attentivement, mais Paul soufflait avec nonchalance sur l'écume de sa bière.

— Et-ce que vous vous imaginez que je souhaite passer ici toute la guerre? Avec tant de pays à visiter?

— Voui! Mais les femmes américaines sont ce qui se fait de mieux au monde. Bien. Alors vous en voulez à tout un chacun parce que le colonel ne vous a pas permis d'aller vous faire tuer. Qu'est-ce qu'il a dit, le colonel?

Craig renifla farouchement :

— Il m'a offert sa canne à pêche. Il m'a dit de filer et d'aller prendre...

Blount, d'un rire tonitruant, lui coupa la parole :

— Pas un tarpon? S'il vous à parlé de tarpon, cela signifie que l'avancement est imminent! Il ne me parle même pas d'un poisson rouge!

Craig sourit, Blount arrivait toujours à le faire sourire.

— Ça va, Paul. C'est à votre tour. Si je dois encore entendre parler de vos endocrines, le moment est venu.

— Non, il ne s'agit pas de mes endocrines, confessa mélancoliquement Blount. Il s'agit des hormones de Siz Marrell.

— Alors, j'ai le temps de boire une seconde bière?

— Oh! largement. J'ai parqué ma voiture avec cette fille dedans, Craig, jusqu'à la détester! Je l'ai parquée au bord de l'eau, je l'ai même parquée au milieu d'un champ. Mais... (il soupira) je me demande ce qui se passe. Rien de ce genre ne m'est jamais arrivé jusqu'ici.

— De quoi lui parlez-vous, hasarda Craig. De la campagne de Russie?

— Jamais de la vie! D'anatomie. Nous parlons anatomie. Elle s'y connaît, la mâtine. Et elle a le même point de vue que moi. Je l'embrasse. Elle m'embrasse. Et cela me produit beaucoup d'effet, Craig.

— Vous m'en voyez tout surpris, dit Craig, placide.

Paul avala une grande gorgée de bière.

— Oui! Cela me fait de l'effet. Et je le lui dis. Et qu'est-ce que vous croyez qu'elle fait ensuite, Craig? Qu'est-ce que vous croyez bien qu'elle peut faire? Elle rit! Elle rit de ce damné rire paresseux qu'elle a! Et puis elle m'embrasse de nouveau. Je ne peux pas dépasser ce baiser. Et je ne peux surtout pas dépasser ce rire. Il m'exaspère, il me coupe mes effets, expliqua-t-il, le front soucieux. Et je commence à en être salement écœuré, fatigué, malade. Oh! je ne renonce pas à essayer encore. Qu'est-ce que vous pensez que je pourrais bien tenter?

— Peut-être bien que *vous* devriez rire?

— J'y ai pensé. J'ai même essayé! Mais, à des

moments comme ceux-là, je ne peux pas parvenir à rire, Craig! Cette femme est le démon de la coquetterie, championne du monde, il n'y a pas plus contrariant qu'elle. J'ai besoin d'un autre verre de bière.

Il continua tout en secouant mélancoliquement la tête :

— J'y travaille toujours, mais je ne crois pas que j'y arriverai. Je déteste l'admettre, j'ai horreur de me considérer comme battu, surtout dans ce cas particulier, mais je ne pourrai plus supporter longtemps un traitement d'une aussi parfaite ingratitude. Peut-être ne suis-je pas son type? Peut-être a-t-elle des idées arrêtées? Tient-elle à certaines particularités? Quoique j'aie, jusqu'ici, considéré mes particularités personnelles comme assez satisfaisantes.

Il contempla Craig d'un œil sagace :

— Si seulement j'étais le grand, beau gars, au type aristocratique, dans votre genre, je crois que le résultat serait tout différent. Je suis, oh ! ça, absolument certain d'une chose ! C'est qu'il y a un type d'homme qu'elle ne contrarierait pas trois minutes.

Mais Craig ne répondit rien.

— Si j'avais à établir une ordonnance pour un homme dans votre situation, Craig, je lui prescrirais Siz Marrell.

— Quelle situation? s'enquit Craig, envahi d'une anxieuse suspicion.

Alors Paul dit avec douceur :

— Dans la situation d'avoir besoin de quelque chose qui ressemble à Siz Marrell.

17

EH bien, monsieur, me voici.

Le capitaine Blount salua Larry d'un signe de tête :

— Je vais être à vous dans un instant, Thomas. Mettez-vous à votre aise.

Larry s'assit et prit une cigarette. Ce matin, il était en plein équilibre et dans l'euphorie d'un homme qui, couché tôt la veille, avait bien dormi. Qui avait déjeuné paisiblement et n'avait pris qu'une tasse de café. Il alluma une cigarette, garda l'allumette un moment au bout des doigts et considéra avec faveur l'absence totale de tremblement à la main tendue. Il éteignit l'allumette, puis exhala sa première bouffée et laissa aller sa tête en arrière contre le dossier du fauteuil en une attitude de détente complète et de confiante certitude. Mais tous ces détails rassurants n'étaient semi-consciemment étudiés et mis en scène que pour dissimuler un état nerveux intérieur qui n'avait rien à voir avec une nuit d'excellent sommeil.

L'attente dans le cabinet d'un chirurgien de l'air, la vue de ces appareils, trop familiers et d'autant plus inquiétants, qui découvraient au sujet d'un être humain plus de choses qu'il ne se souciait d'en savoir lui-même, la perspective de demeurer immobile de corps, tout en levant un pied ou en tirant un levier pendant que des chiffres inconnus remplissaient, colonne par colonne, des cadres invisibles : cet ensemble suffisait à rendre un pilote beaucoup plus nerveux que tout ce qui pourrait arriver à bord d'un avion. Larry connaissait cette tension anxieuse et il avait appris à bâtir tout autour un rempart de détachement voulu qui, sans tromper personne ni lui-même, ni constituer une forteresse solide, l'aidait tout de même à trouver une manière d'équilibre initial, avant de passer à la révision d'ensemble et de détail. Cette fois-ci était différente des autres et bien pire. Il ne savait pas encore, lui, pourquoi il avait plongé si près du sol et n'avait, en somme, été averti que par la panique peinte sur le visage de l'élève, mais Blount allait chercher ce « pourquoi » jusqu'à ce qu'il le trouve — et il le trouverait.

Blount releva sa grosse tête ronde, penchée sur des papiers, ouvrit la porte d'une petite chambre noire et fit signe à Larry :

— Entrez là, allongez-vous, détendez-vous totalement.

Larry s'allongea. C'était le vieux truc habituel, mais efficace. Inévitablement, un homme étendu sentait le calme l'envahir tandis que s'écoulaient les minutes. Il s'étala donc de son mieux et se laissa aller mollement pour aider à la détente générale. En somme, ce qu'il fallait faire, c'était exactement ce que fait le boxeur dans son coin du ring, pendant que l'annonceur proclame le nom et le poids des adversaires en présence : demeurer inerte, passif, comme si rien jamais ne devait arriver.

Blount entra et, relevant l'abat-jour, commença d'arranger méthodiquement les instruments à mesurer la pression du sang et les stéthoscopes sur une table près d'une chaise, la chaise dont le siège était exactement à dix-huit pouces et demi du sol et sur laquelle Larry allait devoir faire son numéro comme un cheval de cirque qui compte avec son pied. Blount ne le regardait pas et ne disait pas un mot. Pendant quelques instants, Larry se demanda ce que Blount savait véritablement à propos de ses relations avec Siz et dans quelle mesure son verdict en serait affecté. Puis il se détendit de nouveau : rien, en somme, ne prouvait que le silence actuel du capitaine eût une portée particulière. Les chirurgiens de l'air, très normalement, évitaient de discuter avec les pilotes à ce point de l'examen, mais ils se rattrapaient par la suite en posant des questions extrêmement précises, minutieuses et indiscrètes. Le bavardage et, plus encore, la discussion risquaient d'exciter le sujet et de fausser les épreuves et leur résultat.

Larry, considérant ces choses en somme rassurantes, se dit que tout ce qui se passait n'était qu'antique routine, lorsque Blount compta son pouls avec attention, puis encercla son bras dans la manchette du tensiomètre et la gonfla jusqu'à ce qu'une sensation de picotement au bout de ses doigts l'avertît que la circulation était coupée. La séance était commencée et allait se dérouler suivant un rite et un rythme déjà familiers. Chaque exercice était suivi de deux minutes de repos, pour préparer le « patient » à subir, dans les meilleures conditions, l'exercice suivant.

— Déshabillez-vous.

Les diverses expériences que comporte l'examen de la circulation étaient terminées; le plus important restait à venir.

Tandis qu'il accrochait ses vêtements, Larry se fit la réflexion que, tout de même, le laconisme de Blount semblait extraordinaire. Il marcha nu vers la table d'examen, droit, mince de hanches et large d'épaules, plat du ventre, un beau spécimen physique et qui ne l'ignorait pas.

Blount l'examina avec la minutie extrême du maquignon qui veut acheter un cheval.

— Voyons l'équilibre, dit-il.

Rien de nouveau encore. Mais du dangereux. Pas en soi, certes : par les conséquences possibles. Larry respira lentement, profondément, et s'assit sur le tabouret d'émail blanc, auquel Blount imprima un mouvement rythmique de va-et-vient.

Larry se sentit envahi par une sorte de flou nauséeux, et une régurgitation le secoua. Au commandement, il baissa la tête et les paupières. Au commandement, il rouvrit les yeux, que le chirurgien observa de près. La pièce entière lui parut nager vertigineusement, et ses yeux durent la ramener en place, l'y tirer et la fixer par de rapides mouvements latéraux : nystagmus, ainsi ces mouvements s'appelaient-ils. Et Larry, attentif, vit Blount inscrire une réaction, comme précédemment, mais, pas plus que précédemment, ne parvint à rien lire sur le visage impassible. L'expérience, faite à droite, fut recommencée à gauche.

— L'épreuve de vision, dit brièvement Paul.

La chose était sans difficulté ni péril pour Larry qui perçut et déchiffra tout ce qui lui fut présenté, inquiet seulement, de façon croissante, de la brièveté sèche de Blount. Il se disait que le chirurgien de l'air n'avait pas besoin de se montrer si hermétiquement officiel, parce que après tout, il était un ami de Craig.

— Perception et évaluation de profondeur.

Larry soupira et se rendit compte que l'oreille du capitaine avait saisi ce son léger. C'était, en effet, pour lui l'épreuve critique entre toutes. Il manœuvra les cordes de l'appareil Howard-Dolman et considéra, dans une sorte de vertige, la tringle mobile qui avançait par saccades comme il tentait de l'ajuster à l'index fixe; il arriva presque à les mettre de niveau, et tout à coup la tringle mobile s'échappa de l'autre bord comme un lapin affolé. Il recommença la manœuvre des commandes de façon plus saccadée encore, et la tringle, ironiquement, se balançait en un va-et-vient qu'il ne parvenait pas à stabiliser. La sueur lui perla au front.

— Prenez votre temps. Reposez-vous une minute et repartez calmement.

Tête baissée, Larry s'obligea à la détente.

Puis la tringle mobile se remit à glisser, régulièrement, de plus en plus près de l'index fixe. Mais, à la dernière seconde, elle s'échappa. Larry renouvela sa tentative sans parvenir à fixer la tige en face de l'autre. Rien à faire.

Blount, ayant lu les indications correspondant aux essais vainement répétés, reporta des chiffres.

Et ce fut ensuite l'examen oculaire, puis la longue série des épreuves neurologiques, les genoux, les chevilles, toutes les réactions y passèrent, les nerfs craniens et les nerfs périphériques fournirent leur contingent d'annotations. La vision des couleurs, les bandes de lumière blanche et verte qui répondaient à des commandes pareilles à celles d'un avion et permettaient d'évaluer l'agilité mentale et musculaire du pilote, son aptitude à coordonner la pensée et l'action.

Enfin Blount dit :

— Vous pouvez vous habiller.

Larry lui lança un regard qui ne déchiffra rigoureusement rien et s'habilla ensuite avec une promptitude née de l'anxiété. C'était une chose de se moquer des examens et révisions devant les chirurgiens de l'air. Tant qu'on s'en tirait favorablement. C'en était une autre quand on se sentait en péril de mise à pied. On commençait alors à se souvenir que l'avis du chirurgien de l'air était décisif et qu'en somme il avait l'autorité absolue sur votre sort.

— Asseyez-vous, Thomas, dit Blount, lorsque le pilote revint dans le bureau. Le colonel Flynn a pris la peine de me téléphoner lui-même à votre sujet. Il pense que vous avez le tempérament et les capacités d'un bon pilote de chasse. Encore faut-il que vous continuiez à voler. Qu'est-ce qui vous a mené à deux doigts de l'écrasement au sol avec l'avion-école?

Larry regarda Blount dans les yeux et ne les trouva ni amicaux, ni hostiles. Et, tout à coup, il comprit que l'homme était d'une irréprochable équité.

— Honnêtement, monsieur, je n'en ai aucune idée.

L'expression de son visage était, à ce moment, aussi sérieuse que si c'eût été le visage de Craig.

Blount offrit une cigarette sans qu'aucune chaleur apparût dans son regard.

— N'en faites pas un mystère. Vous devez avoir une impression plus nette que ça. Avez-vous eu un moment de black-out?

— Non, monsieur.

— Un désir de parader, d'épater?

Larry rougit violemment.

— Je n'essaye jamais d'épater, je ne parade pas.

Mais son irritation se transforma en un tortillement, en une gêne d'adolescent.

— Laissez-moi vous raconter exactement, capitaine. Le fait est que vous m'avez... fichu la frousse!

L'expression de minutieuse recherche, d'examen implacable, s'effaça sur le visage de Blount en un sourire compréhensif.

— Allez-y, Larry, expliquez le coup!

Larry rougit de nouveau, pensant qu'il avait toujours été, en son cœur, injuste à l'endroit de Blount, qui était un chic type.

— Merci, monsieur. Peut-être bien que je me mettais en valeur. Je me rappelais l'inquiétude nerveuse que les plongeons en piqué me causaient au début, quand j'étais élève, et puis je me suis dit que, vraiment, ce n'est plus rien du tout une fois qu'on en a l'habitude et qu'on voit le sol monter vers soi sans la moindre inquiétude parce qu'on sait exactement jusqu'où on le laisse monter. C'était pour moi-même que je paradais, monsieur. Et puis j'ai vu le visage terrifié de mon élève, à qui je ne pensais plus. Et je me suis ressaisi et j'en suis sorti.

— Vous avez mal choisi votre moment pour vous

livrer à des méditations rétrospectives. Qu'aviez-vous fait le soir précédent? Bu avec excès?

— Pour dire vrai, admit Larry, j'étais un peu parti. Mais, le matin, j'étais tout à fait d'aplomb, je veux dire, vous savez, pas de gueule de bois.

— Je regrette, dit Blount, mais je dois vous mettre à pied.

— A pied? Je n'ai jamais été mis à pied! Mais c'est bien, monsieur... Il fit une pause et reprit anxieusement : Vous ne voulez pas dire de façon permanente?

— Deux semaines. Et un nouvel examen.

— Une quinzaine! Juste quand de nouveaux avions de chasse arrivent!

— Oui. Je sais. Mais vous n'êtes pas en état de les conduire.

Larry se leva et arpenta le bureau.

— Vous avez le droit de demander votre passage devant un autre examinateur, lui rappela Blount.

— Non, monsieur.

Il reprit la chaise et, avec un difficile effort, se força au sourire.

— Cet examen-ci était complet. Trop complet peut-être! Qu'est-ce qu'il donne, voulez-vous me le dire?

— Un peu trop de tension. Surtout pour votre âge. Mais le tabac et l'alcool peuvent en être la cause. Toutes les réactions un peu lentes. Perception de profondeur nettement mauvaise. C'est cela qui a failli vous faire vous écraser. Onze de Schneider : c'est dans les limites, mais devrait être meilleur à votre âge.

— Et que dois-je faire?

Blount sourit.

— Il n'y a rien dans tout cela que vous ne puissiez arranger vous-même. Mais le traitement est dur. C'est terrible, à votre âge, de devoir faire de longues promenades et de respirer le grand air!

Larry sourit largement à son tour en se levant.

— Vous avez raison, monsieur, c'est un traite-

ment pénible. Mais je présume qu'il faudra m'y résoudre.

— La nage est bonne. Le tennis. Tous les exercices à l'air libre. Dormez beaucoup. Ne buvez pas.
Et revenez me voir dans deux semaines.

— Ma femme ne me reconnaîtra pas ! Merci,
monsieur.

— O. K. Bonne chance, donc.

Blount fit en souriant le geste de le pousser en
haut d'une colline. Quand la porte se fut refermée
derrière lui, il décrocha le téléphone.

— J'ai dû mettre Larry à pied pour une quinzaine, Craig. Impossible à éviter. Mais c'est un bon
gosse, courageux et plein de cran. Il s'en tirera. Que
diriez-vous d'un verre de bière, ce soir ?

-:-

Ce fut par une visite à Chuck que Larry inaugura
ses longues promenades. Ayant raconté ce qui lui
arrivait, il obtint le réconfort immédiat d'une
joyeuse mais totale absence de sympathie.

— Ah ! Je suis bien content ! déclara Chuck. Nous
ne pouvons pas nous permettre de risquer follement
de bons appareils. Fais le pilote à terre sur la chaise
aussi longtemps que tu voudras. Apporte ton tricot.

La chambre de Chuck lui était plus accueillante
que l'appartement, si désolé que Larry ne put se
défendre de téléphoner deux fois à Joan en la priant
de rentrer tout de suite. Mais elle s'en tint à son
projet originel de revenir après la fin de la semaine.
La honte l'empêcha de lui dire qu'au lendemain de
leur « soirée tranquille à la maison » il avait failli
s'écraser au sol et que maintenant il était mis à
pied pour une quinzaine. Il alla se coucher de bonne
heure, avec la radio allumée à côté de son lit, et dor-
mit longtemps. De l'appartement à la chambre de
Chuck, il y avait trois petits kilomètres, et il faisait
le trajet trois fois par jour, contraint par la néces-

sité d'améliorer quelque invisible partie de son état physique.

Une fois, Siz vint dans la chambre pendant qu'il s'y trouvait et blagua quelques instants avec Chuck, se contentant de lui adresser à lui un signe de tête amical. Il avait effacé de son esprit son rendez-vous avec elle, considérant que ce serait plus facile par téléphone et s'abstint donc de parler, ne trouvant pas les paroles qu'il fallait.

— Je suis censé aller me baigner à Gulfview dimanche, dit-il à Chuck.

— C'est un tout petit endroit, n'est-ce pas? s'informa Waller, l'air innocent.

— Oui, je crois. Sans rien de particulier.

— Étrange, murmura Chuck. Vraiment étrange.

— Qu'est-ce que vous racontez? De quoi parlez-vous?

— De Gulfview. Cet infâme hameau gâche mes fins de semaine. Un coin qui s'appelle Conover Cottage.

— Mais qu'est-ce donc que vous bredouillez dans votre barbe?

— Étrange coïncidence! reprit Chuck. Quand Siz prend son jour de repos, elle se rend à Gulfview. Vous ne saviez pas? C'est le dimanche son jour de repos.

— Au diable si j'y vais! grommela Larry, se sentant tout bête.

— Cette sale blonde joue un double jeu et se moque de moi, déclara Waller avec une fermeté cocasse. Quand je dirai la chose à Mary, elle aura moins bonne opinion d'elle encore. Ainsi donc, vous n'irez pas, Larry?

— Qu'est-ce que c'est que cette idée, dire la chose à Mary? Non, je n'irai pas.

— Je n'ai aucune confiance en vous, ricana Chuck, sceptique. Et, maintenant, j'ai perdu toute confiance en elle. Voulez-vous que je lui dise que vous n'irez pas?

— Oh! que le diable vous emporte! Je le lui dirai

moi-même ! Quel sale espion vous faites à présent !

— Les dimanches sont mélancoliques pour moi, parce que Siz en est absente, expliqua Waller, imperturbable. Venez me voir le dimanche après-midi. Cette blonde et son double jeu ! Auriez-vous pu imaginer une femme comme ça, Larry?...

-:-

Quand Larry téléphona, Siz était sous la douche et sa camarade de chambre prit l'appel. Elle donna un coup d'œil au visage de Siz qui posait une question entre les rideaux de toile cirée.

— Thomas. Pas le major. Le lieutenant. Le bel aviateur. Ça, alors, c'est une surprise !

— Ah ! vraiment, Hazel?

Siz se sécha rapidement et sortit du tub.

— Jetez quelque chose sur moi. Je ne pense pas que ce soit convenable de lui parler en cette tenue ! Hello !

— Hello ! Comment allez-vous? Vous savez que je suis mis à pied.

— Oui, je l'ai entendu dire. Je regrette. Pour combien de temps?

— Deux semaines.

— Affreux. Vous devez déjà vous ennuyer à mort.

— Il semble que m'ennuyer à mort soit précisément ce qui m'est nécessaire. Pas d'alcool. De grandes promenades. Au lit de bonne heure. Exercices de vision. Suis pas de bonne compagnie pour les autres. Même pas pour moi. Une sieste chaque après-midi. L'enfer, quoi !

— En aucune façon. Le repos et le soulagement. Je craignais que vous ne vous attendiez à quelque distraction excitante et animée. C'est un petit coin si tranquille, vous savez. C'est d'ailleurs pourquoi j'y vais. On y nage bien, c'est tout. Apportez votre caleçon de bain.

— Eh bien, voilà !... La nage est évidemment un

des nouveaux commandements. Mais je téléphonais pour dire...

— Oh! Non, ne le dites pas! conseilla-t-elle de sa voix lente.

Il rit :

— Ne pas dire quoi?

— Ce que vous alliez dire.

— Etes-vous aussi liseuse de pensée?

— Je n'aime pas cet « aussi ». Je compte que vous me l'expliquerez, Larry. Et, pour l'instant, bonsoir.

Elle prit une cigarette et dit à Hazel qui faisait des yeux ronds :

— Ouf! Pendant une minute, j'ai eu le sentiment qu'il volait en marche arrière! Hazel?...

La camarade de chambre secoua sa tête à la large figure plate, et, bien que cette figure exprimât une admiration non dissimulée, elle répondit :

— Non, Siz. Quoi que ce soit, non.

— La soie blanche? Juste pour une fois.

— Ma robe neuve? Plutôt pas!

— Hazel!

— Rien à faire. Moi aussi j'ai rendez-vous. Dieu du ciel.

— Ne soyez pas fâchée que je l'aie demandée, Hazel rit en hochant la tête :

— Vous êtes certainement un phénomène, Siz! « Apportez votre caleçon, lieutenant Thomas! » Ce toupet! Dire à un officier ce qu'il doit faire de ses culottes!

— Vous me scandalisez, fit calmement Siz.

Mais Hazel tenait à aller jusqu'au bout des choses :

— Depuis quand ce bel officier est-il sous les ordres de l'infirmière?

— Je ne suis pas tellement sûre qu'il y soit, répondit dubitativement Siz en retournant sous la douche.

Cette incertitude dura tout le dimanche jusqu'après trois heures. Siz était assise, adossée au plongeoir. Une fille brune en maillot jaune, un homme trapu en caleçon blanc étaient allongés auprès d'elle sur les planches du petit pier. Une piste étroite longeait le cottage et passait entre les grands pins d'Australie d'un sombre bleu-vert. Tandis que Siz regardait dans cette direction, une voiture montra son nez au tournant et descendit jusqu'à la plage, où une haute silhouette en uniforme atterrit.

Siz se leva, agitant la main :

— Larry ! Mettez votre maillot et venez.

— Faut-il que je me lève? s'enquit le jeune homme trapu.

— Sûrement non ! répondit Siz en riant. Je suis sûre qu'il peut s'habiller seul.

Larry, en caleçon de bain, sortit du vestiaire-douche situé derrière le cottage et s'approcha en marchant avec précaution, car des chardons et des bardanes parsemaient le gazon desséché.

— Eh bien, vrai ! dit la jeune fille en jaune, il a l'air d'une gravure publicitaire pour marchands de maillots ! N'est-il pas richement balancé? Vois-tu, Gerry...

— Ne m'embête pas, fit Gerry.

— Vous êtes en retard, Larry. Ou pas? demanda Siz. Voici Gert et Gerry.

— Je vais chercher à boire, dit Gerry, lui serrant la main. Nous sommes d'un verre en avance sur vous.

— Non, merci. Rien ne me serait plus agréable, mais...

— Mais ça lui est interdit, fit Siz. Pas pour moi non plus.

— Moi, au contraire, ça me ferait plaisir. Je vais avec toi, dit Gert.

Et Siz souligna le double départ :

— Voyez comme ils sont prévenants et discrets.

Elle était allongée à plat dos, sa tête sur l'avant bras, sa ligne abondamment ornée de courbes bien en valeur dans son maillot deux pièces.

— Et voyez combien ici tout est paisible. Vous pourrez dormir si cela vous plaît.

— Peut-être, dit Larry, se calant sur son coude. On ne sait pas ! (Il regarda la plage vide et blanche, le cottage appuyé aux pins et sentit sa peau s'échauffer au soleil.) Vos amis ont vraiment découvert un coin parfait. Ça, c'est vivre !

— Ils passent la plus grande partie de leur temps dans leur chambre à coucher, souligna nonchalamment Siz. Je ne les vois pas beaucoup.

Larry leva promptement les yeux pour dévisager la jeune fille : elle avait les paupières closes, la respiration calme et régulière et toutes les apparences d'une fille endormie. Mais son pouls avait pris une course rapide qu'il ne pouvait ralentir, et la vue de ce corps généreux et étendu l'obligeait à s'asseoir, mal à l'aise.

— Non. Ne vous asseyez pas, gémit Siz, toujours les yeux clos. C'est épuisant. Allongez-vous.

Il s'étendit de nouveau et, comme elle, posa sa tête sur son avant-bras. Et, comme elle, ferma les yeux.

— Vous deviez faire partie de la section sportive, dit-elle.

— Je ramais dans une équipe.

— Uh ! uh !

Lui, alors, subitement :

— Que diantre avez-vous jamais fait pour vos muscles ?

— Je n'en ai pas, répondit-elle en souriant. Pourquoi n'essayez-vous pas de dormir ?

Gerry redescendait la plage et grimpait dans une petite barque à voile qu'il se mit aussitôt à écoper.

— Que penseriez-vous d'une promenade ?

— Il sait réellement manœuvrer les voiles, murmura Siz. Croyez-vous que votre sieste soit suffisante ?

— Pour sûr !

Larry se leva, étira ses grands bras.

— Je suis bien content qu'il sache. Parce que,

moi, je ne sais pas. Je crois que je n'aurais même pas pu séparer la barque du sable de la plage.

L'eau du golfe luisait sous la brise qui en rebroussait les vaguelettes, et, dès que la voile fut hissée et commença de se gonfler, ils glissèrent, prirent de la vitesse, volèrent à la surface, soulevant de légers paquets d'écume, et des gouttes salées retombaient sur leur peau.

— Nous y voilà, dit Gerry, qui, avec un aboiement professionnel : « A droite toute ! », poussa vigoureusement la barre.

Larry, perplexe devant cette manœuvre, ne se baissa pas assez vite. La barre le balaya du pont étroit et l'envoya barboter dans l'eau. Siz plongea tandis que Gerry, tout joyeux, faisait virer la barque et revenait en arrière. A larges brasses vigoureuses, Siz nageait vers Larry :

— J'ai pensé que je ferais bien de venir vers vous, pour le cas où vous ne seriez pas meilleur nageur que marin.

Ils regrimpèrent à bord, riant et ruisselant. Après cette leçon, Larry surveilla les mouvements de Gerry et, chaque fois que l'on virait de bord, il baissait la tête si promptement que les autres s'en amusaient de bon cœur. Comme le soleil descendait à l'horizon, la brise tomba, et, lorsque enfin ils retournèrent vers l'amarrage, c'est à peine s'ils avançaient sur l'eau placide.

— Epatant ! dit Larry. Je suis entièrement en faveur de ça !

— Moi, je suis entièrement en faveur d'un verre bien dosé, fit Gerry. Et suivi d'un solide repas.

Ils rentrèrent au cottage, confectionnèrent lestement un souper de sandwiches et de bière, de pickles et de chips, et l'avalèrent en bavardant, assis dans l'humidité froide de leurs maillots de bain. Lorsqu'ils eurent terminé et lavé et rangé la vaisselle, la pénombre était tombée et la pâle lumière d'une lune encore mince argentait les choses. Larry pensa qu'il était temps de repartir. La journée avait été de plein air, d'exercice et de repos, telle que Blount n'aurait pu que l'approuver, n'eût été l'intérêt personnel de Blount envers Siz.

— Voyez monter la lune, dit Siz. Allons ensemble nous promener sur le sable.

— D'accord! dit Thomas.

Mais Gert et Gerry semblaient léthargiques.

— Allez-y vous deux, fit Gert. Nous sommes des vieux.

La lune répandait une lueur suffisante pour éclairer la plage.

— C'est joli, vraiment joli! fit Siz.

Et, du bras, Larry lui entoura la taille : elle avait la peau chaude et sèche, son maillot était humide et frais. A son tour, elle mit un bras autour de lui, et ils marchèrent le long de l'eau, dans un silence que troublait à peine le sable écrasé sous leurs pas.

Larry grimaça gaiement :

— Je fais vraiment de grandes promenades.

De ses doigts qu'elle lui enfonça dans les côtes elle le fit tourner, et bientôt ils furent de nouveau en vue du cottage où ne brûlait qu'une seule lumière qui, elle aussi, s'éteignit pendant qu'ils regardaient.

— Gert et Gerry sont vieux jeu, remarqua Siz. Au lit et couvre-feu à neuf heures! Mais, moi, j'ai envie de nager.

Elle échappa au garçon et courut vers la mer. Elle était à l'extrémité profonde du petit pier quand il la rejoignit :

— Vous voyez, je suis plus rapide que vous!

— Oh! je pourrais toujours vous rejoindre.

— Oui, lui souffla-t-il à l'oreille.

Elle rit et plongea loin sous l'eau. Quand sa tête troua de nouveau la surface, c'était de l'autre côté du pier.

— Restez de ce bord-là, ordonna-t-elle.

— Et pourquoi donc?

Elle riait toujours. Son visage était juste visible au-dessus du plancher du pier :

— Parce qu'ici c'est mon côté.

Il ne se rendait pas compte de ce qu'elle faisait, mais il vit d'abord un de ses bras émerger, puis tomber sur les planches d'abord l'une puis l'autre partie de son costume. Elle continuait de rire, de son lent et troublant rire de gorge.

— Maintenant, il ne s'agit plus de changer de bord. J'aime nager ainsi la nuit.

— Vous ne m'avez pas demandé comment, moi, j'aime nager.

— Oh ! non ! Larry, non ! Il ne faut pas !

— Ce qui est bon pour l'oie est bon pour le jars.

— Restez de ce côté-là, au moins, répliqua-t-elle.

Mais elle riait encore.

A son tour, il plongea profondément sous le pier. Quand il resurgit, elle nageait à quelques mètres de lui. Il vit la blancheur de son corps, dans l'eau qui lui retombait sur le dos. Sans bruit, il nagea vers elle jusqu'à ce qu'il pût atteindre et toucher son épaule. Alors il la fit tournoyer de façon à l'amener dans ses bras. Tous deux aspirèrent l'air à fond et se laissèrent couler sous la surface. Quand il l'attira vers lui, son corps était amolli et détendu, puis ses bras se serrèrent à son contact. Etroitement enlacés, ils revinrent sur l'eau. Mais, d'un mouvement souple et rapide, elle se dégagea et fila vers le pier.

— Au revoir ! jeta-t-elle en riant par-dessus son épaule.

A l'échelle, elle s'arrêta, et il vint près d'elle.

— Vous n'auriez pas dû faire ça, Larry.

Mais il y avait peu de reproche dans sa voix.

Il étendit le bras par-dessus elle pour saisir le montant de l'échelle et la tint ainsi coincée, impuissante, entre lui et les échelons.

— Maintenant, plus moyen de vous en tirer ! dit-il.

Elle le poussa subitement sous l'eau. Pris à l'improviste, il se débattit, cherchant son souffle, et relâcha son étreinte. Au bout d'un moment, il reparut de nouveau : elle était allongée sur les planches du pier, couchée sur le ventre, une grande serviette la couvrant, et elle riait de bon cœur.

Le jeune homme s'enleva d'un élan et retomba près d'elle.

— Vous devriez avoir honte, Larry ! Vous n'avez même pas de...

Il lui ferma la bouche de ses lèvres et but les paroles. Elle ne résista qu'un moment.

— Vous ne pouvez plus rien pour m'arrêter à présent ! dit-il.

Et, tout à coup, ils se sentirent tous deux amollis, débordés par leur ardeur.

— Oh ! non ! Larry. Il ne faut pas... Pas ici...

Les lèvres du garçon n'en furent que plus quémandeuses, et bientôt il eut les bras de Siz autour du cou. Toute résistance avait fondu. Il ne restait que leur commun désir, ardent, avide...

18

PARCE que l'autobus était bourré jusqu'à la suffocation de soldats, de familles et d'amis venant visiter les soldats, Joan comprit que c'était une erreur de rentrer le dimanche. Une des raisons qui l'avaient primitivement poussée à attendre le lundi était justement son désir d'éviter la dense bousculade du retour dominical vers un camp militaire.

L'autre raison était son désir de rester plus long-temps séparée de Larry, dans l'espoir que cette absence leur serait bienfaisante à tous deux, et en particulier à lui, si le bonheur voulait qu'elle lui manquât véritablement.

Et ce qui, en définitive, lui fit malgré tout pren-dre l'autobus du dimanche fut, partiellement, l'irrésistible curiosité de voir comment il s'en ti-rait. Elle pensait qu'une curiosité assez violente pour l'obliger à regarder les aiguilles de la pendule plusieurs fois le jour, en supputant son occupation du moment, était la preuve certaine qu'elle aimait toujours son mari. Elle ne le croyait plus à l'ins-tant du départ; elle était même allée jusqu'à penser qu'elle pourrait, sans en souffrir, ne pas revenir du tout.

Son esprit cherchait quelles raisons fournir à Larry pour expliquer ce retour avancé, en dehors de la raison véritable, celle qu'elle ne voulait pas lui donner : le besoin de ne pas rester un jour de plus sans le voir.

Joan regardait sans en rien voir défiler le paysage monotone et plat, envoûtée qu'elle était par le fait que Larry l'attirait si promptement, si violemment vers lui, et par l'orgueilleuse joie de se sentir ainsi captive. Si elle l'aimait et s'ils avaient quelque chose à partager, une union vraie, des points communs : tout cela paraissait discussion purement académique en ce moment où ses émotions s'échauffaient à la pensée de le revoir. Qu'elle le respectât le moins du monde, ou que sa seule séduction fût celle d'un pro-blème indéchiffrable : question bien plus académi-que encore. Elle sourit d'une telle absurdité men-tale.

Pourtant elle pensait lucidement à toutes ces cho-ses, et la conclusion était claire et cruelle : seule une excitation de temps de guerre les avait trompés l'un et l'autre, il n'y avait en lui rien de stable sur quoi construire, aucune base sur laquelle leur union pût croître et se fortifier, rien qu'un juvénile désir de frissons partagés. Les qualités qu'elle respectait chez un homme, c'était son silencieux et austère frère qui les possédait et non Larry qui, dans le défi né de sa jalousie, avait combattu en lui-même ces qualités. C'était là ce qu'il y avait de pire en lui, et c'était incurable, désespéré, si profondément ancré qu'aucune femme ne pouvait tenter de lutter contre. Tout ceci était mortellement exact, et elle en vint à se demander dans quelle mesure il serait heureux de la voir revenue, et si même il le serait.

Elle fut l'une des dernières à descendre de l'autobus, qui dégorgea suffisamment de voyageurs pour remplir un train. Tous les taxis furent immédiatement pris d'assaut. Pendant qu'elle attendait, elle voulut appeler l'appartement, puis elle résolut de surprendre son mari. Et, tout à coup, il y eut là un problème préoccupant : avertir ? Ne pas avertir ? S'amener inattendue, sans prévenir, pourrait prendre tournure d'espionnage. Elle décida donc d'appeler et n'obtint aucune réponse.

Lorsqu'elle entra, elle découvrit un désordre réconfortant. Le lit n'était pas fait, le pyjama était resté à l'endroit même où Larry en était sorti. Les serviettes étaient par terre dans la salle de bains et le rasoir, non nettoyé, sur le bord du lavabo. La cuisinette n'avait pas servi. Regrettant le soupçon qui l'animait, regrettant d'y céder, Joan vérifia l'état de la bouteille de whisky : le niveau n'avait pas changé. Toujours au bas de l'étiquette. Alors, levant des sourcils étonnés, Joan sourit.

Elle se mit à ranger. Il était tard pour dîner. Larry aurait probablement dîné au club. Et il resterait peut-être à jouer au poker. Pourtant, elle décida de retarder un peu son propre repas et d'attendre, pour le cas — peu probable — où il rentrerait. Le tiroir d'une commode était ouvert, les chemises en pagaille. Elle les remit en ordre et s'aperçut que le caleçon de bain manquait : Larry était donc allé nager. Cela n'avait rien de surprenant. Elle prit un

sandwich et une tasse de thé, assise dans la cuisinette. Et décida que, s'il rentrait tard, elle serait
déjà couchée et laisserait une lumière allumée.

La sonnerie du téléphone la fit sursauter d'espérance. Mais ce ne pouvait être Larry puisqu'il ne
savait pas son retour. C'était une voix de femme.

— Mrs Thomas?

— Oui.

La voix paraissait celle d'une personne énervée.

— Savez-vous où est votre mari, Mrs Thomas?

— Non. Qui parle?

— Il a eu un accident. Pas bien grave, mais il
serait tout de même préférable que vous y alliez. Il
est à Gulfview avec une fille en robe de soie blanche.

— Un accident? Que voulez-vous dire? Qui êtes-
vous?

— A Conover Cottage, répondit la voix.

— Et l'on raccrocha.

— Un accident !

Joan s'adressait au téléphone inanimé et silencieux.

C'était absurde. Cet appel était dicté par la malice pure. La fille qui téléphonait voulait que Joan
allât et trouvât... Et trouvât quoi? Qu'est-ce que
la fille voulait lui faire découvrir? Larry avec une
autre fille en robe de soie blanche, évidemment. Elle
s'assit et cria désespérément :

— Larry ! Oh ! Larry !...

Il était réellement ce qu'elle avait cru qu'il était,
tout ce qu'elle avait cru avant de se sentir boule-
versée par le désir de le revoir. Il était tout cela. Et
elle en avait fini avec lui. Elle n'aurait pas dû revenir et tenter de l'aimer de nouveau. Elle allait
partir maintenant, le laisser, tout de suite. Quelle
folle elle avait été de croire que l'uniforme faisait
l'homme ! Mais c'était la fin, la fin et la mort de
tout.

Qui était la fille en robe de soie blanche?

Sa colère monta contre la voix inconnue au téléphone. Dire qu'il y avait eu un accident ! Quelle

bassesse ! Gulfview, c'était un tout petit trou sur la baie. C'était pour cela que Larry avait emporté son caleçon de bain. Accident? Sûrement, il n'avait pas eu d'accident. Un accident de natation qui n'aurait pas été grave? Tout cela était d'une absurdité transparente. Mais il pouvait y avoir eu un accident d'auto?

Une robe de soie blanche, se dit-elle amèrement. Et sa mémoire lui présenta une fille à qui une robe de soie blanche irait très bien, une blonde dorée, l'infirmière Siz Marrell, en robe blanche bien coupée, épousant ses courbes et les soulignant de clairs reflets soyeux.

Le mariage décidément était un fiasco irrémédiable. On n'en pouvait plus rien espérer. Elle arpentait le petit appartement, cherchant la meilleure manière d'en finir. Il était parfaitement inutile de revoir Larry, de le regarder, qui essayerait de la convaincre par d'éclatants mensonges, ou qui se laisserait aller à un désespoir temporaire, à une passagère contrition, en vue d'un pardon inévitablement temporaire. C'était une comédie qu'il était capable de recommencer et de recommencer encore et toujours. Sincèrement, au surplus. Elle n'avait qu'une chose à faire, lui laisser une note claire et finale, définitive.

Mais, comme elle tentait de la rédiger en esprit, les mots lui manquèrent. Ou, plutôt, les mots la bafouaient, elle. Parler d'une fille en robe de soie blanche et de ce cottage au nom sans prétention — Conover Cottage, — cela ne pourrait pas aller. Cela la ferait passer pour jalouse et dépitée. Et elle était, en fin de compte, bien au-delà de la jalousie et du dépit. Pourtant, il fallait donner une raison précise valable. Et ses pensées retournaient à la voix du téléphone.

Si seulement cette fille n'avait point eu la malice de parler d'accident, d'implanter ce doute en elle. Joan s'assit et, dans sa perplexité, pleura. Si vraiment il y avait un accident? Et si elle quittait

Larry parce qu'elle était trop soupçonneuse pour croire à l'accident? Que pourrait-elle ensuite prétendre vis-à-vis d'elle-même pour se disculper?

— Non. Il n'y a pas eu d'accident, se répondit-elle en un murmure découragé. Le seul accident, c'est Larry.

S'il y avait eu un accident, Craig saurait comment le découvrir et quoi faire. Et elle éprouva un vif besoin de lui parler. Dès quelle eut pris cette décision, son problème s'évapora. Elle téléphona à l'hôpital.

— Son bureau ne répond pas, lui dit-on. Mais il peut être quelque part dans l'hôpital. Voulez-vous que nous le cherchions? Donnez-nous votre numéro.

— C'est urgent, dit Joan. Et, si vous ne le trouvez pas, voulez-vous avoir l'obligeance de me le faire savoir.

Elle continua d'arpenter le petit appartement, se calmant peu à peu, réfléchissant aux quelques objets qu'elle avait à emballer. Elle pouvait le faire rapidement et partir avant que Larry revînt, sans rien laisser derrière elle, sans occasion de rétablir le contact.

« Le major Thomas n'était pas à l'hôpital, mais il pourrait sans doute être touché au club des officiers.»

« Non. Au regret. Le major Thomas n'était pas au club. »

Elle appela le pavillon des célibataires. Et elle entendit les appels étouffés : « On demande le major Thomas. » « Le major Thomas au téléphone. »

« Non. Au regret. Le major Thomas n'était pas chez lui. »

Alors tout le calme qu'elle avait lucidement rassemblé la déserta. Tout son plan si simple de faire sa malle, d'appeler un taxi et de partir était à l'eau. Parce que la langue venimeuse de cette fille avait dit « accident », elle venait de se conduire comme une dramatique idiote, alertant la cour et la ville, et ne faisait pas ce qu'elle avait résolu de faire.

Elle chercha dans l'annuaire Conover Cottage, mais Conover Cottage n'avait pas le téléphone.

Larry, bien entendu, avait pris la voiture. Joan était là, irrésolue et nerveuse désormais. Il lui fallait une voiture. Elle gémit, puis téléphona à Mary Waller, sans réponse. Elle se décida finalement pour la chambre de Chuck.

— Hello. (C'était — enfin! — une réponse. La voix braillarde de Chuck.) Oh! Hello, Joan!

— Chuck, votre voiture est-elle là? Puis-je l'emprunter?

— Bien sûr! Voui, elle est ici. Mary est ici. Attendez un instant. Mary demande si vous voulez qu'elle vous amène la voiture.

Cela gagnerait du temps peut-être. Mais elle n'avait pas envie de reconduire Mary à l'hôpital...

— Non, Chuck, merci. J'arrive en taxi.

— O.K.! Quand êtes-vous rentrée? Attendez une seconde. (Elle entendit un vague murmure de conversation.) Oui, il y a un peu d'essence dedans. Allez-vous loin?

— Gulfview.

— Gulfview. Attendez. (Nouveau murmure.) Oui, Mary dit qu'il y a ce qu'il faut...

-:-

Quand Joan arriva dans la chambre de Chuck, Mary se leva promptement pour venir l'embrasser.

— Comme vous nous avez manqué, Joan! Asseyez-vous et racontez-nous ce que vous avez fait d'intéressant. Et regardez Chuck. Comment il est. Félicitez-le de son état.

— Voui! fit Chuck.

Il était assis raide, dans un plâtre semblable à un immense melon, un bras en écharpe reposant sur sa rotondité.

— Je suis, comme vous le voyez, en une forme

253

magnifique à présent. Asseyez-vous et regardez-
moi comme je le mérite.

— C'est épatant ! fit Joan avec un rapide sourire,
mais en restant debout.

» Merci, Mary j'ai fait un excellent voyage. Je
vous raconterai cela plus tard. »

Mary chercha les clefs de la voiture dans son sac.
Chuck protesta :

— Hé ! Ne fichez pas le camp comme ça ! Je
veux savoir de quoi ça a l'air aujourd'hui, une
ville.

— Oh ! Chuck ! dit Mary.

Et il se tut.

— Je vais vous montrer où est la voiture.

A la porte, Joan s'arrêta avec un impulsif sourire d'amitié :

— N'oubliez pas de faire prendre votre photo,
Chuck.

— Un melon d'eau à une foire de campagne !...
expliqua-t-il.

Au-dehors, dans l'obscurité, Mary prit tout naturellement le bras de Joan et demanda :

— Je n'ai rien de spécial à faire, voulez-vous
que je vous accompagne?

— Oh ! non ! merci. Nous ne pouvons pas abandonner Chuck ! Je reviens tout de suite.

— Parfait, fit Mary. Je me demandais seulement
si l'un des pneus ne risquait pas d'être à plat... Mais
non. Ils sont tous en assez bon état. Ça pourra
aller.

Joan pensa que les Waller et leur amitié lui fe-
raient terriblement défaut. Mais, ce soir, leur cordialité lui avait paru gênée, et ils n'avaient posé
aucune question.

19

L'ARMÉE a, dans le quartier des célibataires, adopté une coutume avare : au lieu d'envoyer un messager s'informer si la personne demandée au téléphone se trouve quelque part dans le bâtiment, on clame et l'on braille son nom de droite et de gauche. Si bien que, rentrant à pied du club, Craig entendit de vigoureux beuglements : « Un appel pour le major Thomas. » « Quelqu'un ! Donnez voir un coup dans la porte du major Thomas : il ne répond pas à la sonnerie ! » Il grimpa deux par deux les marches du perron : « Voilà, j'arrive, je vais prendre la communication au tableau. »

— Bonsoir, major.

Et un énorme sous-lieutenant lui tendit le récepteur :

— Le major Thomas à l'appareil.

Des mots ruisselèrent à son oreille.

— Ici, Chuck Waller. Joan vient de téléphoner, elle arrive pour emprunter notre voiture.

— Joan ? Elle est revenue ? (Craig s'en voulut aussitôt car la question était superflue et l'intonation fervente.) Leur voiture est-elle en panne ? Où est Larry ?

— C'est pour ça que je vous appelle. Il est à Gulfview, et Joan veut se rendre à Gulfview avec notre voiture.

— Qu'est-il donc arrivé ?

— Larry est là-bas avec Siz Marrell.

— Oh ! qu'il aille au diable ! explosa Craig, qui vit du coin de l'œil le sous-lieutenant le considérer avec stupeur.

— C'est textuellement ce qu'a dit Mary. Nous avons essayé de le joindre, il n'y a pas le téléphone dans ce coin. Mary pense que, ce qu'il y a de mieux à faire, c'est que vous filiez en vitesse à Gulfview pour l'en retirer à temps.

Craig regarda glacialement le téléphone. Il y eut une pause hostile.

— Savez-vous comment s'appelle la maison ? demanda-t-il enfin.

— Conover Cottage. Si vous y allez, vous feriez bien de partir tout de suite. Ici, nous tâcherons de retenir Joan le plus longtemps possible.

En faisant sortir sa voiture, Craig se sentait envahi de dégoût jusqu'à la nausée. Il n'était jamais allé à Gulfview et chercha le lieu sur la carte : c'était à une vingtaine de milles, après un tournant qui lâchait la grand-route et qu'il photographia dans sa mémoire.

Après quoi, il mit les gaz, coupa aussitôt l'allumage et demeura immobile sur son siège.

Pourquoi irait-il ? Mary Waller estimait qu'il le devait, mais à quoi bon ? Sauver, une fois de plus, Larry des conséquences de sa légèreté, dans l'espoir que cela lui servirait de leçon ? Autrefois, cela aurait pu représenter une raison valable. Mais depuis longtemps Larry avait dépassé les possibilités d'assagissement : rien ne lui servirait plus de leçon. Il ne restait en Craig aucun sentiment fraternel, rien qu'une inimitié amère, violente, parce que Larry se jouait de Joan. Un dur sourire s'incrusta sur son visage.

Larry n'avait qu'à subir les conséquences de ses actes et faire face à la musique. Rien ne lui ferait jamais ni bien ni mal, tandis que, pour Joan, ce mariage était un sacrifice criminel. Plus tôt elle s'en rendrait compte, plus tôt elle le quitterait. Le pire service qu'il pût lui rendre, à elle, c'était d'aller à Gulfview, d'alerter Larry et d'aider à sa fuite. La véritable bonté, la seule pitié, dans ce cas, était de laisser les faits suivre leur cours et Joan se trouver devant eux.

Son esprit fermement et durement fixé dans cette résolution, il vit Joan conduisant la voiture dans la nuit, le désespoir sur son visage, une douleur amère au fond de ses yeux gris. L'image fut trop cruelle pour qu'il pût la supporter, et, malade à la fois de jalousie et de son impatience à aider la jeune femme, il remit l'auto en marche.

Penser à Joan comme à une femme malheureuse, mais encore éprise, incapable de se sauver par la fierté, faisant bon cœur contre la plus mauvaise fortune... Oh! que Larry aille au diable! Il étouffait de chagrin et de colère. D'autres déceptions, d'autres souffrances attendaient Joan; il essayerait du moins de lui épargner celle-ci. Mais les mots, n'importe quels mots, étaient absurdement faibles et doux pour contenir ou exprimer ce qu'il aurait voulu dire à Larry.

La route ronfla sous ses roues; ses phares découvrirent le tournant et balayèrent un chemin sablonneux où il s'engagea et au bout duquel une flèche indiquait Conover Cottage. Un tournant encore, et il fut auprès d'une bâtisse sombre accroupie sur la plage et peu accueillante sous la lune. La voiture de Larry était parquée à côté.

Craig monta l'unique marche du porche et ouvrit la porte à claire-voie. Larry, debout, le regardait et, un peu en arrière, dans le reflet amorti d'une robe blanche, se tenait Siz Marrell. Tout ce que Craig avait eu l'intention, la volonté de dire, toutes les paroles de malédiction amères, âpres, humiliantes, se réduisirent en une brève phrase jetée en plein visage.

— File. File, par le diable, et plus vite que cela.

257

Avant de se traduire en mots, la colère de Larry le raidit sur place, puis il explosa :

— Tu n'as aucun droit de me parler ainsi ! Qu'est-ce qui te prend? Tu te crois un missionnaire? Tu ne peux pas te mêler de tes foutues affaires personnelles, non? Qui t'a dit que j'étais ici?

— Major, fit Siz, ceci n'a rien que de parfaitement innocent. Mais qui vous a dit?

— Pourquoi es-tu venu ici?

Les mots s'étranglèrent bizarrement dans la voix de Craig. L'attitude à la fois anxieuse et belligérante de Larry éveillait en son aîné un désir jamais éprouvé jusqu'alors, le désir simple et violent de le frapper en plein visage et d'en effacer cette expression.

— Craig ! tu es allé trop loin. Tu vas sortir.

— Larry, tu n'es qu'un chien. Tu n'es pas digne d'avoir une femme. Et maintenant tu vas ramper comme un chien, trembler comme un chien, courir comme un chien.

— Tu donnes la parfaite impression d'un père de comédie. As-tu répété le morceau?

Mais les sourcils froncés se détendirent progressivement :

— Qu'est-ce que tu racontes, en somme?

— Joan est en route pour venir ici.

Les sourcils et les épaules de Larry se haussèrent à la fois.

— Joan? Tu en es sûr? Quand est-elle rentrée? Quand arrive-t-elle?

— Dans quelques instants à peine.

— Il vaut mieux que je parte, Siz.

Il contourna la table roulante et prit sa casquette.

— Pardonnez-moi ce départ précipité, Siz.

Il passa devant Craig, mais, sur le seuil du porche, s'arrêta :

— Qui lui a dit?

— Je ne sais pas.

— Ecoute, Craig. Je regrette si j'ai dit des choses blessantes. Ce que tu viens de faire est chic.

Il tendit la main :

— Merci, je n'oublierai pas.

Craig aussi lui tendit la main, mais ce fut pour pousser violemment Larry par l'épaule.

— Sors !

— Major ! cria Siz. Est-ce que cela était nécessaire ?

— C'était nécessaire.

— Bon. N'en parlons plus. Mais il faut que quelqu'un ici réfléchisse. (Elle suivit Larry.) Larry, attendez un instant. Revenez. Major, vous pensez vraiment qu'elle sera bientôt ici ?

— J'en suis certain.

— Alors je fais mieux de ne pas perdre de temps, dit Larry. Vous pouvez parler, moi, je file.

— Non, Larry, dit-elle lentement. Vous faites mieux de rester ici. Si quelqu'un l'a mise au courant, vous ne la tromperez pas beaucoup. (Elle regarda en direction du chemin sablonneux qui traversait la pinède.) Vous faites mieux de rester ici tous les deux.

Les deux hommes la regardaient sans comprendre. Elle expliqua :

— Supposez qu'en partant vous croisiez sa voiture, et c'est inévitable. Est-ce qu'elle croira ce que je lui dirai ? Vous ne ferez que vous attirer des ennuis. Et me faire passer pour une coupable. Revenez dans le porche.

— Ce n'est qu'une théorie ! rétorqua Larry. Si nous filons vite, nous pouvons nous en tirer. Viens, toi aussi, Craig.

Le sentier à travers les pins commença de s'illuminer de reflets qui dansaient sur les arbres.

— Il n'y a aucune raison au monde qui doive vous empêcher de venir vous baigner tous les deux.

— Seigneur Dieu du Ciel ! s'exclama Larry. Pourquoi est-ce à moi que ces choses arrivent ?

— Croyez-vous, demanda Siz, que ces choses m'amusent ?

— J'attendrai ici, dit Craig. Mais que le diable vous emporte tous les deux !

La lumière toucha l'eau, loin en avant de la plage, puis revint en arrière en dansant. Une voiture tourna et s'arrêta sur le sable, près de la maison. Il alla, avec un détachement très bien imité, jusqu'au bout du rayon projeté par les phares, alluma une cigarette et se dirigea vers l'auto.

— Craig !

Joan descendit rapidement et le prit par le bras.

— Je ne m'attendais pas à vous trouver ici. Où est Larry ?

— Il est ici aussi, répondit Craig d'une voix engourdie. Joan, quand êtes-vous rentrée? En voilà une surprise !

La surprise n'était pas moindre sur le visage de Joan. Elle semblait avoir raté un temps de respiration. Elle considéra Craig attentivement, resserrant l'étreinte sur son coude.

— Larry va bien? Il n'y a pas eu d'accident? Non, bien sûr?

— Accident? répéta-t-il avec un étonnement qui n'était pas joué. Non, certes. Que voulez-vous dire?

Elle murmura très vite :

— J'en étais sûre. Je l'ai su tout le temps. Quelle idiote !

— Larry est dans le porche. Je vais vous y conduire.

— Je ne souhaite pas le voir à présent. (Elle secoua la tête avec lassitude.) Est-ce nécessaire?

— Mais, Joan... Pourquoi donc êtes-vous venue ici?

Il tâtonnait, cherchant à savoir. Elle lui glissa la main sous le bras.

— Faut-il? (Ses yeux le regardaient avec une telle insistance qu'il sentit la question éclairer tous les recoins de son cerveau.) Dois-je vraiment, Craig?

Il aurait voulu lui répondre que non, que tout

ceci n'était que comédie absurde et jeu mesquin et qu'il ne fallait pas qu'elle y prît part. Il pressa doucement son bras contre lui et la fit tourner en direction du cottage.

— Mais voyons, bien sûr, Joan.

Elle haussa légèrement les épaules :

— Bon. Je viens. A qui est le cottage?

— Vous la connaissez, dit Craig, hésitant à formuler la réponse. C'est chez l'infirmière de Chuck, Miss Marrell.

Joan rit tout bas, nerveusement, et il la regarda, préoccupé, inquiet :

— Vous êtes merveilleux, Craig, dit-elle.

Larry arrivait lestement par la porte à claire-voie, criant :

— Joan ! Quand es-tu revenue?

Il lui passa un bras autour des épaules et lui donna un baiser rapide.

— Il n'y a pas bien longtemps.

— Bonsoir, Mrs Thomas, dit Siz. Entrez et asseyez-vous, je vous en prie.

— Merci.

Le porche ruisselait de clarté lunaire. Ils s'installèrent lentement, sans mot dire, comme des gens à un service funéraire. Ce fut Siz qui rompit le silence :

— Si nous avions su, Mrs Thomas, nous vous aurions attendue et vous auriez pu nager avec nous.

Elle conduisit Joan vers la table roulante; Larry s'assit auprès de sa femme et lui serra gentiment l'épaule. Siz continuait :

— C'est vraiment ce qu'on peut appeler une surprise ! Quand le major Thomas est sorti... (elle hésita une seconde et conclut en riant)... nous nous attendions à une petite livraison de bière ! Comment nous avez-vous découverts?

— Quelqu'un a téléphoné, dit Joan.

— Oh ! (Siz prit un verre sur la tablette, qu'elle contourna et de l'autre côté de laquelle

elle prit un second verre à demi plein.) Voici le vôtre, Craig.

— Merci ! dit Craig, qui avala une large rasade avec reconnaissance.

C'était du whisky où flottait un cube de glace. Il était absolument certain qu'aucun verre ne se trouvait là lorsque Larry était venu chercher sa casquette. Il décida en lui-même que Siz était une femme habile et qui pensait vite. Il étira ses longues jambes et les ramena sous lui, formulant silencieusement le souhait qu'elle fût assez habile.

— Puis-je vous en offrir un, Mrs Thomas? Vous savez que Larry, lui, ne peut que regarder et souffrir !

— Larry ne...?

Joan demeurait interloquée, son mari jeta un cri de protestation :

— Hé ! doucement... Je ne lui ai pas encore dit !

— Vous n'aviez pas?... Oh ! quel impair ai-je commis là !...

Siz rentra dans le cottage en hochant la tête d'un air navré. Et Larry se mit à expliquer gravement à sa femme ses ennuis avec l'estimation de profondeur et qu'il était mis à pied pour quinze jours et que ses seules occupations pendant ces deux semaines consisteraient à faire de longues promenades, avec de la nage entre-temps. Siz revint avec un verre pour Joan :

— Merci ! dit-elle en riant. Maintenant, je comprends ! J'avais été vraiment préoccupée en constatant que le niveau du whisky n'avait pas bougé dans la bouteille à la maison. Elle ne paraissait pas avoir été touchée.

Craig se demanda, silencieux et sombre, dans combien de temps ils pourraient partir :

— Ne donne pas un air trop dramatique à la chose, Larry. Blount m'a dit qu'il est absolument certain que tu t'en tireras bien.

— Il a dit ça? Qu'est-ce que tu attendais pour me le répéter?

— A la condition, bien entendu, a-t-il précisé, que tu ne négliges pas ses prescriptions.

— Oh! d'entendre ça, j'ai presque l'impression de me sentir réintégré dans un équipage.

— Vous disiez, Mrs Thomas, que quelqu'un vous avait téléphoné? s'informa Siz. Voulez-vous une cigarette?

Elle se pencha vers le briquet que Craig lui tendait et alluma la sienne.

Du bruit à l'intérieur du cottage intrigua Craig; il vit Joan aussi dresser l'oreille et se demanda si c'était un chien qui remuait par-là.

— Oui. (C'était Joan qui répondait à Siz.) Quelqu'un m'a téléphoné que Larry avait eu un accident ici, c'est pourquoi je suis arrivée sans retard.

— Un accident? (Siz parlait lentement et regarda les hommes l'un après l'autre.) Bizarre. Qui cela peut-il bien être?

— Je n'en ai aucune idée, mais cela fait très roman policier, n'est-ce pas?

— Jamais je n'ai rien entendu de semblable. Cela va m'empêcher de dormir. Quelqu'un de vous a-t-il vu un cadavre?

— Il me semble qu'il doit y en avoir un quelque part, dit pensivement Joan. Mais je ne puis rester pour vous aider à le chercher : pour venir, j'ai emprunté une voiture...

Craig posa son verre avec soulagement et satisfaction, lorsqu'il vit un homme en peignoir de bain passer sa tête par la porte entrebâillée du cottage.

— J'ai l'impression qu'une réunion mondaine s'organise ici, dit l'homme. Faut-il que j'aille chercher Gert?

Les pieds de Craig et de Larry frottèrent précipitamment le sol, et ils se levèrent, Joan se levant avec eux. On entendit Siz soupirer.

— Excusez-moi, dit Gerry.

— Gerry, expliqua Siz, nous venions de parler d'un cadavre caché lorsque vous avez passé votre tête ! Cela dissipe la tension... Ne pouvez-vous vraiment pas rester un moment, Mrs Thomas ?

— Croyez que je le regrette, Miss Marrell, mais...

— Gerry, cette promenade à la voile était épatante ! (Larry inséra dans la conversation à bâtons rompus cette utile parenthèse.) Mille fois merci !

— O. K. ! fit allégrement Gerry. Rappelez-vous qu'il faut toujours baisser la tête à temps !

Ils se dirigèrent vers les voitures, le bras de Larry autour des épaules de Joan, la main de Siz sur le bras de Craig, et s'arrêtèrent en groupe pour échanger des salutations.

— Ne partez pas encore, Craig, demanda Siz.

— Mais si. Il le faut bien.

— Il est encore trop tôt. (Elle lui serrait vivement le bras.) Nous pourrons encore nager un bon moment tous les deux. Et, vous deux, venez ensemble la fois prochaine. Je suis ici tous les dimanches.

L'auto de Larry suivant celle de Chuck, les deux voitures s'éloignèrent, faisant grincer le sable sous leurs roues et danser la lumière de leurs phares sous les grands pins. Et, subitement, Siz laissa tomber sa tête sur l'épaule de Craig en un geste d'extrême fatigue, puis se redressa :

— Oh ! bonté divine ! Le travail a été dur. Et sans filet. Vous n'avez pas envie d'un whisky, vous aussi ?

— Non, merci. Bonne nuit, Miss Marrell.

Réponse aussi sèche que brève. Mais la jeune femme protesta de la manière la plus emphatique :

— Vous ne pouvez pas partir encore. J'ai à vous parler. Et même si vous n'avez pas envie de parler, moi j'ai besoin que vous me rameniez au camp ! Il était convenu que Larry me déposerait à l'hôpital.

— Bien. Je vous y conduirai donc.

— Il faut que je rassemble mes affaires. Vous êtes très fâché?...

Elle marchait à côté de lui en direction du cottage, son allure ralentie et sa tête basse donnaient à Craig l'impression d'une femme faisant pénitence.

— Mais je vous en prie, laissez-moi le temps de boire pour me remettre.

— Prenez le temps qu'il vous faudra.

— Je suis une bonne infirmière, n'est-ce pas?

— Très bonne, oui.

Ils gagnèrent le porche en silence, puis Siz annonça :

— Je reviens dans quelques minutes, asseyez-vous.

Elle entra dans le cottage et reparut avec deux verres, les posa sur la tablette et prit une chaise. Assise dans le clair de lune, adossée à la porte à claire-voie, elle regardait l'eau, au loin, devant elle.

— Vous pourriez me faire déplacer sans aucune difficulté. Le ferez-vous?

— Je n'ai aucune plainte à formuler contre vous dans le service. Et ce qui est hors du service n'a aucune valeur officielle.

— Voilà le genre de choses qui me sidèrent en vous, dit-elle avec un léger sourire.

— Voulez-vous avoir l'obligeance de vous préparer?

— Et cela, ça me sidère aussi! (Elle vida son verre, haussant les épaules). Oui, je vais me préparer. Et demain je serai de service. Mais ce soir — puisque ce n'est pas officiel — il faut que je vous dise des choses.

Elle s'interrompit un instant et reprit avec plus de douceur :

— Vous avez peur des femmes, major. Vous ne m'aimez pas, parce que je n'ai peur ni des femmes ni des hommes. Ne voulez-vous pas un whisky?

Le major hésita, eut un recul, puis :

— Je prendrai un whisky. Continuez.

— C'est une bien curieuse histoire, major. Il suffit de vous regarder pour s'apercevoir que vous êtes un homme très bien. Mais quelque chose manque. Et il suffit de me regarder, ainsi que, disons Paul Blount et votre frère, pour s'apercevoir que nous ne sommes pas des gens aussi bien que vous. Mais nous sommes visiblement plus heureux de vivre que vous. Là, c'est nous qui marquons le point, sans aucun doute.

Elle secoua lentement la tête en souriant :

— Il me serait désagréable que vous me considériez comme une coureuse, c'est pourquoi je vous dis tout cela. Sans m'attendre, toutefois, que vous soyez d'accord avec moi. Mais, après tout, vous êtes médecin et vous ne pouvez ignorer qu'il y a autre chose que de bien se tenir et qu'un gentleman n'est pas seulement un gentleman, une femme bien élevée pas seulement une dame correcte et distinguée. Ma propre vie m'intéresse, et je tiens à la vivre, totalement, pendant les heures que je ne dois pas à ma vie professionnelle. Je sais que vous n'avez pas dû souvent entendre une femme vous parler ainsi.

Elle était une trop bonne infirmière pour être foncièrement mauvaise, se disait Craig. Il se détendait en buvant son whisky. Elle avait un point de vue identique à celui de Blount, le point de vue auquel lui-même ne pouvait se placer. Un point de vue égoïste sans aucun doute, mais biologiquement défendable et même bon. Il ne la querellerait que sur un point.

— Tenez-vous à distance de Larry.

— Je sais. Sa femme. (Elle avait repris sa voix nonchalamment provocante.) Vous me haïssez parce que son mariage n'a pas plus d'importance à mes yeux qu'aux siens. C'est bien cela, n'est-ce pas?

Austère et sévère, Craig répondit :

— Larry ne peut pas résister aux femmes. Il n'a jamais pu. Vous devez vous en rendre compte.

— Son frère a pris toute la résistance de la famille, répondit Siz. Je me rends compte de cela aussi. Mais justement ! Votre argument est valable dans deux directions. Il ne peut pas résister aux femmes. Peu de femmes lui résisteront. Des quantités de filles lui tomberont dans les bras. Sa femme lui est tombée dans les bras. Il y en aura toujours d'autres.

Craig s'agita, mal à son aise. Il savait que tout cela était radicalement exact.

— C'est de Miss Marrell que nous parlions.

Elle sourit :

— Ne trouvez-vous pas que je m'en suis bien tirée pendant que sa femme était ici ? Croyez-vous que j'aurais pu mieux faire ?

— Pour ce genre de choses, vous êtes excellente.

Elle soupira :

— Oui. Je sais. Voilà que ça revient ! Croyez-vous que je l'aie entièrement convaincue ? S'il n'y avait pas eu cette réflexion à propos d'un cadavre caché... Vous étiez vraiment bien en colère contre Larry, major, pour un simple flirt, en somme. Et entre frères... Vous devez beaucoup aimer sa femme.

Craig se raidit et posa son verre.

— Je vais chercher ma valise, dit-elle en se levant. Il faut que je plie cette robe : elle n'est pas à moi.

Craig sortit et regarda la mer. Il ne pouvait conserver une grande amertume contre elle. Toute l'aventure était trop complexe. Trop inévitable autour de Larry. Cela faisait partie de l'ambiance que Larry suscitait tout naturellement. Il se demanda ce que faisait Joan, ce qu'elle avait pensé,

ce qu'elle pensait. Il ferma les yeux pour la retrouver au moment où elle l'avait regardé avec
tant d'insistance en demandant : « Faut-il?...
Dois-je vraiment, Craig?... »

Siz arrivait, descendant les marches du perron;
il lui prit sa valise. Tous deux marchèrent en silence, côte à côte, mais, en arrivant près de la
voiture, Siz l'arrêta. Elle eut son profond rire de
gorge, si roucoulant et nonchalant :

— Major, je suis toujours hors de service. Vous
n'aimez pas mon point de vue. Mais vous vous en
souviendrez.

Elle lui passa les bras autour du cou et pressa
contre lui, en un étroit enlacement, toute la chaleur de son corps. Mouillant ses lèvres pleines, elle
baisa la bouche qui demeurait inerte sous la
sienne, attendit un long instant une réponse qui
ne vint pas, puis soupira :

— Dommage pour le point de vue! Cela vous
ferait tant de bien, Craig!

Craig recula, tremblant, pour ouvrir le coffre à
bagages. Il demeura, une minute, la valise au
bout des doigts. Puis il la lâcha, et elle tomba
avec un bruit sourd sur le sable.

-:-

— Miss Marrell, dit-il, prenons un autre whisky.
La lune était bas sur l'horizon lorsqu'ils partirent. Tout le long du trajet de retour jusqu'au
pavillon des infirmières, il tint sans flancher les
yeux fixés sur le rayon du phare dansant sur la
route, et tous deux demeurèrent silencieux. Mais
Siz, à maintes reprises, regarda longuement le visage immobile.

-:-

Il porta sa valise jusqu'à la porte :
— Merci, dit-elle. Bonne nuit, major Thomas.
— Bonne nuit, Miss Marrell.

Siz regarda s'éloigner la voiture, puis regagna son appartement. Elle fit la lumière et ouvrit la valise sur son lit jumeau. Sa camarade de chambre, réveillée, dans l'autre lit, s'assit et suivit d'un œil inquiet Siz qui déployait sa robe de soie blanche et la posait lentement sur le dossier d'une chaise.

— C'était un accident, dit Siz, la voix enrouée. Les accidents, cela arrive, n'est-ce pas?

Elle se jeta au travers de son lit en sanglotant. Sautant à terre, Hazel se pencha sur elle, s'écriant :

— Siz, Siz, ma chérie! Que s'est-il passé?

— Oh! Laissez-moi! Allez-vous-en! sanglotait Siz, le visage plongé dans ses mains. Je me sens pareille à une prostituée!

— Eh bien, ça, alors! commenta Hazel. Je n'en reviens pas!...

20

SUR tout le chemin du retour vers l'hôpital, les phares de Larry se reflétèrent dans le rétroviseur de Joan, gardant une distance immuable, tournant avec elle dans les courbes, comme retenus par un lien invisible et fidèle. Frissonnante au milieu de leur éclat, elle se félicita qu'il y eût deux voitures à reconduire au camp et qu'elle pût demeurer solitaire dans l'air vif et frais de la nuit. Son visage brûlait d'une rougeur pénible à l'idée qu'une petite comédie avait été jouée, avec la jolie infirmière dans le principal rôle, les deux hommes étant ses partenaires, et elle-même, Joan, le public censément crédule et dépourvu d'esprit critique. L'appel téléphonique avait été lancé par une femme jalouse et dépitée. Et elle se demanda, morne et sans réaction, si une autre femme encore était intéressée par Larry, outre Siz Marrell.

Chuck et Mary s'étaient montrés visiblement mal à l'aise. Larry avait l'air d'un chat surpris avec un oiseau entre les dents et s'efforçant de l'avaler. Siz Marrell était une femme audacieusement adroite et presque convaincante. Joan appuya sur l'accélérateur dans sa colère contre la fille si sûre d'elle-même et qui avait joué si délibérément le rôle d'hôtesse vis-à-vis des deux frères. Elle repassa en esprit ses propres paroles, espérant que sa voix avait été telle qu'il fallait qu'elle fût, détachée, tranquille, sans pointes : « Il devrait y avoir un cadavre... » L'infirmière méditerait là-dessus, se demandant si cette phrase avait un sens caché. Ils s'étaient tous mis contre elle, même Chuck et Mary, mais les choses n'étaient tout de même pas très claires.

Et Craig? Lui aussi était du complot. Craig s'était montré pénible et difficile, récemment. Cependant sa brusquerie même cachait mal une très grande considération pour elle. Elle avait pu le vérifier ce soir même encore, là-bas sur la plage, quand elle s'était adressée à lui dans sa détresse. Il l'avait entourée tout de suite d'une sorte de bonté compassée mais sincère, et l'avait guidée doucement vers le cottage.

Elle regarda les phares dans son rétroviseur et se reprit à penser à Craig. Quand elle était arrivée, il était là, buvant avec Siz Marrell. Et, quand elle était partie, lui était resté, et Siz Marrell lui tenait le bras.

Tout aurait pu arriver entre Larry et l'infirmière, car Joan savait son mari incapable de résister à l'occasion. Mais cette familiarité entre Craig et Siz Marrell? La jeune fille l'appelait Craig très naturellement. L'avait-il, lui, appelée Siz? Joan tenta de s'en souvenir. Elle croyait bien que non. Le moindre lien personnel entre eux était impossible, impensable, incroyable. Et au fond non. Pas incroyable. Craig était timide avec les femmes, et la fille était désirable, séduisante et visiblement dépourvue de conscience. Elle se dit, alarmée, que non seulement ce n'était pas incroyable, mais même plus que possible. « Pauvre Craig! » pensa-t-elle à son propre étonnement. Et, pendant que les mots se formaient, puis éclataient, dans son esprit, une amère jalousie lui broyait le cœur à l'idée que l'infirmière pouvait s'emparer de son beau-frère. Ils n'auraient pas dû le laisser seul avec elle, ils n'auraient pas dû le laisser avec cette fille qui le tenait par le bras et lui demandait de ne point s'en aller encore. Joan ralentit la voiture, mais seuls les phares de Larry la suivaient sur la route.

-:-

Ils trouvèrent Chuck endormi et quittèrent l'hôpital sur la pointe des pieds avec Mary. Avant de mettre en marche maintenant, Joan avait repris place dans leur voiture, et Larry lui étreignit les épaules :

— J'étais content de te savoir dans cette auto juste devant moi. Mais c'était tout de même une sensation bizarre. Notre place est ensemble, dans la même voiture.

Rentré dans l'appartement, il s'exclama devant l'ordre rétabli :

— Ah! notre chez nous est redevenu pareil à lui-même! Tu ne saurais croire quelle morgue c'était!

C'était bien une partie de ce qu'elle avait prévu dans l'autobus qui la ramenait vers lui. Jusqu'aux mots qui étaient les mêmes, ceux qu'elle attendait. Mais ils avaient un son éloigné, étouffé, comme dans un film les paroles prononcées hors du champ, pendant un travelling.

— Oh! Joan! Je voulais avoir des fleurs pour toi quand tu reviendrais. Étais-tu très fâchée quand tu es partie? Je vais faire du café. Je sais faire du café.

Elle alla vers la chambre et prit la valise qu'elle avait déballée déjà et une autre dans le placard. Calmement, mais rapidement, elle les remplit, tandis que Larry était dans la cuisinette. Leur contenu était bourré, mêlé, fourré dedans à la six-quatre-deux, mais les valises étaient pleines, fermées, courroies bouclées, deux boîtes à chapeaux posées à côté, lorsqu'il l'appela pour prendre le café.

— Un instant, et je viens.

Dans la minuscule salle à manger, elle décrocha le téléphone de son support d'onyx fendu et appela un taxi.

La tête de Larry parut dans l'embrasure de la porte :

— Un taxi, Joan? Que vas-tu faire?

S'efforçant à un calme absolu, elle répondit :

— Le café est-il prêt?

La rougeur de la gêne, de l'embarras, s'étendait sur le visage de son mari lorsqu'il lui offrit une chaise dans la kitchenette. Il lui versa du café, poussa la crème et le sucre vers elle :

— Pourquoi veux-tu un taxi, Joan? Tu ne veux pas me quitter de nouveau?

— Assieds-toi, Larry.

Il s'assit lentement en face d'elle, d'un air qui ne présageait rien de bon. Elle s'étonna de pouvoir s'affirmer si tranquillement, dès que son esprit n'était pas envahi par l'unique désir de lui être agréable.

— Je vais à l'hôtel, ce soir. Et je pars demain, Larry. (Les doigts qui tenaient la tasse étaient sans un frémissement.) Je pars, Larry. Et je te souhaite bonne chance.

Il bondit et se mit à marcher de long en large à grandes enjambées furieuses :

— Pourquoi, Joan? Pourquoi? Qu'ai-je encore fait maintenant? Simplement parce que je suis allé nager là-bas?

— Je ne sais pas ce que tu as fait là-bas, Larry. Je sais très bien ce que tu aurais fait si tu en avais eu l'occasion. Assieds-toi. Ne faisons pas de scène.

Il s'assit et se reprit à regarder fixement le sucrier, avec le grand haussement d'épaules d'un homme injustement accusé.

— Tu dois avoir une meilleure raison, Joan. Es-tu revenue uniquement pour me dire cela? Qu'ai-je fait que tu ne puisses supporter? (Son visage s'assombrit, devint orageux, sa voix monta de plusieurs tons.) Tu ne peux pas être là, tranquillement assise, à me dire que tu me quittes, sans plus.

— Ne nous disputons pas, Larry. Je n'aime pas les coups de téléphone anonymes. Je n'aime pas les femmes indiscrètes et jalouses. Je n'aime pas...

— Mais j'ignore tout de ce coup de téléphone! Je ne sais ni d'où il vient ni qui l'a donné!

— Je regrette, Larry.

— Donne-moi une bonne raison, plaida-t-il.

— C'est que nous n'avons absolument rien sur quoi nous appuyer pour continuer. Tu n'aurais probablement jamais dû te marier. Du moins pas avec moi. Il y a trop de femmes autour de toi, Larry. Et aucune qui compte beaucoup.

— Non! Tu te trompes tout à fait, Joan. Tu es la seule femme. Et tu comptes énormément, tu comptes pour tout, pour tout. Mais tu es si infernalement déraisonnable!

— S'il le faut donc..., dit-elle avec lassitude.

Pendant quelques instants, sa tasse lui causa une morne surprise : elle était vide sans qu'elle se souvînt d'avoir bu.

— N'est-ce pas le taxi qui corne? Je crois que si. Il y avait une fille dans ta vie au premier aérodrome, Larry. Elle est venue me trouver. Notre lune de miel était à peine commencée. Et ici à la réception du colonel, toi et cette infirmière. Sur la pelouse, ostensiblement, en pleine vue. Et aujourd'hui cette femme au téléphone. Je ne sais pas ce qui est arrivé, Larry. Mais me croiras-tu si je t'affirme que cela m'est indifférent? Veux-tu m'aider à descendre mes bagages?

Il avait repoussé sa chaise et la regardait, l'air abattu. Sans mot dire, il la suivit dans la salle à manger et, avec soumission, se chargea des bagages. Il descendit l'escalier derrière elle, poussant un grand soupir. Le chauffeur quitta son siège pour l'aider à installer les valises. Larry prit le bras de sa femme:

— Joan! dit-il à voix basse, Joan!

— Au revoir, Larry, répondit-elle.

Lorsque l'auto eut pris de la distance, la jeune femme se retourna: debout sur la pas de la porte, son mari regardait s'éloigner le taxi. Elle n'avait pas versé une larme, sa voix n'avait pas défailli, mais à présent elle se prit à trembler. La chose n'avait pas été facile. Elle l'aurait été davantage dans un coup de colère. Mais elle était sans colère, pleine seulement du sentiment mortel de l'inévitable. Larry saignait sans doute, mais elle espéra qu'il ne saignerait pas trop longtemps. Peut-être tenterait-il d'exploiter son chagrin pour cacher le grand trou qu'elle avait fait à sa vanité. La chose n'avait pas été facile du tout, et, quand elle fut dans sa chambre d'hôtel, Joan s'allongea sur son lit et sanglota pour se détendre et se reposer.

Et que dirait Craig? Craig ne dirait rien. Mais que penserait-il? Serait-il terriblement scandalisé? Elle décida qu'elle verrait Craig avant de partir pour lui expliquer le pourquoi de sa conduite, parce qu'il connaissait Larry mieux que quiconque et qu'elle souhaitait qu'il la comprît. Cac'était une chose énorme, et même peu patriotique, que d'abandonner un officier pendant la guerre, un homme qui risquait de partir et d'être tué. Elle essaya de s'en blâmer, mais de nouveau le sentiment de l'inévitable l'envahit. Elle repartirait vers le Nord, chez ses parents, dans la maison à la vaste pelouse et aux nombreux arbres, et puis elle essayerait de trouver un emploi en ville.

Elle était couchée, paisible, mais point endormie, quand, à deux heures du matin, le téléphone sonna :

— Mrs Thomas? (La voix de l'employé trahissait l'effarement.) Votre mari, le lieutenant Thomas, est ici et demande s'il peut vous voir pendant quelques minutes?

Joan s'assit toute droite, le téléphone au bout des doigts. Elle ouvrit la bouche pour dire « non ». Et, subitement, l'idée lui vint que Larry avait bu jusqu'à l'ivresse dramatique et exaltée : « Oui, bien. Priez-le de monter. » Elle alluma la lumière, passa hâtivement un peignoir de bain et regarda le miroir pour y trouver une partenaire.

Alors elle entendit le long du couloir ses pas rapides, il y eut une brève pause et un coup très doux à la porte. Elle ouvrit et retourna s'asseoir sur le lit.

— Joan, dit-il avec solennité et se tenant très droit, je suppose que tu me croyais ivre.

— Je me le demandais, Larry.

— Non. Je n'ai rien bu. Pas une goutte. Je ne peux pas boire. Je veux voler. Et ceci, d'ailleurs, est trop grave pour demander l'aide d'un whisky. Je ne crois pas que je puisse le supporter, Joan.

Elle ne répondit rien. Il continua :

— Tu es assise, là, ma femme, si belle et qui m'aimais. Et parce que je suis un idiot et que j'ai le cœur pourri, je t'ai perdue.

La voix basse frémissait d'une telle intensité, son visage était si pâle de désespoir qu'elle en eut le cœur touché. Elle ne l'avait jamais vu ainsi. Pourtant elle secoua négativement la tête :

— Tu ne fais que rendre la chose plus pénible, Larry.

— Je *vais* la rendre plus pénible, dit-il. Je dois la rendre plus pénible. A moins que, peut-être, tu ne la trouves plus facile. En tout cas, il n'est pas possible que cela se passe ainsi. Pas tout simplement ainsi. J'ai marché et marché et j'ai lutté contre moi-même. Je me suis vu enfin tel que certainement tu me vois, Joan. Je ne vaux rien.

Elle eut les larmes aux yeux et grimaça pour les retenir :

— Larry, je sais que cela fait mal. Cela nous blesse tous les deux. Mais ne continue pas, tu ne fais que te blesser davantage.

— Peu importe moi, dit-il. Peut-être ai-je quelque peu triché, Joan. Peut-être ai-je pensé que je pouvais avoir mon gâteau, mais en même temps, d'autre part, quelques miettes sans valeur. Je suis un vaurien, un vaurien, te dis-je. Et, maintenant, je le sais.

— Larry, ne continue pas. Je t'en prie, va-t'en !

Il était là, respirant à grands coups.

— Je ne peux pas te tromper. Je n'aurais même pas dû essayer. C'est ainsi que je t'ai perdue. Ce que tu ne sais pas, tu le soupçonnes. Et c'est encore pire pour moi que si tu savais réellement. Tu ne peux pas avoir confiance en moi, et si tu n'as pas confiance, il n'y a plus rien. Maintenant, je le sais, Joan, mais je ne me suis jamais rendu compte que je te blessais.

— Larry, il faut cesser !

— Pas avant d'avoir fini. Tu peux me voir aussi mauvais que je le suis. Peut-être cela te faciliterait-il les choses, t'aidera-t-il à te durcir le cœur. Ce damné coup de téléphone !

— Ne m'en dis rien, Larry. Je n'en veux rien savoir.

— Je ne pourrais rien t'en dire. J'en ignore abso-

lument tout. Mais j'avais rendez-vous avec cette
blonde, cette infirmière... Enfin, ça n'a pas d'importance. Je n'étais pas parti avec l'intention de...

Il eut un gémissement si profond, si déchirant,
que Joan le regarda, surprise.

— Je pensais y aller pour bavarder et pour nager.
Cela me semblait simple et facile. Je croyais pouvoir
jouer avec le feu. Et je ne peux jamais. Je ne vaux
rien. Et Craig est arrivé pour me dire que tu étais
rentrée et que je foute le camp de là ! Quelqu'un lui
avait téléphoné. Chuck, je suppose. Maintenant, tu
sais exactement tout. J'ai trouvé que tu avais le
droit de savoir.

Il termina avec tant d'amertume et sur une note
de si profonde humiliation que Joan se mordit les
lèvres pour s'empêcher de pleurer.

— Merci de me l'avoir raconté, Larry. Je crois
que je savais tout cela... Mais tu n'y peux rien, et
rien n'est changé. Maintenant, veux-tu partir? Je
t'en prie, oh! je t'en prie, va-t'en !

— Oui, je pars, dit-il. Tu ne peux pas te résoudre à croire que j'ai arraché tout cela de moi et que
je t'ai aimée toujours, tout le temps. Il ne t'est pas
possible de voir qu'après cela j'aurais été un bon
mari. Adieu, Joan.

Il lui prit la main et la garda, ne pouvant se résoudre à la lâcher. Et elle n'avait plus le courage de
lever les yeux et de le regarder.

— Je l'ai mérité, dit-il. Et il semble que je n'ai
qu'à prendre ce qui m'arrive. Mais je ne sais vraiment pas comment je le pourrai. Si tu voulais seulement essayer encore une fois. Rester avec moi
jusqu'à ce qu'ils m'envoient en Europe. Ce ne sera
plus bien long, Joan. Et ensuite je ne te tracasserai
plus. Si tu pouvais attendre jusqu'alors, si tu pouvais m'accorder ce petit peu de temps pour te prou-
ver que je dis vrai. Mais j'ai tout fait voler en éclats,
et on ne peut plus réparer, n'est-ce pas?

Joan marcha jusqu'à la fenêtre et, le visage appuyé au chambranle, plongea ses regards dans la

rue vide. Elle ne l'avait jamais vu si ému. Et son propre cœur était faible et désolé, parce qu'il s'était si complètement convaincu lui-même. Et tout cela était inutile. Ce serait un grand feu qui ferait une haute flamme et qui s'éteindrait. Parce que c'était Larry. Un feu de paille.

— Je suis aviateur, dit-il en désespoir de cause. Je veux voler pour ce pays. Aide-moi au moins à reprendre l'air. Aide-moi à sortir de ce camp.

Joan se retourna, frissonnante :

— Pauvre Larry! dit-elle. Va maintenant. Va! Je reviendrai.

— Tu reviendras, Joan? Tu reviendras? Quand?

— Demain.

Il l'impressionna alors, parce que au lieu de pousser ses habituels hurlements joyeux ou de l'enlacer de ses folles étreintes il demeura calme et fervent. Il la baisa au front avec une infinie tendresse :

— Je vais marcher encore un peu. Tu ne sais pas ce que ton retour signifie pour moi, Joan!

-:-

Le même chauffeur qui l'avait conduite à l'hôtel la reconduisit à l'appartement et il remonta ses valises, l'air vaguement compréhensif et sympathique.

Larry rentra pour recommencer à faire tendrement sa cour. Sa période de mise à pied n'était pas un congé : il lui fallait se présenter chaque jour à l'aérodrome pour y faire du travail au sol et suivre des cours. Mais il avait plus de temps disponible que les instructeurs durement taxés et il rentrait à la maison sitôt libre, s'efforçant sincèrement, de mille petites manières, de la reconquérir. Il lui prépara un exécrable déjeuner. Ils allaient nager. Ils jouaient au tennis et allaient se promener ensemble.

Il était joyeux et plein d'attentions, et, de temps en temps, elle saisissait au passage un regard anxieux. Mais, de cette ferveur quasi religieuse avec laquelle il l'avait suppliée de revenir, aucune trace ne demeurait dans son enthousiaste bonheur. Elle s'amusait en secret à cette constatation. Prévue. Parfois, lorsqu'ils étaient en promenade, que des hommes saluaient Larry et qu'il leur rendait leur salut, elle retrouvait la pensée d'autrefois, qu'ils faisaient un beau « couple militaire ». Cependant il laissait dans son cœur une place engourdie. Elle dissimulait de son mieux sous de chauds sourires et tâchait de lui faire perdre « son air de mise à l'épreuve ». A mesure que passaient les jours, ils travaillaient si dur à reconstruire un bonheur que, parfois, un silence tendu s'installait entre eux.

Ils allaient nager à la plage des Hibiscus, à quelques milles du camp, un lieu où s'entassaient aux fins de semaine engagés et mobilisés, mais qui demeurait confortablement vide pendant les cinq autres jours. Larry avait acheté, sans en parler, un nouveau caleçon de bain, l'autre ayant été oublié à Gulfview. Ils nageaient au loin, pour s'apercevoir en riant que, lorsqu'ils laissaient aller leurs pieds, ils avaient de l'eau à peine jusqu'à la taille. Sur la plage, ils déterraient des coquillages du bout des orteils. Larry fit l'emplette d'un album sur les coquillages, et ils commencèrent à rassembler les éléments d'une collection.

Assis sur le sable, ils regardaient un pélican flotter paresseusement dans l'air, devant eux, de ce vol curieux qui maintient les ailes sur un plan unique, tandis que le corps s'élève ou retombe entre elles. Larry filtrait du sable d'une main dans l'autre.

— Je viens d'être parfait durant toute une semaine. Le mari parfait. Y compris ton petit déjeuner au lit. M'aimes-tu de nouveau ?

Elle retira promptement ses genoux sous elle et se leva, et sa gracieuse silhouette se dressa vibrante, comme sur le qui-vive, sous l'impulsion d'une colère difficilement contenue.

— Ne ferions-nous pas mieux de renoncer une bonne fois à cette aventure, Larry ? C'est bien le résultat que tu cherches, n'est-ce pas ?

— Non, dit-il. Mon Dieu, non !

— Ce serait un soulagement pour chacun de nous.

— Joan ! Certainement non ! Qu'est-ce qui te prend ? Ne puis-je te demander si tu m'aimes ?

— Tu es fou, Larry. Tu rends tout ceci parfaitement impossible. Je n'aurais pas dû te permettre de m'entraîner dans cette tentative absurde. Tu me poses une question pareille et tu attends une réponse !

— Je ne veux pas de réponse, admit-il misérablement. Je connais la réponse. Ne vois-tu pas que je suis dans une impasse, dans une trappe ? C'est ma faute, et je le sais, mais je n'en suis pas moins comme une chose au fond d'une trappe...

Parce qu'elle avait observé sa tension à lui tandis qu'elle s'efforçait de dissimuler la sienne propre, elle était chaque jour plus assurée d'avoir commis une erreur. Elle l'avait su, depuis le début, mais parce que Larry était habituellement joyeux et débordant de belle santé, elle s'était refusée à l'admettre. Or, dans la situation actuelle, chaque parole aggravait le malaise. L'arrangement auquel il l'avait suppliée de consentir devenait impossible à exécuter pour l'un comme pour l'autre, de plus en plus pénible chaque jour. Malgré sa colère, elle avait de la peine pour lui. Et tout à coup elle éprouva le désir de voir Craig et de lui en parler.

— Je désire deux choses, disait Larry. Voler. Et que tu m'aimes. Je sais que c'est ma faute si j'ai bousillé les deux. Ça fait mal tout de même. Mais ne te préoccupe pas pour moi : je gémis simplement sur ce qui fait mal au ventre.

— Ne me demande pas de t'écouter, alors.

Elle se retenait difficilement d'ajouter que ceci ne faisait pas partie du contrat. Et aussi de lui demander quand il s'attendait à être transféré dans le service extérieur. Et ces cruautés, qui avaient été bien près de se formuler sur sa langue, la terrifiaient : il y avait si peu de temps encore qu'elle l'avait tant aimé, et maintenant tout ce qu'il disait lui faisait perdre de la valeur, le diminuait à ses yeux aussi régulièrement qu'une marée descendante. Déjà elle avait constaté qu'il regrettait ce qu'il avait reconnu et admis la nuit de l'hôtel et qu'une mauvaise humeur due à son insuccès croissait en lui. Elle se rassit avec un soupir de résignation.

Le même soir, elle appela Craig et entendit les divers cris plus ou moins étouffés : « On demande le major Thomas ! » « Le major Thomas est-il rentré ? » Et, bientôt, une voix officielle : « Le major Thomas à l'appareil. »

— Craig, comment allez-vous?

— Très bien, Joan. Et vous? Et comment Larry s'en tire-t-il?

— Nous sommes pleins de sagesse et de bon sens. Larry a une mine excellente. Nous allons chaque après-midi à la plage des Hibiscus.

— Parfait tout cela, dit Craig. Tout va bien. Enchanté de l'apprendre, Joan.

— Pourquoi ne pas venir nous y retrouver demain?

Une pause. Puis :

— Bonne idée, Joan. Je tâcherai de me rendre libre.

Larry, qui lisait le journal, questionna :

— Craig vient-il, Joan?

— Il dit qu'il essayera.

— Il ne viendra pas. Mais nous sommes très bien sans lui, rien que nous deux.

Elle ne répondit rien. Mais elle espérait que Craig viendrait. Elle l'espérait de toute la force d'une immense solitude au fond d'elle-même. Elle avait besoin d'un lieu où tourner, d'une personne à qui parler, et tout cela conduisait au frère qui connaissait Larry aussi bien qu'elle le connaissait. Elle s'était efforcée de paraître insouciante et détachée en l'invitant. Mais il avait des raisons de venir. Il devait avoir pensé plus d'une fois à la rencontre de Gulfview. Il avait dû s'inquiéter des suites.

Elle ne fut donc pas surprise, bien que Larry le fût, lorsque la voiture de Craig vint s'arrêter et parquer sur la plage. Il fit de loin signe de la main et entra dans une cabine.

— La Société des Chirurgiens va se mettre à l'eau, grogna Larry.

— Tu me rends toujours perplexe ! Qu'est-ce que Craig a fait ?

Il dit en haussant une épaule :

— Rien, Joan. Je suis irritable, c'est tout. Il me rend irritable. Je n'y puis rien. Craig ne s'est jamais trouvé coincé dans sa vie, il n'a jamais eu de coups durs. Moi, je suis coincé tout le temps, j'ai tout le temps des coups durs !

Il se leva et fit farouchement ricocher des coquillages.

— Voilà la difficulté que présentent les gens qui ont toujours raison, qui font toujours bien. Il ne sait pas ce que c'est qu'un coup dur, et toi pas davantage.

— Va nager, Larry, va.

Elle était de nouveau en proie à ce tremblement de colère et demeura allongée sur la plage, le visage sur son bras, écoutant s'éloigner les pieds qui écrasaient le sable, puis atteignaient l'eau.

Comme elle regardait Craig sortir de la cabine une manière d'identité la surprit. Elle avait souvent comparé les visages ressemblants des deux frères, mais s'était arrêtée à cela. Craig et Larry étaient de même taille, pareillement élancés, avec les mêmes jambes longues et droites, et, elle le remarquait à présent, ils avaient une manière indéfinissablement semblable de placer les pieds, et leurs corps étaient frères. Mais Larry était aussi brun qu'un maître baigneur et juste aussi peu conscient de son caleçon de bain. Le visage sérieux de Craig et sa peau blanche donnaient une allure différente à sa marche à travers le sable. Elle s'assit et lui désigna la place à côté d'elle.

— Joan, comment allez-vous ? Est-ce que tout va bien ?

Non pas de simples formules en mots courants,

mais, dans sa voix et dans ses yeux, une question réelle, une sympathie qui l'enveloppait et la rendait faible et souriante. Toujours, elle s'en souvenait maintenant avec une surprise tôt évanouie, il avait eu un changement dans sa voix lorsqu'il lui avait parlé, toujours une inclinaison inconsciente vers elle, toujours quelque chose de douloureux, de blessé, dans les brefs regards qu'il appuyait sur le sien. Elle ferma les yeux pour se sentir entièrement reposée contre le mur solide de son affectueux intérêt.

— Très bien, dit-elle en souriant. Mais puis-je vous parler, Craig?

— Bien sûr !

Cependant, il se redressa, rigide, pour regarder Larry qui sortait de l'eau, et elle vit une expression sévère passer sur son visage.

— Je sais tout ce qui concerne Gulfview, Craig. Larry m'a tout raconté.

— Vraiment? Il vous a raconté? Mais évidemment...

— Hello ! Craig, fit Larry en se laissant tomber auprès d'eux.

— Hello ! Larry. Comment se comporte l'entraînement?

Mais maintenant, parce que les petites variations dans la voix de Craig lui étaient revenues à l'esprit, Joan y sentit une nuance d'hostilité durement contenue.

— Je suis aussi bien portant qu'un pourceau, dit Larry avec lassitude. Quand Blount me repèsera, viande sur pied, pas de doute que je doive passer haut la main.

— Tu pourras certainement voler bientôt.

Craig se leva.

— Y a-t-il quelqu'un qui vienne se tremper?

— Je viens, dit Joan.

Mais Larry se contenta d'une demi-grimace demi-sourire et prit une cigarette dans l'étui posé sur le tapis de plage.

Craig et Joan nagèrent côte à côte à travers la

large rigole laissée par la mer et grimpèrent sur la berge opposée. Ils regardèrent Larry, le virent jeter sa cigarette et se retourner pour s'étendre, le visage dans le tapis de plage.

Joan, prenant une voix chuchotante de conspiratrice, révéla :

— Nous ramassons des coquillages. Larry m'a procuré un album. Aidez-moi à en trouver.

Ils retraversèrent la fondrière à la nage et revinrent près de Larry, qui ne bougea pas. Joan prit un sac : « Nous les mettons là-dedans. » Puis ils marchèrent au bord de l'eau, silencieusement, les yeux baissés jusqu'à ce que Joan se penchât pour ramasser une délicate coupe blanche au-dehors, jaune à l'intérieur :

— Voici le bol d'or, dit-elle.

Elle essaya de sourire à cause de la façon dont sa voix tremblait.

— Ils sont relativement communs. Ce soir-là, Craig, j'ai quitté Larry. Je suis allée à l'hôtel.

Elle attendit, mais il ne dit rien, se rapprocha seulement d'elle de telle sorte que parfois il frôlait du bras son épaule, pendant qu'ils marchaient lentement.

— Je sais pourquoi vous étiez allé là-bas, Craig. Larry me l'a dit. Je sais aussi que Mary également savait. Tout le monde et chacun essayait de me protéger. Et de protéger Larry et notre mariage. Mais vous n'auriez pas dû le faire. Aucun de vous.

Il avait un visage à la fois de détresse et de gêne :

— Je regrette si ce fut une erreur. Je regrette terriblement.

Tout à coup, il fut extrêmement pâle; ses paroles devinrent basses et presque grinçantes :

— Ce n'était pas pour Larry. Nous vous aimons tous, Joan. Quoi qu'il arrive, nous sommes tous de votre côté.

— Asseyons-nous, dit-elle, moitié criant, moitié pleurant.

Ils s'assirent sans un regard en arrière pour

Larry. Elle enlaçait et dénouait ses doigts nerveusement et regardait le bleu-vert du golfe. Elle mit une main sur celle de Craig, qui l'enveloppa et la garda doucement, fortement et calmement enserrée.

— Vous êtes chic, dit-elle. J'ai eu tellement besoin de vous. Il fallait que je parle. Larry est venu à l'hôtel dans la nuit pour me voir. Il était très grave, Craig, et sincère. Il m'a fait une longue confession. Il m'a raconté pourquoi vous étiez allé là-bas. Il m'a même avoué qu'il m'avait trompée avec l'infirmière.

Elle eut un bref rire embarrassé. Craig répondit d'une voix morne :

— Il l'a fait !

— J'aurais dû, je pense, être horriblement blessée, continua-t-elle, mais... je ne l'étais pas... Ce n'est pas tellement — je ne crois pas — ce que Larry avait fait... C'est plutôt que je sais que ces mêmes choses se reproduiront tout le temps et que nous ne pouvons pas continuer de cette manière-là. Je ne l'aime pas, Craig.

Après une pause, il dit :

— Ne cristallisez pas vos pensées là-dessus, Joan. Vous lui êtes revenue, vous savez ! Vous êtes revenue vers lui.

Elle reçut ces mots avec douleur, comme s'ils avaient été une accusation.

— Il m'a tant suppliée ! Seulement jusqu'à ce qu'il soit envoyé au front. Pour l'aider, disait-il. Pour l'aider à voler de nouveau. Pour lui donner cette chance, puisqu'il avait admis et reconnu tous ses torts.

— Brave Joan ! dit lourdement Craig.

— Mais ça ne réussit pas. Ça ne peut pas tenir. Vous ne savez pas quel effort et quelle tension cela représente, Craig. Il a besoin d'être entouré de sympathie, et je ne puis lui en donner, d'être encouragé et soutenu, et je ne puis le faire. Surtout il a besoin de savoir que je l'aime de nouveau et il veut que je le lui dise, et moi je sais désormais que c'est impossible, que je ne l'aime pas. Et j'avais besoin que vous compreniez tout ceci lorsque je vais le quitter.

La main de Craig se resserra lentement sur la sienne, jusqu'à lui faire mal, et elle leva son regard pour trouver fixés sur elle des yeux pleins d'une chaude lueur, d'une profonde et tendre lumière, des yeux qu'il ne pouvait détourner, tandis qu'elle même ne parvenait pas à baisser les siens.

— Craig ! dit-elle en un tremblant murmure.

— Brave Joan ! répéta-t-il.

— Ne dites pas cela, supplia-t-elle. Je voudrais pleurer, mais je ferai de mon mieux. Aussi longtemps que je pourrai.

Quand ils arrivèrent auprès de lui, Larry ne bougea pas, et ils s'aperçurent qu'il dormait.

— Je m'en vais, Joan, dit Craig.

Et elle s'assit à côté de Larry pour attendre le moment de son réveil.

21

— Tu n'arroses pas assez les pétunias, dit le soldat de deuxième classe Henry Smith. Il faut leur donner de l'eau chaque matin, Dolly.

Il venait d'arriver. Avec la permission de nuit. Mais quelque chose, tout de suite, avait accroché. Le baiser de Dolly était indifférent, et son regard était circonspect. Il l'avait tenue à bout de bras avec un coup d'œil qui questionnait, sans obtenir d'autre réponse qu'un haussement d'épaules; il avait conclu à un des mystères de l'humeur féminine. Mais les pétunias semblaient très secs.

— Ils me sont tout à fait sortis de l'esprit, dit-elle.

Il ouvrit le placard, en retira son pantalon d'intérieur gris, sa chemisette bleue, ses souliers de tennis et se prépara à désobéir au règlement, car il aimait, lorsqu'il pouvait passer une soirée tranquillement chez lui, abandonner l'uniforme (comme, à ce qu'il avait entendu dire, faisaient les officiers).

— Il vaut mieux que je te raconte, dit Dolly. Je ne sais pas ce que cela signifie, mais je fais mieux de te le raconter, Henry. J'allais précisément arroser ces pétunias quand le type est venu.

— Un type? Quelle sorte de type?

— Il n'était pas de l'armée comme nous. Il était en vêtements civils, et c'était un drôle de type. Il a commencé à poser des questions. Je pense que c'était un policier.

— Un policier?

Henry remit en place ses vêtements d'intérieur. Il rattacha les lacets de ses brodequins. Il glissa le bout de sa cravate entre le premier et le second bouton de sa chemise, au-dessous du col. Et tous ses mouvements avaient l'air d'être la conséquence d'un jugement. Il alluma une cigarette avec le calme d'un homme qui fait face au peloton d'exécution et le désastre bouillonnait en son esprit.

— Raconte-moi tout depuis le commencement, dit-il.

— C'était un policier. Je ne crois pas que c'était un flic. Il était assez convenable. Peut-être était-ce un F. B. I. (1). Ce n'était pas moi qu'il cherchait. Il revenait tout le temps à toi, Henry. Mainte-

(1) Federal Board of Investigation... Le bureau fédéral d'enquêtes s'occupe des affaires concernant tous les États de l'Union, comme des affaires d'espionnage par exemple, mais il n'a rien à voir avec les infractions aux lois particulières à chaque État. La visite d'un inspecteur du F.B.I. implique donc qu'il s'agit d'une chose importante, grave et d'intérêt général, au plein sens du mot.

nant, écoute et réponds droit : es-tu sûr de ne
t'être jamais mouillé?

— Quelle affreuse chose à dire! s'exclama-t-il
avec mécontentement. (Car il ne pouvait, même
dans un moment comme celui-là, supporter quelques-
unes des expressions de Dolly.) Oui. J'en suis sûr!
Peu importe ce que tu penses de lui. Répète-moi ce
qu'il t'a dit.

— Il a dit qu'il était enquêteur immobilier.

— Peut-être bien alors que c'est ça qu'il était,
supposa Henry. On lit tous les jours des histoires
d'investigateurs immobiliers.

— Pas ce type-là, répondit-elle avec assurance.
Il m'a expliqué qu'il commence par aller à la compagnie d'électricité. Il y relève les noms de tous
les nouveaux inscrits. Et puis il va les voir. Il m'a
dit qu'un plan général est en train pour la mise en
usage de maisons démontables et que le gouvernement veut savoir combien il en faudrait. Alors il
s'informe du montant du loyer, et du nombre de
gens qui habitent dans combien de pièces, et quelle
est leur situation, et ce qu'ils font. Et il écrit tout ça
dans un carnet.

— Ça paraît en somme assez normal.

Elle leva une main, tous doigts écartés :

— Attends! Il a dit que l'inscription porte « M₁
et Mrs Henry Smith ». C'est exact, ça?

Henry plissa le front :

— Qu'est-ce que tu as répondu?

— Dame, comme je pense que c'est sans doute
ça que porte l'inscription, j'ai dit « oui ». Alors il
a regardé partout et il a dit : « Je pense qu'on
» appelle ça un appartement sur garage, deux
» pièces. » Et il l'a écrit dans son carnet. « Et
» que fait votre mari, Mrs Smith? » « Il est dans
» l'armée », lui ai-je dit. Alors il a souri. Et il a
dit : « C'est parfait, Mrs Smith. Ma visite est utile.
» Parce que cette organisation est surtout en
» vue de promouvoir de meilleures conditions de
» logement pour les gens de l'armée. C'est là qu'il

» y a surpopulation », dit-il. Et j'ai répondu :
« C'est bien aimable à vous, mais nous sommes
» satisfaits. »

Henry la regardait avec une expression de soulagement sceptique :

— Bon, ça va. Je présume qu'ils font des choses
comme ça. On ne peut jamais savoir ce que le gouvernement a dans l'idée.

— Est-ce que tu veux, oui ou non, que je te
raconte les choses depuis le commencement?
demanda sèchement Dolly.

— Mais bien sûr.

— Bon, alors, allons-y. Il a dit : « Que fait votre
» mari dans l'armée? » « Aviation », dis-je. « Oh !
» dit-il, officier, naturellement? » « Non », dis-je.
Je voudrais vraiment que tu ne sois pas soldat de
deuxième classe, Henry. Ce n'est pas juste, après
que tu as sauvé la vie de ce pilote. Donc tout ce
que j'ai dit, c'est « non ». « Qu'est-ce qu'il est
alors? » m'a demandé le type. Alors, j'ai bien dû
dire : « Soldat de deuxième classe. » Et il a dit :
« Un simple soldat a bien de la chance d'avoir un
» appartement comme celui-ci. Comment vous dé-
» brouillez-vous pour y arriver? » Alors j'ai répondu : « Ça ne me gêne pas que vous inscriviez
» dans votre bouquin le nombre de pièces que
» nous avons, mais le gouvernement pose vraiment
» un tas de questions, vous ne trouvez pas? »
Henry, pourquoi lui aurais-je raconté que ta tante
t'a laissé soixante-quinze dollars par mois?

— Ah ! fit lourdement Henry, est-ce que je sais?
Qu'a-t-il dit?

— Il a dit qu'il était obligé d'établir la moyenne
de ce que les gens payaient de loyer proportionnel-
lement à leur revenu. Et qu'il devait l'inscrire
pour nous comme pour les autres. Et que ça ne
rimait à rien qu'un simple soldat ait un appartement s'il n'avait pas d'argent de côté. Alors j'ai
dit que mon mari avait un revenu personnel. Et
il a demandé : « Combien, je vous prie? » Mais,

289

là, j'ai répondu que le gouvernement pouvait toujours aller pondre un œuf. Alors il a eu l'air préoccupé. Et il a dit qu'il devrait donc laisser cela en blanc. Et quand nous étions-nous mariés?

— Qu'as-tu dit?

— Il fallait que je trouve vite, tu penses! J'ai dit : « Il y a deux mois, à Miami. » Et il a demandé : « La date, je vous prie? » Et je lui en ai donné une.

— Jamais je n'ai mis les pieds à Miami, fit Henry, soucieux. Mais cependant que pouvais-tu faire? C'est bien, Dolly. Tu n'as pas à te tracasser. Les papiers relatifs à toutes ces enquêtes sont envoyés à Washington, et, une fois là, personne ne s'en occupe plus !

Mais le joli visage de la jeune femme gardait son expression circonspecte :

— Ils nous ont! reconnut-elle. Je n'ai pas pu faire autrement, mais ils nous ont! La seule chose qu'ils aient à faire, c'est de vérifier si tu as eu une permission il y a deux mois. Est-ce le cas?

— Non, fit-il, sourcils serrés. Mais ce type me paraît vraiment un enquêteur du service du logement. Où as-tu pêché ton histoire de détective?

Elle se leva et arpenta impatiemment la pièce :

— J'en suis sûre, insista-t-elle. Alors il a dit : « C'est chic que l'armée permette aux simples sol- » dats de vivre chez eux. Votre mari occupe le » local chaque nuit, n'est-ce pas, Mrs Smith? » Le local! Il a bien fallu que je dise « oui ». Et là aussi il nous a coincés. « Et qu'est-ce que vous » faites de vos soirées? » a-t-il demandé ensuite.

— Il a vraiment posé beaucoup de questions, reconnut sombrement Henry. Qu'as-tu dit?

— J'ai dit : « Quel rapport cela a-t-il avec les » questions de logement? » Parce que, moi aussi, j'essayais de le coincer d'une façon ou d'une autre, tu comprends. J'étais sûre que c'était un détective quelconque. Il a répondu : « Cela fait partie d'un » projet d'ensemble, la récréation, les loisirs, et

» ceux qui sont en charge veulent savoir comment
» les gens s'occupent. » Alors j'ai dit : « De temps
» en temps nous allons au ciné. » « Est-ce que vous
» recevez beaucoup? » a-t-il demandé. Et j'ai dit :
« Non. » Il a souligné que, dans un joli appartement comme celui-ci, il semblerait naturel que les
amis de mon mari dans l'armée viennent souvent.
Et la plupart de nos amis en dehors de l'armée.
Et j'ai répondu : « Il n'y a que peu de jours que
» nous sommes installés et nous n'avons encore
reçu personne. » Henry, crois-tu vraiment que c'est
une question que le gouvernement poserait?

— Est-ce qu'il a inscrit quelque chose à propos
de celle-là?

— Non. Rien.

— Peut-être bien que c'était simplement histoire
de faire gentiment conversation, alors, dit Henry.
Mais son visage demeurait soucieux. Je me rappelle
que, pour le recensement, ils ont posé des tas de
questions qui n'avaient rien à voir. Comme :
« Avez-vous un aspirateur? » et des trucs de ce
genre. Y avait-il encore autre chose?

Dolly arrêta sa promenade et se tint debout
devant lui :

— Non. Il s'est levé et il a dit : « Merci,
» Mrs Smith. Nous vous sommes reconnaissants
» de votre co-o-pé-ration. » Et j'ai dit : « Merci ».
Ecoute, Henry, si le gouvernement demandait
vraiment tout ça, est-ce qu'ils n'auraient pas des
formules imprimées, avec les questions toutes prêtes et des colonnes pour les réponses?

— Je suppose que si. Bien sûr! dit-il, alarmé.

— J'ai trouvé moyen de regarder son carnet pendant qu'il écrivait. Il n'y avait rien d'imprimé
sur la page. Rien que ce qu'il écrivait. Ce n'était
pas un truc régulier, je te le dis. Autre chose encore. Il écrivait sur la seconde page. Alors, après
lui avoir dit « merci », je l'ai accompagné à la
porte. Et j'ai dit : « Le gouvernement pense vrai-
» ment à tout! Il y a combien de temps que vous

» menez ces enquêtes-là? » Et le type a répondu :
« A peu près deux semaines. J'arrive juste à vous
» aujourd'hui. »

Elle s'exclama :

— Deux pages en deux semaines! Hein? Qu'est-
ce que tu en penses de cela?

Henry se leva pour se mettre à son tour à arpenter la pièce. Il avait passé un bras autour de
Dolly, mais il avait un chat dans la gorge. A vivre
comme ils vivaient, ils contrevenaient certainement à une loi quelconque. Il s'en était déjà
soucié précédemment, mais peut-être qu'aujourd'hui
ils étaient à la veille d'être jetés en prison.

— Tu ne crois pas que c'était la police, Dolly?
Pourquoi non?

— Non. Ce n'était pas un flic. Il était trop doux,
trop bien élevé. Et puis les flics ne s'occupent jamais de vous tant qu'on ne fait pas de bruit. Ils
sont là pour intervenir si l'on trouble l'ordre. Non.
C'était un détective, un « dick ». Les flics ne se
mêleraient pas de nos affaires.

Elle s'interrompit pour lui passer les bras autour
du cou :

— Henry, n'importe qui, rien qu'en te regardant
au passage, peut se rendre compte que tu es un
gars régulier. Et, tout de même, il est sur ta piste.
Alors il faut chercher dans quelle affaire tu pourrais être mêlé tout en ne t'en doutant pas.

— Aucune, dit-il misérablement. Rien. Toutes
mes notes sont bonnes. Je pensais même avoir de
l'avancement après que j'avais sorti ce pilote de
dessous son avion en feu.

Elle retira vivement ses bras, recula d'un pas
et le considéra, les yeux rétrécis en un regard in-
quisiteur :

— Henry! Bien sûr, réfléchissons. Mais oui, il
faut penser à cela. Ce n'est pas naturel. C'est sus-
pect. Si une promotion t'est en quelque sorte due
et qu'elle ne vient pas, ce n'est pas naturel. Pourquoi ne vient-elle pas? Qu'est-ce qui l'arrête? Y a-

t-il un rapport entre ce retard et un détective qui flaire, le nez sur la trace? Penses-y.

— Sans doute, répondit-il lentement, est-il à la recherche de quelque autre Smith.

Une certitude qu'il n'exprimait pas se formait en son esprit. Dolly n'acceptait pas la réponse :

— Que tu dis! Pourquoi n'as-tu pas ton avancement?

— Ces choses prennent du temps. Comme tout ce qui est administratif, tu sais.

Mais il se disait que le colonel Flynn n'avait peut-être pas terminé son enquête relative à l'accident du lieutenant Waller, bien que le sujet parût classé. Il n'était pas impossible que le colonel nourrît quelque soupçon encore, relativement à l'équipe de terre.

— Le colonel m'a posé un tas de questions à propos de la façon dont l'appareil avait été préparé avant son dernier vol. Et j'étais de l'équipe d'entretien. Mais j'avais le sentiment qu'il était rassuré.

— Tu veux dire, s'exclama-t-elle en le secouant, qu'il a pu croire que l'avion avait été saboté?

— Non. Ce n'est pas ce que je veux dire. Ote-toi ça de l'idée. Mais il a pu croire que l'équipe au sol avait oublié quelque détail.

— Penses-tu qu'ils mettraient un dick sur pied juste parce qu'un type aurait oublié un bidon d'huile? Henry, pauvre idiot! (Elle ferma les yeux et se balança dramatiquement.) J'ai causé avec un F. B. I.!

— Sans blague! dit-il, alarmé et furieux. Trucs de cinéma!

Mais elle prit la chose comme une confirmation :

— Parfaitement. Je les ai vus à l'écran. Tous des types doux et corrects et bien élevés. Sortant des grands collèges. Et ce gars-là était doux et correct et bien élevé. Il n'avait rien d'un dur. Je suis sûre qu'il a passé par un grand collège. Elle continua avec un frémissement dans la voix :

— F. B. I.! Si seulement j'avais pu prévoir, je me serais habillée!...

— Ne parle donc pas comme ça! Quelles fichaises!...

— Oh! oui, vraiment? (Elle se lançait dans les suppositions avec une excitation rusée.) Henry! Ils contrôlent tous ceux qui se sont occupés de cet avion. Et tu n'auras pas d'avancement tant qu'ils n'auront pas mis la main sur le coupable. Ne me dis pas le contraire, je sais! Je vois tout ça clairement. Maintenant...

— Dolly! Tu dis des folies!

Mais il manquait de conviction. L'explication, en effet, pouvait bien être là. Le pilote semblait bien n'avoir plus le contrôle de sa machine pendant la descente. Il secoua ces idées, tenta de s'en débarrasser, contrarié :

— Qu'est-ce que tu sais des aéroplanes?

— Je sais reconnaître un dick quand j'en vois un. Et je te dis que c'en était un. N'oublie pas qu'il est venu ici et qu'il a demandé tout ce qui pouvait être demandé à notre sujet! Est-ce que tous ceux de ton équipe sont de chics types comme toi?

— Dolly! gémit Henry, tu es une fille épatante! Mais n'essaye pas de jouer au limier.

— Je te demande si ce sont de braves garçons?

— Pas le caporal. Non, je t'en prie, ne prends pas encore un chemin de traverse! Il connaît son affaire. Il sait ce que c'est qu'un avion. Mais, c'est un dur. Il me fait mal au ventre.

— Un homme qui veut saboter un avion doit savoir ce que c'est et connaître son affaire! Qu'est-ce que tu veux dire, un dur?

— Pour l'amour du ciel! s'exclama Henry, est-ce que tu appartiens au F. B. I.?

— L'homme qui est venu ici en faisait partie. Que veux-tu dire, un dur, je te demande?

— Une brute, quoi! Il passe son temps à courir les femmes.

Elle releva les sourcils :

— Et quoi encore?

— Il lit des magazines sales.

— Et quoi encore?

— Ecoute! s'écria Henry, navré de la voir construire peu à peu un réquisitoire contre le caporal Tyce. On peut déformer n'importe quoi de manière à faire paraître n'importe qui un salaud! Enfin, c'est tellement une brute qu'il collectionne des photos d'accidents d'avion.

— Tu veux dire qu'il aime les accidents d'avion?

Elle criait ses questions avec une excitation croissante.

— Je n'ai pas dit qu'il les aimait, nom d'un chien! Tu déformes tout.

Mais il se rappelait désagréablement de quelle manière Tyce l'avait dégonflé à l'hôpital en lui montrant que même son bras malade était une chose suspecte.

— Henry, comment pourrions-nous mettre la main sur cet homme?

— Quel homme?

— Celui du F. B. I. Il faut lui parler de ce caporal.

— Dolly! Ça suffit comme ça! Tais-toi.

Parce que le poison des soupçons sans base s'infiltrait en son esprit, il se sentait en rage contre elle et contre lui-même. Mais Tyce était indubitablement un œuf pourri, un sale oiseau, et, dans le fond de son cœur, il le détestait et il savait à présent qu'il pourrait croire de lui n'importe quelle horreur.

— Tu me fais mal à la tête!

— Très bien, chéri, dit doucement Dolly. (Elle baissa les yeux et prit une attitude d'humble martyre.) Donc, tu crois que l'homme qui est venu ici était un enquêteur du service du logement?

— Non, je ne le crois pas.

— Tout va bien alors. Sans doute s'occupe-t-il

seulement de placer des abonnements à un magazine illustré.

Henry gémit :

— Ne recommençons pas toute l'histoire. Sais-tu ce que je pense? Je pense que ce que nous avons de mieux à faire, c'est de nous marier.

Avec un joli sourire, elle s'approcha de lui, lui glissa un bras autour de la taille et posa sa joue contre la poitrine du garçon :

— Peut-être n'y penses-tu pas, mais cela pourrait venir admirablement à point! Une femme ne peut témoigner contre son mari.

Il sursauta.

— Témoigner? Mais il n'y a à témoigner à propos de rien! Quelle idée!

— Je sais, chéri. Et tu le sais. Mais eux? Peut-être qu'ils ne le savent pas.

— Oh! fit-il avec lassitude.

Dolly soupira :

— Je t'aime, Henry, et je sais que tu es innocent. Mais une fille doit y regarder à deux fois. Avoue que ce serait une assez curieuse idée que d'épouser quelqu'un en toute hâte parce qu'un détective s'inquiète de lui! Allons nous coucher, et tu me questionneras tant que tu voudras.

Pendant longtemps ils ne purent dormir. Henry était couché, avec elle dans ses bras, et ils repassaient des détails de la visite du détective, et Dolly remuait de nouveau tous les maillons de la chaîne qui l'amenait à conclure que son visiteur appartenait au F.B.I. et que le caporal était responsable.

Elle avertit Henry :

— Ecoute, ne laisse rien deviner au caporal! Ne lui dis rien, ni à lui ni à personne. Ne parle pas du dick. Ça le mettrait sur ses gardes. Sois tout naturel, pareil à toi-même.

Il promit. Son esprit n'était qu'un tourbillon de soupçons qui ne voulaient pas s'apaiser, et il s'y mêlait l'angoisse de ce que l'armée pourrait faire si le détective fournissait un rapport sur sa vie maritale avec Dolly.

— Oui, c'est peut-être un moment drôlement choisi pour te demander de m'épouser. Peut-être vaut-il mieux attendre que tout ça soit tiré au clair. Mais je n'ai rien fait de mal. Je n'ai rien à redouter. Nous avons tenté l'expérience et nous nous entendons très bien.

— Ce serait parfait, Henry, fit-elle en lui posant un baiser sur les lèvres. Alors tu pourrais rentrer chaque soir à la maison, comme l'a dit l'homme du F.B.I. Je ne sais que faire de moi, ici, quand tu n'es pas là. J'en deviens malade. Ça m'écœure. On doit avoir une raison de vivre, tu comprends. On ne peut pas vivre que pour le sexe.

-:-

Henry avait un solide cafard le lendemain matin en reprenant son travail, et le caporal Tyce s'en aperçut immédiatement. Il était lui-même nerveux et d'humeur déplaisante. Par-dessus le coin d'un avion de chasse qu'ils vérifiaient et préparaient, il lui lança :

— Quittez cette gueule d'enterrement avant que je vomisse mon déjeuner !

— Vous pourriez vomir chaque fois que vous regardez un miroir, grommela le deuxième classe Smith.

Depuis que, les brûlures de ses mains guéries, il était rentré de l'hôpital, il avait la vie particulièrement dure avec Tyce. Les histoires de femmes de Tyce devenaient plus rares, et ces histoires avaient toujours signifié que le caporal était de bonne humeur. Il passait plus de temps à contrôler le travail d'Henry, à le critiquer, le regardant d'un air soupçonneux qu'Henry attribuait au ressentiment ou à l'envie à propos d'un avancement possible. Mais l'habitude nouvelle de Tyce de l'appeler « héros » lui portait cruellement sur les nerfs.

— Dites donc, il ne faudrait pas faire le malin, avertit Tyce en faisant tournoyer une clef anglaise dans sa main, ou je vais vous sauter dessus !

— Sautez quand vous voudrez ! dit Henry en haussant les épaules.

C'était la forme de conversation courante entre eux, et elle le rassura plutôt. Les soupçons qu'avait édifiés en lui Dolly perdaient de leur force tandis qu'il revoyait le caporal en chair, avec son ricanement familier et qu'il retrouvait son habituel langage vexant. Tyce n'était qu'un type mesquin, au parler désagréable.

Henry vérifia de près le train d'atterrissage comme il le faisait toujours, car ces petits appareils prenaient le sol avec une vitesse qui lui coupait le souffle, lorsqu'il pensait que le moindre manquement des roues pouvait leur arracher le ventre et envoyer le pilote rejoindre ses ancêtres. Il vérifia la pression des pneus et ajouta deux litres d'air à l'un. En relevant les yeux, il vit le caporal qui le considérait par-dessus le bord de la carlingue avec un air de patience exaspérée :

— O. K. ! héros ! dit Tyce. Prenez votre temps. Réfléchissez. Et, quand vous aurez fini, venez par ici.

Le caporal disparut dans le fuselage.

— Vérifiez les commandes du gouvernail.

Henry obéit.

— Ça va ?

— Ça va. Maintenant les commandes de montée. O. K. ! Ce bébé-ci part pour Rand Field, Smitty. Remplissez le réservoir et mettez cinquante litres en extra.

— Il est plein, dit patiemment Henry.

Le caporal rampa hors de la carlingue, et ils mirent pied à terre.

— Contrôlez et recontrôlez encore, et puis recommencez, c'est ce que le colonel veut pour le moment.

Tyce regardait le train d'atterrissage lorsque le

sergent du service technique responsable des équipes au sol vint prendre livraison de l'appareil. Tyce mit le contact afin de chauffer le moteur.

Le lieutenant Larry Thomas parut au coin du hangar, en vêtements de vol, les lunettes relevées sur le front et le paquet du parachute dansant le long de ses jambes. Il portait les vêtements mêmes que Smith avait tant espéré porter pendant cette guerre. C'était un plus bel officier que jamais le visage d'Henry ne lui permettrait d'être : il avait exactement l'air que doit avoir un officier pilote.

Henry le regardait avec admiration et se mit au garde-à-vous en même temps que Tyce. Tous deux saluèrent ensemble, la main du lieutenant Thomas leur répondit correctement.

— Tout est prêt?

— Oui, monsieur, dit le caporal.

— Hello, Smith! (Larry souriait avec cordialité.) Votre ami le lieutenant Waller me dit toujours de vous donner son bon souvenir. Il reviendra sur le terrain un de ces jours.

— Merci, monsieur, dit Henry, empourpré de joie.

Larry Thomas grimpa dans l'avion et accrocha sa ceinture. Le moteur se mit à gronder, s'échauffant pour la pause avant l'envol, cette pause pendant laquelle le pilote vérifie son tableau de bord et ses commandes et s'installe. Une main s'agita par-dessus la carlingue.

Henry et Tyce agitèrent la main à leur tour en souriant. Avec un vent qui plaquait leur salopette contre leur corps, l'appareil de chasse, compact et ramassé, glissa lentement le long de la piste en ciment, sentit le vent comme un chien et prit progressivement de la vitesse. A la moitié de la piste, il décolla, s'éleva et grimpa et diminua dans l'espace, et bientôt il n'y eut plus qu'un point dans le ciel, et puis plus rien de visible.

Alors le caporal Tyce secoua les épaules et dit à Smith :

— Jésus ! Il me fait froid dans le dos.

— Qui vous fait froid dans le dos?

— Ça ne fait pas longtemps que sa mise à pied est finie. Deux ou trois jours.

— C'est un pilote. Et un vrai, un bon. Et c'est un chic type. Je le connais bien et je connais son frère. Et je connais aussi sa femme.

— Tout ça en fait évidemment un Jimmy Doolit- tle (1). Seulement, voilà ! dit le caporal, nous, nous sommes l'équipe au sol !

— Ce qui veut dire quoi? s'enquit Henry. (Un soupçon le transperça.) Qu'est-ce que vous racon- tez, caporal?

— Vous ne parlez pas comme un copain, fit Tyce, après un long regard scrutateur. Je sais que je vous en fais voir dans le travail, Smitty. Mais il le faut. Et, quand nous travaillons sur un bébé de ce genre, un pur-sang plein de nerf, j'aime le voir monter l'escalier avec un type qui n'a jamais besoin d'être mis à pied. Quelque chose à redire à ça?

— Non, répondit Henry d'une voix mal satis- faite. Il n'y a pas de quoi avoir froid dans le dos à propos de lui.

Tyce retourna vers le hangar en grognant :

— Vous êtes bien nerveux ce matin, Smitty. Je suis sorti avant vous de beaucoup de lits et je comprends ce qu'il y a. Je sais ce qui est arrivé à mon vieux copain. Tous ces temps-ci, vous êtes à peu près aussi agile qu'une huître. Vous vous bala- dez en riant tout seul et les yeux bouffis. Où l'avez- vous dégottée, Smitty?

<hr />

(1) Le général Jimmy Doolittle, un des héros nationaux américains de la dernière guerre : s'est couvert de gloire comme commandant d'un raid audacieux sur Tokyo le 18 avril 1942. Les Américains commandés par lui se sont envolés d'un porte-avions, ont atteint le Japon, lâché leurs bombes sur Tokyo, puis, n'ayant plus assez d'essence, ont para- chuté autant que possible à proximité des lignes alliées — chinoises en l'occurrence; la plupart ont réussi à rejoindre les Chinois. Ce fut un exploit héroïque, vu le peu de chances d'en sortir, et l'expédition s'est faite uniquement sur les bases du volontariat, autrement dit cha- cun des membres de l'équipage était un volontaire.

— Dégotté qui?

— Vous ne savez pas ce dont je parle? questionna Tyce avec une joyeuse agitation. Je parle de la petite dame qui vous rend fort et qui vous rend faible. Où l'avez-vous dégottée?

— Fermez votre bouche dégoûtante! fit Henry. Ne parlez pas de cela!

— Jésus! Amoureux! Déjà! murmura Tyce. Vous feriez mieux de me présenter, copain. Vous n'êtes pas capable de distinguer une poule d'une dame!

— Je vous ai dit de la boucler! répéta Smith.

— Tout de même, vous êtes un type sérieux. Vous êtes un chic type sérieux, précisa le caporal. Vous pourriez être salement pris. Dites-lui d'amener une amie, et nous sortirons ensemble.

Henry le regarda, les yeux mi-clos.

Tyce, abandonnant la note de moquerie et de taquinerie, le dévisageait avec toutes les apparences d'une inquiétude amicale et véritable :

— Ecoutez, gosse, vous ne pouvez pas savoir. Mais moi j'ai beaucoup roulé. Je jugerai tout de suite. Vous, vous ne sauriez pas à qui vous avez affaire si vous regardiez pendant dix ans.

Henry l'envoya valser contre le mur du hangar. Tyce se ramassa, le sang coulant de son nez, le visage illuminé d'un sourire étrangement satisfait.

— Mon copain. Assaillir un officier supérieur! Mon copain!

Il glissa promptement de côté, et Henry recula, trébuchant, un vigoureux coup de poing sous l'œil.

— Mon copain!

Et la lèvre d'Henry, coupée, saignait.

Alors Henry chargea et saisit l'autre à pleins bras, et la tête de Tyce résonna contre le mur, et Tyce glissa sur le sol, échappant aux mains d'Henry.

— Ça va mieux! fit-il, un instant après, en secouant la tête.

Il arracha de sa poche une lourde clef anglaise,

et, dans le mouvement, un morceau de métal brillant, sortant de la même poche, vola en l'air et retomba en cliquetant sur le ciment. Henry l'attrapa d'un élan et le regarda, horrifié, dans sa main. C'était un boulon d'assemblage de queue destiné à fixer un câble de commande. Mais l'avion du lieutenant Thomas avait grimpé, appuyé sur ses ailerons.

Un coup de clef anglaise sur son poignet lui fit voler le boulon hors de la main. Et Henry leva son coude, parce que la clef lui descendait sur la tête.

22

— MAJOR Thomas !

La voix du colonel Flynn, par le téléphone, ressemblait à un aboiement impatient.

— Je suis ici, dans votre salle d'urgence, avec un de mes mécanos. J'ai besoin de vous tout de suite.

Craig, à toute allure, fila par les corridors. Au bruit de ses talons, le colonel Flynn parut sur le seuil et l'entraîna d'une seule haleine vers un brancard où le soldat de deuxième classe Henry Smith était étendu, pâle et la tête ensanglantée.

— Ce petit a été descendu dans une rixe. Le caporal essayait de le tuer à coups de clef anglaise. Thomas, il faut absolument et immédiatement que je connaisse le motif de cette bataille.

Craig regarda le jeune homme qui avait sauvé

Chuck Waller. Avec soulagement, il diagnostiqua une simple commotion.

— Il reviendra sans doute à lui d'ici un quart d'heure, colonel.

Le colonel Flynn le prit à part :

— Ne pourriez-vous activer les choses? Le caporal dit qu'ils se sont battus à propos d'une fille. On lui passe un troisième degré en ce moment. Mais j'ai besoin de savoir, et vite.

Il hésita quelques secondes, puis acheva :

— Un avion qu'ils avaient vérifié est en l'air...

Craig eut un rapide regard vers son chef, puis appela le sergent, immobile et attentif à quelques pas :

— Seringue et métrazol, sergent.

— Il se peut que ce soit une fausse alarme, dit le colonel, et j'espère que c'en est une. Mais votre frère est à bord de l'appareil qu'il emmène à Rand Field. Tout va peut-être très bien. Mais peut-être aussi que cela va mal. Ramenez ce garçon à la conscience. N'importe comment, pourvu que ça ne risque pas de le tuer.

— Larry?

Pareilles à un vol d'oiseaux effarouchés, les questions se pressaient dans l'esprit de Craig, mais le sombre visage de son chef lui interdisait d'en poser aucune. Il prit, sur la table où des médicaments étaient rangés, un flacon d'ammoniaque qu'il déboucha et renversa sur un tampon de gaze. Leurs yeux picotèrent et se remplirent d'eau. Mais la gaze, appliquée sous les narines d'Henry Smith, n'éveilla aucune réaction.

— Il est parti trop loin pour cela !

Et Craig aspira dans une seringue le contenu de l'ampoule que le sergent venait d'apporter. Il travaillait vite et avec précision comme à son ordinaire, mais pourtant sa main tremblait. Il se contraignit à parler avec calme :

— Ceci ne saurait le tuer. Le métrazol est employé pour ramener les gens d'une anesthésie com-

plète profonde. Et l'état de ce garçon correspond...
Cela peut réussir...

Insérant l'aiguille dans une veine, il y fit passer
le contenu de la seringue, puis, à côté de l'officier
aux cheveux gris, penché sur le garçon, il attendit
les effets de ce puissant stimulant du centre cer-
vical.

— Voilà...

Henry Smith ouvrit les yeux avec un froncement de sourcils incertain, roulant sa tête de gauche à droite, puis fixant le plafond de ses yeux exor-
bités. Craig avança la tête dans sa ligne de vision :

— Major Thomas ! s'écria Smith.

Le visage du colonel remplaça celui de Craig.

— Vous me reconnaissez, fils ?

— Le colonel, monsieur. Le colonel Flynn.

Henry passa la main sur son crâne endommagé
et se souleva à demi dans son lit; d'une main
ferme, Thomas le fit s'allonger de nouveau.

— Pourquoi vous êtes-vous battus, fils, vous et
le caporal ?

— Battus, monsieur ? (Ses yeux se rétrécirent,
se mettant au point sur la figure du colonel.) Oui,
monsieur. Mon amie, monsieur. Je lui ai envoyé
mon poing dans la figure, je n'ai vraiment pas pu
m'en empêcher, monsieur.

Le colonel se redressa pour dire :

— C'est un soulagement, que diable ! Thomas,
avec votre frère dans l'avion. Mais... je vous
raconterai cela plus tard.

— Colonel, lança Henry subitement redressé,
pourquoi donc pouvait-il bien avoir un boulon de
l'assemblage de queue ?

— Quoi ? Il y en avait un ? Où ?

— Dans sa poche, monsieur. Mais l'avion volait
bien. Il a fait sauter le boulon de ma main.

— Attendez ici ! jeta le colonel à Craig, puis s'en
fut au téléphone.

Quand il revint, son allure avait repris du res-
sort et son visage était empreint d'une sombre joie.

— Ne voulez-vous pas venir avec moi à la chambre de radio, major Thomas? J'ai donné l'ordre d'avertir votre frère qu'il descende sur le terrain le plus proche. On l'alerte à propos de ce boulon de queue. Qu'il saute au premier signe de déréglage. Il y a dix minutes, il a signalé que tout allait bien à bord. En ce moment même, on l'appelle encore.

Dehors, une jeep attendait, et le chauffeur appuya sur le démarreur en les voyant descendre les marches du perron. Le colonel s'installa à l'arrière, grimpant avec toute l'agilité de ses longues jambes.

— Penser qu'un de mes propres hommes a pu commettre un acte pareil, Thomas! Un de mes propres damnés bonshommes! Vous savez la besogne que vous avez accomplie sur Waller? L'avion de Waller avait un boulon défectueux à la commande de montée. Nous n'avons rien dit. Nous avions eu une mauvaise chute déjà, l'avion qui a traversé le hangar. Il s'est trouvé trop émietté, mais je voudrais, oh! comme je voudrais que nous ayons encore ces miettes! Le caporal avait travaillé sur l'avion de Waller. Pas sur l'autre. Mais il a pu trouver une occasion de faire... la chose... L'infect, le dégoûtant fils de chienne!

— On parlera de lui plus tard, fit sèchement Thomas. Mais Larry? Croyez-vous qu'il va s'écraser comme Chuck Waller?

— Excusez-moi, Thomas, dit le colonel. Je suis tout bouleversé par cette histoire. Votre frère doit s'en être tiré sain et sauf. Dieu veuille qu'il le soit. Le diable, c'est qu'il y a des trous d'air. Une secousse imprévue, une acrobatie. Mais il n'a aucun motif de se livrer à une quelconque acrobatie. On l'a averti tout de suite. Aussi ne vous inquiétez pas. Il sera en sécurité au sol quand nous arriverons, ou tout de suite après. Et ce soldat, Thomas? Vous l'en tirerez? Nous aurons besoin de lui, de son témoignage.

— Il sera d'aplomb dans peu de jours.

La jeep roulait déjà sur des avenues carrossables de l'aérodrome.

— Waller, continuait le colonel, Waller s'est écrasé parce qu'un boulon a sauté. Il l'ignore naturellement : il n'a plus eu le contrôle de l'appareil, c'est tout ce qu'il sait. Nous avons envoyé le boulon au fournisseur qui a nié formellement l'avoir fabriqué. Ce n'était même pas l'acier dont il se sert. Fendu de part en part. Prêt à céder à la moindre secousse. Nous avons contrôlé chacune des opérations faites sur cet avion; nous n'en avons pas eu pour longtemps, il était flambant neuf. Sabotage, Thomas. Nous avons mis les équipes au sol en observation. Nous avons minutieusement vérifié le contenu de tous les coffres de pièces détachées. Il n'y a aucun moyen sur cette terre du Seigneur pour que ce caporal ait eu ce boulon en sa possession, à moins qu'il n'ait enlevé le boulon original et qu'il n'en ait mis un autre — défectueux — à sa place. Nous lui arracherons les deux bras s'il le faut, mais il s'expliquera.

Lorsqu'ils pénétrèrent dans la chambre de radio, un capitaine les salua, très grave, et fit son rapport :

— Nous n'avons pas pu entrer en contact avec lui jusqu'à présent, monsieur. Il a signalé son passage à Stanville il y a trente-cinq minutes.

— Essayez encore. Comment est le temps après Stanville?

— Coups de vent et averses, monsieur.

Le colonel jura :

— Avez-vous donné à Rand des instructions pour qu'il appelle de son côté?

— Oui, monsieur.

De l'autre côté de la pièce, assis à un énorme tableau de bord, un sergent, casque aux oreilles, répétait sans interruption devant un micro :

— On appelle le lieutenant Thomas. L'aérodrome de Minafer appelle le lieutenant Thomas.

— D'ici dix minutes, faites chauffer quatre bombardiers. Faites-y monter des observateurs et qu'ils suivent tout le parcours.

Il se détourna un moment pour poser la main sur l'épaule de Craig.

— Il est trop tôt pour s'inquiéter, Thomas, dit-il, bien que son propre visage fût blême. Il peut avoir coupé sa radio. Et, s'il a dû quitter son appareil, il se peut qu'il lui faille des heures pour atteindre un téléphone. Tout cela dépend de bien des choses. Bien entendu, restez ici. Voulez-vous vous installer dans mon bureau? Excusez-moi, j'aimerais savoir où ils en sont avec le caporal.

— J'attendrai ici, dit Craig.

De l'autre côté de la pièce, l'opérateur continuait de parler d'une voix basse et péremptoire, comme un opérateur de la police donnant le numéro et le signalement d'une voiture suspecte. Et du haut-parleur sortaient des craquements et un vacarme de parasites. La tête et les oreilles de Craig bourdonnaient de son vain effort pour essayer d'y retrouver quelque son intelligible. Il demeurait sévère et glacé, tremblant à l'idée de devoir téléphoner une catastrophe à Joan : il décida de ne pas téléphoner encore. Pas avant d'avoir une information précise à lui donner.

Le colonel Flynn revint dans la chambre, et le capitaine l'informa :

— Pas pu prendre contact, monsieur. Rand n'est pas avisé de sa venue. L'avion a du retard sur son horaire.

— Faites partir les bombardiers dans cinq minutes, dit le colonel, ajoutant d'une voix calme, à l'adresse de Craig : Nous allons commencer les recherches. A toute éventualité. Il y a un marais couvert de mangliers tout le long de ce trajet. Votre frère peut avoir fait un atterrissage forcé qui a mis sa radio hors d'état. Il peut avoir été obligé de sauter en parachute sans avoir le temps d'avertir. C'est ça le fichu côté des choses, une fois qu'un avion est perdu de vue, major; des centaines d'éventualités peuvent se présenter, dont une seule est vraiment mauvaise.

— Dans un avion saboté? fit Craig très doucement.

— J'avoue que ça, c'est ce qui m'ennuie le plus : je n'aime pas du tout ça. Le caporal résiste toujours. Histoire de filles, soutient-il. Ils sont en train de lui donner le regret d'en avoir jamais connu.

— Puisque Larry est en retard sur son horaire, je vais téléphoner.

Il énonça le numéro de Joan d'une voix lasse et morne.

— Hello ! Hello, Craig ! fit-elle aussitôt avec sa plaisante chaleur d'intonation qui lui coupait le souffle et le laissait palpitant. Quelle heureuse surprise? Qu'est-ce qui me la vaut?

— Pouvez-vous me rejoindre à l'aérodrome, dans le bureau de radio, Joan?

— Pas Larry? Qu'y a-t-il?

— Rien de précis encore. Sans doute a-t-il dû faire un atterrissage forcé. Nous attendons des nouvelles.

— Il conduisait un avion à Rand Field. Est-il parti?

— Oui. Il a un peu de retard sur l'horaire.

— Mais si l'on vous a appelé, Craig... J'arrive tout de suite...

Craig attendait hors du bureau de radio, un vide douloureux à la place du cœur, l'arrivée de la voiture. Il se demandait si des heures d'inquiétude étaient à prévoir pour Joan. Un avion pouvait disparaître totalement dans l'épaisseur de la jungle des mangliers. Il pouvait s'enliser dans la boue. Il pouvait même être caché à la vue dans les pinèdes désertes.

L'air s'emplissait du bruit de moteurs ronflants. L'un après l'autre, les quatre bombardiers s'élevèrent et encerclèrent l'aérodrome. Ils dessinèrent dans le ciel un vaste éventail qui se resserrait sur

Rand, grands vautours dont l'œil fouillait la terre à la recherche d'un signe de mort.

Des pensées envahirent Craig qui lui firent monter le rouge au visage. Elles le pressaient avec insistance, le laissant muet de honte et tout tremblant d'un sentiment de culpabilité. Mais un homme amoureux peut haïr n'importe quel homme, fût-ce son propre frère, surtout son propre frère. Il voyait en esprit Larry, tout hilare de son aventure, revenir vers Joan, plastronnant comme un jeune coq, et le plastronnement de jeune coq et l'hilarité de Larry formaient une vision détestable. Il voyait en esprit Larry étendu, mort, et son cœur en était malade. Il voyait en esprit de pires possibilités, Larry pantin broyé, « durant » entre la vie et la mort.

Bien qu'il eût redouté cette rencontre avec Joan, il fut soulagé de la voir paraître et que sa venue l'arrachât au bouillonnement d'imagination qui le troublait. Il espérait qu'elle aurait besoin de lui. Le coupé patina, s'arrêta, et elle descendit en courant vers lui, avec un regard rapide et chercheur, un sourire anxieux. Craig eut l'impression soudaine qu'elle était plus préoccupée de lui que d'elle-même ou de Larry.

Parce qu'il avait tellement espéré la soutenir et la réconforter, il fut surpris de la fermeté de son pas. Elle lui avait pris la main et la garda en entrant dans le bureau de radio.

— Craig, pas de nouvelles encore?

— Pas de nouvelles.

Le colonel Flynn vint à leur rencontre et, avec une gravité paternelle et rassurante, quelles que fussent au fond ses pensées, il s'inclina sur la main de la jeune femme :

— Nous n'avons pas de nouvelles encore, Mrs Thomas, mais les parachutes choisissent toujours de fichus endroits pour y descendre et les atterrissages forcés sont rarement plus favorables.

L'attente peut être longue. Où pouvons-nous vous installer pour que vous soyez à votre aise?

— J'attendrai dehors, merci, colonel.

Elle et Craig gagnèrent silencieusement la voiture, s'y installèrent et, allumant des cigarettes, regardèrent le ciel à travers le pare-brise :

— Larry n'aura pas sauté en parachute, dit-elle. Pas s'il avait la moindre chance de sauver l'appareil. Il aura essayé jusqu'au dernier moment. Je sais cela de toute certitude.

— Il y a de bonnes chances pour qu'il soit en route pour tenter de trouver un téléphone.

— Il était trop heureux de conduire à Rand Field cet avion rapide. Il devait rentrer ce soir dans un bombardier.

Elle frissonna et serra fébrilement la main de son voisin.

— N'en faisons pas encore un cas désespéré, il n'y a aucune raison.

— Pauvre Craig! (Elle avait les yeux humides.) Vous êtes toujours si brave. Vous avez toujours tant de vies entre les mains. Je ne sais pas comment être brave. Je ne sais pas comment attendre.

Il dit d'une voix déterminée :

— Il y a quantité de broussailles de mangliers sur le parcours, quantité de terrains marécageux. Peut-être faudra-t-il longtemps pour en sortir.

Un lieutenant vint à la portière de la voiture et salua, évitant de rencontrer le regard de Joan :

— Major Thomas, voulez-vous venir? Le colonel Flynn désire vous parler.

— Je reviens tout de suite, Joan, dit Craig.

— Oui, répondit-elle, les deux mains serrées sur le volant, et, blême d'angoisse, le regarda s'éloigner.

Le colonel Flynn hocha gravement la tête et prit Thomas à part. Le vieil officier avait un visage défait, mais ses yeux étaient semblables à ceux d'un faucon.

— Nous ne savons pas encore l'étendue du malheur, major, nous serons fixés bientôt. L'avion est au sol, dans la vase et les mangliers. Salement déchiqueté. Il n'a pas pris feu, Dieu merci. C'est un avion de Rand qui l'a repéré. Ils ont pu atterrir à moins d'un kilomètre. Ils y vont en ce moment.

— Où est-ce?

— A soixante-quinze kilomètres de Rand. D'en haut, aucune trace du pilote. Il y a encore une chance qu'il ait pu se libérer et sauter.

— S'ils trouvent mon frère encore vivant, colonel... A-t-on envoyé une ambulance?

— Rand en envoie une. Elle pourra passer jusqu'à moins d'un kilomètre de l'épave.

— Merci.

-:-

Ils attendirent longtemps, l'un à côté de l'autre, dans la voiture. Mains jointes, ils fumèrent des cigarettes en silence, après que Craig l'eut mise au courant, qu'elle eut demandé : « Il n'y a pas de moyen de nous y rendre? » et qu'il eut répondu : « Non ».

Les hommes allaient peiner longuement, lentement, parmi les bancs de vase, les fondrières, les embarras de branches d'un marais couvert de mangliers. Ils iraient beaucoup plus lentement encore et beaucoup plus péniblement lorsqu'ils auraient le poids encombrant d'un brancard.

Enfin le lieutenant reparut et, toujours évitant avec gêne de rencontrer le regard de Joan, pria Craig de rejoindre le colonel.

— Ils sont à l'avion, dit le chef à Craig. Deux autres avions planent au-dessus. Ceux d'en bas ont signalé que votre frère est en vie. Remercions Dieu pour cela, Thomas. Nous ignorons encore l'étendue du mal. Mais il est vivant. Ils ont commencé à le transporter. Ils sont dans un terrible pétrin, et cela paraît devoir être une tâche difficile et longue. Ils l'emportent, à ce que je crois comprendre, sur un morceau d'aile. Je ne puis vous dire à quel point je suis navré que ce soit votre frère, major.

— Dans combien de temps pouvons-nous être à Rand Field, monsieur?

— Un bombardier sera prêt dans une demi-heure. Vous pouvez arriver à l'aérodrome en même temps que votre frère.

— Merci, dit Craig. (Il avait envie de gémir et de se lamenter en pensant au transport long et laborieux, sur un brancard de fortune porté par des hommes trébuchant dans la vase et contre les lianes.) Nous serons prêts.

Le colonel Flynn lui serra la main.

— Bonne chance, Thomas! Toute la meilleure chance du monde!...

Craig s'éloigna. L'avion était déchiqueté. Il était donc probable que Larry était plus que déchiqueté. Et l'hôpital de Rand Field était petit et dépourvu d'outillage complet.

Joan, debout près de la voiture, se hâta vers lui avec, sur le visage, toujours ce même calme et cette même pâleur.

— Larry est vivant, dit-il. On l'emporte hors du marais. Nous ne savons pas à quel point il est blessé. Nous partons pour Rand Field dans un bombardier d'ici une demi-heure. Asseyez-vous et attendez, Joan; je vais téléphoner.

Il désirait se faire apporter un outillage complet pour les opérations osseuses et neurologiques et téléphona la liste à Paul Blount, tâchant de n'oublier aucune des sombres perspectives qui pouvaient se présenter. Il pensa même à des feuilles de tantalum, ce nouvel élément plastique et non irritant qui pouvait être modelé à la forme voulue et remplacer au besoin des morceaux d'os. Quand il eut fini son énumération, il avait prévu de quoi réduire une fracture, faire une résection intestinale ou bien ouvrir un crâne écrasé.

— Je vais apporter le tout moi-même, dit Blount. Je suis bien désolé, Craig! Je serai là.

— Voulez-vous venir avec nous, Paul? Je puis avoir terriblement besoin de vous. Je vais me mettre d'accord avec le colonel Carter.

— Entendu. Je pars tout de suite.

Il arriva avec une lourde valise. Au moment où ils allaient prendre place dans l'avion, un messager vint leur annoncer que Larry et ses porteurs étaient en vue de l'ambulance. Ils s'installèrent du mieux qu'ils purent dans la carlingue qui n'était pas conçue pour le confort des passagers. Le pilote fit signe à l'équipe du sol, le ronflement des moteurs s'enfla, et soudainement le bruit cessa, né du contact frémissant entre les roues et le sol, tandis que les moteurs tonnants les enlevaient dans l'espace.

Joan et Craig, tête baissée, étaient assis, muets, plongés dans leurs pensées. Paul Blount les regarda l'un après l'autre : le visage immobile de Joan et les plis entre les yeux, le visage grisâtre, la bouche étroitement serrée de Craig, et il secoua tristement la tête.

Comme ils approchaient de Rand, leur appareil vira légèrement vers un avion planant en cercles. Equipage et passagers, les yeux mi-clos par la concentration, se penchèrent et regardèrent sous eux : parmi le vert riche et soutenu des mangliers, le noir brillant et gras de la vase, dans un endroit bouleversé, des débris étaient épars, comme des papiers jetés au hasard sur les buissons, et la carlingue de l'avion reposait au milieu, pareille à un coffret brisé.

23

A quelque vingt kilomètres de l'aérodrome, ils survolèrent l'ambulance, petite chose rampante sur le cordon blanc de la route et cachant dans son intérieur Larry ou l'épave qui restait de Larry. Un spasme les raidit et un même profond soupir leur échappa à tous trois.

Lorsqu'ils eurent mis pied à terre, un médecin militaire, portant les ailes et le caducée, s'approcha en saluant :

— Major Thomas? Je suis le capitaine Seasons.

Craig présenta Joan et Blount :

— Nous avons vu de haut l'ambulance, capitaine. Elle sera ici avant longtemps. Avez-vous quelques précisions sur l'état de mon frère?

— Non, monsieur, dit Seasons avec une inquiète sollicitude.

C'était un petit homme blond et rose, qui, dans l'armée, gardait un peu les manières du médecin civil au chevet du malade et se montra tout de suite plein d'attentions pour Joan.

— Vous plairait-il d'attendre dans mon bureau? Ce serait plus confortable...

— Merci, capitaine, nous attendrons plutôt dehors.

Craig était content que Paul et lui fussent venus pour s'occuper de Larry.

— J'ai apporté quelques instruments au cas où

vous seriez légèrement à court de matériel, dit-il au capitaine Seasons.

— Excellente idée, monsieur. Notre hôpital n'est guère important. La plupart des cas graves sont envoyés dans les grands centres. Si vous voulez m'excuser, major Thomas, je vais aller à la salle des urgences et m'assurer que tout est prêt.

Craig acquiesça d'un signe brusque, soulagé de voir la conversation s'arrêter et de pouvoir s'occuper de Joan. Elle était debout à côté de lui, aussi près de lui que possible, calme et retenue, mais trahie par la main qui serrait celle de Craig et remontait nerveusement à son bras pour redescendre à sa main. Craig la sentait intérieurement toute frémissante et ne comptant que sur lui comme appui. La délicatesse de ses traits, la minceur de sa vigoureuse silhouette l'émouvaient extrêmement. Ils se tenaient l'un près de l'autre, isolés de tout ce qui n'était pas eux, enfermés ensemble dans un monde qu'ils peuplaient seuls. Deux humains liés l'un à l'autre par des liens de sympathie et de douleur. Il sentait la chaleur qui s'échappait d'elle, l'enveloppait aussi étroitement que les doigts fiévreux enveloppaient sa main.

— Joan, dit-il doucement, espérant l'apaiser et la fortifier.

Mais sa voix contenait bien des choses.

Joan répondit simplement :

— Craig...

Fumant cigarette sur cigarette, Paul Blount marchait de long en large.

Enfin la lamentation d'une sirène perça l'air, s'affirma, et l'ambulance roula vers eux, s'arrêtant devant l'entrée de la salle des urgences. Le chauffeur et le soldat engagé assis près de lui sautèrent promptement à terre, ouvrirent les portes, et le jeune officier médecin installé à l'intérieur, près du blessé, descendit presque aussi vite. Leur aisance, leur rapidité firent comprendre à Craig que Larry était en vie.

— Comment est-il?

— Très mauvaise plaie au crâne, monsieur, mais vivant.

Sitôt le brancard déposé à terre, Craig se pencha pour prendre le poignet de Larry, sous les couvertures qui l'enserraient entièrement. Seul son visage, entouré de pansements, était visible. Son nez audacieux, sa bouche au dessin ferme, au retroussis presque cruel, étaient de pierre grise. Seule, la tache rouge du sang sur une bande de gaze indiquait que la forme étendue était celle d'un être vivant. Tous les regards étaient fixés sur Craig, toutes les voix étaient muettes, tandis qu'il ne quittait pas des yeux son chronomètre et comptait les pulsations. Enfin il releva la tête :

— Pression sanguine extrêmement faible. Pulsations à peine perceptibles. L'avez-vous trouvé dans le coma?

— A tel point que j'ai un instant envisagé de lui faire une infusion de plasma immédiate. A la réflexion, il m'a paru que le plus sage était de l'amener ici avec le minimum de délai.

— Vous avez eu raison, dit Craig au jeune médecin militaire.

C'était, en effet, une preuve de sagesse et de jugement, car, à l'hôpital, l'hémorragie allait être compensée grâce à une injection d'adrénaline, ce produit d'une petite glande située au-dessus du rein qui a sauvé bien des existences déjà dans des cas de prostration grave.

— Avant de l'examiner à fond, je vais lui donner du plasma et de l'adrénaline. L'hémorragie est-elle à peu près arrêtée?

— Depuis une demi-heure, elle ne s'est pas étendue sur le pansement, répondit le médecin, qui ajouta, tandis que les aides roulaient le brancard dans la salle des urgences :

— L'os occipital est assez péniblement écrasé.

— Fracture compliquée?

— Oui, extrêmement.

Craig pâlit. Une plaie compliquée à la base du crâne, brisant les os comme une coquille d'œuf, déchirant la matière cervicale, c'était une lésion terrible; peu de gens survivaient aux effets immédiats d'un traumatisme de cette sorte. Il n'y avait guère d'espoir vraiment pour quiconque se trouvait ainsi atteint.

— Ils ont eu un mal incroyable à le retirer du marécage, expliquait le jeune officier. Jamais je n'ai vu d'endroit pareil!

S'adressant au capitaine Seasons, qui venait à sa rencontre dans la salle des urgences, Craig décida :

— Nous allons tout de suite tenter de l'arracher à cette prostration, et j'examinerai la plaie lorsque l'état général se sera légèrement amélioré.

Tandis que le capitaine Seasons s'occupait du plasma et de l'adrénaline, Blount et Craig s'employèrent à transférer Larry du brancard sur le lit, le déplaçant avec des précautions infinies, bien qu'il eût déjà été traîné à travers vase et branchages. Tout aussitôt, ils installèrent au-dessus de lui un cadre portant de nombreuses ampoules électriques, branchèrent l'allumage et recouvrirent l'ensemble d'une couverture qui transforma le cadre en une sorte de tente où toute la chaleur se concentrait sur le corps étendu, dilatant les vaisseaux sanguins, aidant ainsi le blessé à échapper au coma. Ils soulevèrent le pied du lit afin de renvoyer le plus possible de sang vers les organes vitaux : l'urgence ne leur permettait pas de se préoccuper des effets que pourrait avoir un afflux de sang dans un cerveau blessé, l'essentiel était de maintenir une circulation suffisante jusqu'au moment où, à l'aide du plasma, on rétablirait les chances de survie compromises par une hémorragie abondante.

Joan était debout, adossée au mur. Craig alla vers elle :

— Désirez-vous passer dans une autre pièce où vous pourrez vous asseoir?

— Non. Pas encore.

Le capitaine Seasons revenait avec un paquet de plasma desséché : cette matière, qui présentait l'apparence du sucre blond, avait coulé déjà dans les veines d'une personne vivante et, sous peu, allait couler dans celles d'un autre.

Blount et le capitaine Seasons préparèrent le mélange d'eau distillée et de plasma, et bientôt une solution fut formée qui avait l'apparence d'un sirop léger.

— Voulez-vous que l'adrénaline y soit jointe? s'enquit Blount.

Mais Craig secoua négativement la tête :

— Je vais la donner d'abord.

Sans enlever les vêtements du blessé, ce qui pourrait se faire plus tard, un temps précieux risquant d'être perdu en le dérangeant et en le fatiguant alors que d'autres choses étaient urgentes et vitales, il tira le bras droit de dessous les couvertures, remonta la manche et posa un garrot. Les veines étaient vides et plates. La saignée fut difficile à trouver. Lorsque Craig enfonça l'aiguille dans la peau blême et décolorée, Larry gémit et tourna la tête, et le visage de son frère s'éclaira, car c'était bon signe qu'il pût encore réagir au stimulant de la douleur. Le major remuait doucement l'aiguille, cherchant dans la profondeur des tissus le mol gonflement de la veine : s'il ne pouvait l'atteindre et qu'il fallût inciser, des minutes encore seraient perdues, irréparablement peut-être. Tout à coup, l'aiguille avança plus rapidement, comme si elle pénétrait dans une zone de moindre résistance : Craig n'eut pas besoin de voir le sang monter dans la seringue vide lorsqu'il tira le piston pour savoir qu'il avait enfin atteint la veine. Avec précaution, il dégagea de l'aiguille l'extrémité de la seringue et la remplaça par une autre, pleine d'adrénaline, qu'il fit couler jusqu'à la dernière goutte. Laissant toujours l'aiguille en place, il dégagea de nouveau la seringue vide et ajusta cette fois le bout d'un tube communiquant avec le flacon de plasma que le capitaine Seasons tenait tout prêt. Le liquide brunâtre commença de s'égoutter.

— Peut-être pourrons-nous, une fois l'injection terminée, risquer un examen complet, dit le major.

En attendant que tout le liquide eût passé du flacon dans les veines de Larry, le capitaine Seasons maintenait le tube et l'aiguille en place. Craig alla rejoindre Joan. Ce n'était jamais du temps perdu que celui employé à combattre la prostration due à l'hémorragie : les médecins le savent aujourd'hui, mais, il n'y a pas tant d'années encore, de nombreux malades ont été perdus parce que le chirurgien avait voulu opérer au plus vite, sans que le corps vidé de sang eût repris assez de résistance pour supporter, après le choc de la blessure, le choc opératoire.

— C'est horrible, Craig ! murmura Joan. Est-ce... très... grave ?

— Pour l'instant, je ne puis rien dire. Le choc est très grave, en tout cas. Il est impossible jusqu'à présent de se rendre compte du sang qu'il a perdu, mais ce n'est pas encore cela qui est le plus important. Ce qu'il y a de pis, c'est la commotion due à la chute et la localisation de la fracture.

— Donc, c'est très grave.

— Il est vivant, Joan. Nous ne pouvons rien dire de plus.

Puis, se tournant vers le jeune médecin militaire qui avait accompagné Larry :

— Quel est son groupe sanguin ?

— Groupe O, monsieur. Les donneurs ont été convoqués immédiatement. Ils doivent être arrivés.

— Bonne précaution, approuva le major. Nous aurons besoin de sang si nous opérons.

Il retourna près du lit, vérifia les pulsations, remit la main de Larry sous les couvertures et se redressa :

— Le pouls est meilleur déjà.

Joan vint à la tête du lit et regarda son mari : très pâle encore, il commençait toutefois à repren-

dre une apparence de vie. Mais, ne pouvant rester
là, elle retourna près du mur et regarda le
plasma s'écouler lentement jusqu'à ce que le flacon
fût tout à fait vide. Alors Craig retira l'aiguille,
posa le tensiomètre autour du bras de Larry, puis
lui plaça le stéthoscope sur la poitrine. Lorsqu'il
se redressa, dégageant de ses oreilles les pointes du
stéthoscope, il souriait :

— Ça l'a vraiment remonté ! Maintenant, Paul,
nous pourrons examiner la plaie.

Il alla jusqu'à Joan et, la prenant par le bras :

— Je crois, dit-il, que vous feriez mieux de sortir à présent.

— Vous croyez ? demanda-t-elle avec anxiété.

Mais il faisait déjà signe au capitaine Seasons
qui emmena la jeune femme hors de la pièce. Craig
se disait que c'était encore plus dur pour Joan que
pour lui-même.

Il coupa le pansement sur le front blême et, avec
l'aide de Blount, fit tourner sur le flanc le corps
inerte. Larry gémit, mais ses yeux ne s'ouvrirent
pas. Alors, comme on pèle un fruit, le chirurgien
enleva les paquets de pansement maintenus par des
bandes de gaze saturées de sang : ils étaient raides
et, à présent, de couleur chocolat.

Une grande blessure béante apparut. Coupé de
part en part, le cuir chevelu était rabattu en un
large pan et laissait à nu la surface blanche du
crâne, que traversaient de sombres craquelures en
zigzag. L'os était dénivelé, son contour aplati, on
eût dit un œuf partiellement défoncé. Craig releva
les yeux, mais ceux de Blount demeurèrent baissés,
les paupières voilant une expression de désespoir im-
puissant.

Se saisissant d'un instrument sur la table chirurgicale roulante, Craig tâta doucement la plaie :
elle était profonde, les os étaient descellés, ils bou-
geaient sous la plus légère pression, et l'on sentait,
mouvante au-dessous, la surface semi-fluide et
molle de la matière cervicale. L'instrument gratta

encore quelque chose, et Craig ramena d'une main l'ampoule qui pendait au-dessus du lit : la lumière vive lui permit de voir et de retirer un petit éclat de bois.

— Fracture terriblement compliquée, dit-il d'une voix morne.

— D'autres corps étrangers?

— Je ne sais pas. C'est bien probable. Mais je ne puis continuer l'exploration avant que nous soyons prêts. Voulez-vous faire l'examen neurologique? Je contrôlerai.

Ce fut un soulagement pour Blount que de se mettre au travail. Craig déciderait s'il y avait une chance de succès en cas d'opération ou s'il fallait attendre que la fin vînt sans chirurgie. Avec aussi, d'ailleurs, très probablement. Mais Craig était homme à prendre de grands risques en chirurgie s'il y avait le plus faible rayon d'espoir.

Avec l'ophtalmoscope, et braquant une torche électrique sur les pupilles de Larry, Blount pouvait voir, jusqu'au fond du globe oculaire, le rose vif de sa doublure intérieure, la rétine, le cours des vaisseaux sanguins, les extrémités du nerf optique, là où il pénétrait dans l'œil même. Il ne remarqua rien d'anormal, mais peut-être était-il trop tôt pour que la pression subie par le cerveau eût occasionné un changement visible.

Méthodiquement, il éprouva les nerfs craniens, les nerfs, conduits et ligaments qui pourvoyaient aux multiples besoins de la tête et des organes vitaux de la poitrine et de l'abdomen, par le moyen des deux nerfs vagues qui courent du crâne jusqu'au bas-ventre. Il vérifia les réflexes : coudes, genoux, chevilles, notant la réponse des muscles : plante des pieds et jeu des orteils, abdomen et contraction des muscles de la paroi.

Il n'y avait, toutefois, nul moyen de vérifier la réponse de Larry lui-même aux sensations, en dehors des gémissements qui lui avaient échappé à deux ou trois reprises, car il n'avait encore donné aucun signe de reprise de conscience.

— Rien de défini à signaler, dit enfin Blount. Le cerveau lui-même est troublé par le traumatisme. C'est tout. L'ensemble des réflexes est normal. Si seulement nous pouvions contrôler sa vision. Car cela...

Il laissa la phrase inachevée.

— Je sais, fit gravement Craig.

La partie blessée du cerveau était le lobe occipital qui gouverne l'une des fonctions les plus vitales : la vision. L'effet de la lumière sur la sensible rétine éveille une impulsion électrique qui, traversant le cerveau, aboutit à ce lobe occipital. La nature a ainsi arrangé les choses que le centre visuel se trouve placé à l'arrière, là où il est protégé, où les os sont épais, où il y a peu de risques pour qu'il ait à subir une forte pression. Mais la nature n'a pas compté avec la venue de l'automobile, puis de l'avion, n'a pas construit le corps humain en prévision des efforts considérables que les inventions mécaniques modernes lui imposent parfois.

Craig fit lui-même un rapide examen de contrôle et arriva aux même conclusions que Blount. Jusqu'à ce qu'ils aient pu soulever les os brisés, regarder au-dessous le cerveau blessé et apprécier l'étendue du dommage, ils ne pouvaient pas évaluer les conséquences de l'accident.

— Opéreriez-vous? demanda Craig.

Mais il n'y avait aucun doute dans sa voix.

— C'est la seule chance, répondit Paul. La plaie doit être nettoyée. Et il faudra toute l'efficacité des sulfamides pour éviter une infection... Il peut y avoir d'autres corps étrangers...

— C'est ce que je redoute. Pendant qu'ils préparent la salle d'opération, je vais faire une radioscopie.

Il donna des instructions au capitaine Seasons et prit Blount à part.

— Il se peut qu'il ne vive pas jusqu'au bout de l'opération, Paul.

Blount fit un mélancolique signe d'assentiment.

— Et, si Larry pouvait parler, peut-être refuserait-il de courir la chance de vivre.

Le jovial visage de Paul se marqua de chagrin :

— Vous ne pouvez rien attendre de bon de cette opération, Craig.

— Je sais. Mais nous devons la tenter. Il faut que j'aille auprès de Joan.

— Jésus ! gémit Paul.

Craig, qui s'éloignait déjà, revint vers lui :

— Quoi donc, Paul? Je n'ai pas entendu.

Soudainement bouleversé, Blount tendit sa large paume :

— Voilà bien longtemps que je vous suis et vous regarde, Craig. Tout ce que je puis dire, c'est que vous êtes un damné chic type de brave homme !

— Il faut que je retrouve Joan, dit Craig avec lassitude. Je suis content de vous avoir auprès de moi pour m'aider, Paul.

Les rayons X pourraient bien, pensait-il, révéler la présence de fragments de métal trop profondément sombrés dans la matière cervicale pour qu'on les en puisse extraire. Les chirurgiens, dans ce cas, ne pouvaient que les y laisser. Parfois les patients guérissaient. Mais, parfois, des convulsions se produisaient. Il lui fallait expliquer à Joan à quel point les choses pouvaient devenir graves, afin qu'elle fût préparée, quoi qu'il advînt.

Il la trouva dans le porche, appuyée contre un montant.

— Oui, Craig? Est-ce très mauvais?

— Je fais faire un examen radioscopique, Joan. Je crois qu'il faudra opérer.

— Est-ce très mauvais? répéta-t-elle.

— Si nous opérons, il se peut qu'il ne vive pas jusqu'au bout.

— Est-ce vous qui opérerez?

— Oui.

— Il ne voudrait pas que ce soit quelqu'un d'autre.

— Je sais.

Accroché à la grille du porche, il regardait au loin, cherchant la manière de s'y prendre pour la préparer.

— Vous paraissez épuisé, Craig.

— Je me sens très bien.

— Vous vous sentez toujours très bien, dit-elle avec une pointe de fierté. C'est votre règle de conduite, n'est-ce pas?

— C'est une blessure grave, Joan. Très grave.

— S'il survit à l'opération, est-ce que tout ira bien?

Elle posa la question à voix basse.

Il n'y avait aucune certitude à donner en réponse. Mais les chances étaient faibles. Il fallait énoncer toutes les possibilités, et même les probabilités, car les faits durs et précis étaient encore, tout compte fait, ce qu'il y avait de plus miséricordieux. Il regarda les longues mains fines posées sur la grille, les longs cils battant sur une joue pâlie, les paupières baissées. Il souhaita en son cœur être le chic type de brave homme que Paul Blount voyait en lui :

— Pas moyen de répondre quoi que ce soit de formel. Au moins pas avant d'avoir vu le résultat des rayons X, Joan, dit-il.

24

L'APPAREIL, roula sans bruit dans la pièce sur ses roues caoutchoutées : le capitaine Seasons régla en position au-dessus de la tête de Larry le bras mobile contenant le tube à rayons X. La respiration du blessé était bruyante, et, lorsque le capitaine Seasons lui souleva légèrement la tête pour glisser dessous la boîte métallique plate contenant le film sensible, il gémit, et ses lèvres remuèrent.

Le chirurgien recula d'un pas et remonta comme une montre une sorte de petite boîte à vague ressemblance de pendule qu'il tenait dans la main et qu'un câble reliait à la base de la machine. Il pressa un bouton, et, pendant une fraction de minute, on entendit un ronronnement léger. Puis il retira la boîte de dessous le crâne de Larry, en mit une autre, et la même opération se reproduisit. Après quoi, les aides emmenèrent l'appareil roulant.

— Merci, capitaine, fit Craig. Nous verrons bientôt le résultat. Maintenant, je vais vous demander un renseignement : connaissez-vous un endroit où Mrs Thomas puisse passer les heures d'attente qui se préparent?

— Je m'en suis préoccupé, dit Seasons. J'avais envie de téléphoner à Mrs Seasons : c'est une femme pleine de sympathie. Souhaitez-vous que je l'appelle?

« Pauvre Joan! » pensa Craig. Puis, tout haut :

— Grand merci. Ce serait très aimable à vous, capitaine, et nous vous en serions fort reconnaissants.

Le capitaine Seasons se retira avec un sourire rassurant.

Craig sortit pour aller, une fois de plus, retrouver Joan pendant qu'on développait les radiophotos.

— La femme du capitaine Seasons arrive, dit-il. Elle vous trouvera un endroit où vous installer, Joan. Vous reviendrez dans une heure ou deux.

— Ne puis-je rester, Craig? Vous allez opérer maintenant?

— Vous n'avez pas déjeuné, dit-il avec douceur. Il faut suivre Mrs Seasons.

— J'obéirai, Craig...

— Oui.

— Je sais que ce que vous allez faire est atrocement dur. Si mon vœu peut vous aider le moins du monde, Craig... que Dieu vous bénisse et vous aide!...

Une femme aux larges épaules carrées venait de descendre de voiture et arrivait le long de l'allée :

— Mrs Thomas? s'informa-t-elle. Venez, ma chère, montez dans ma voiture.

Joan garda un instant dans la sienne la main de Craig et la pressa avant de suivre Mrs Seasons.

Il repassa la porte, et le capitaine vint à sa rencontre, portant les films encore mouillés :

— Corps étrangers dans le cerveau, dit-il, secouant une tête inquiète.

Craig étudia les épreuves, douloureusement : plusieurs fragments métalliques étaient visibles, cruelles échardes qui paraissaient sombrées assez profondément dans la matière cervicale.

L'infirmière prenait le pouls de Larry.

— Pas de changement?

— Le pouls s'apaise.

— La tension?

— Monte.

— Vous pouvez le faire transporter tout de suite à la salle d'opération, dit Craig.

Il était temps d'opérer. Les effets immédiats du choc se dissipaient. La pression montait autour du cerveau, le ralentissement du pouls et l'accroissement de la tension l'indiquaient. S'ils voulaient profiter du meilleur moment pour agir, il ne fallait plus attendre.

Il marcha seul, grave et réfléchi, à travers les longs couloirs de l'hôpital, aux murs de pin brut. Il trouva Paul Blount causant avec le jeune médecin militaire qui avait ramené Larry.

— Allons nous brosser les mains, Paul, dit-il. Ils vont amener Larry dans quelques minutes.

Dans la salle d'opération, l'habituelle activité méthodique se déroulait, une infirmière et un technicien mobilisé étaient là, brossés, vêtus, gantés, disposant les instruments stérilisés sur la table couverte de toiles également stérilisées. C'était l'étalage courant, mais impressionnant pour le profane, de tout l'arsenal de la chirurgie.

Craig arriva, se trempa les mains dans la cuvette d'alcool et les lava, laissant l'alcool ruisseler sur les avant-bras jusqu'aux coudes, afin que nul microbe ne pût, de la partie non brossée de ses bras, retomber sur ses mains. Il s'essuya soigneusement, en remontant, puis rejeta la serviette que lui avait tendue l'infirmière, en prenant bien garde de ne pas toucher la partie qui avait essuyé le haut de ses bras.

Revêtus des blouses blanches que les aides leur tendaient, ceints de tabliers que le technicien leur nouait au cou et à la taille, les mains talquées et gantées, ils étaient prêts quand le brancard arriva à la porte de la salle.

Le capitaine Seasons surveilla attentivement le transfert de cette forme inerte qui était Larry, du brancard à la table où il fut étendu sur le ventre; un cadre rigide fixé à la table la prolongeait : une sorte de coupe y était aménagée dans laquelle reposa le visage du blessé. Ses bras furent attachés à la table le long de son corps.

— Ayez une quantité importante d'eau stérilisée, dit Craig, et l'infirmière indiqua du geste que c'était prêt.

Une fois de plus, le jeune médecin militaire, armé de ciseaux, enleva les pansements qui avaient été mis, ceux-ci, après l'examen effectué par Craig. Sous la lumière vive qui faisait paraître plus pâle le crâne de Larry, il rasa de près le cuir chevelu, qu'il lava au savon vert, avec un plein broc d'eau. Après quoi, il s'écarta.

Et Craig, tenant au bout d'une pince stérilisée un petit tampon de gaze, couvrit la peau de mercurochrome en prenant le plus grand soin de ne pas atteindre le bord lacéré de la blessure afin que l'antiseptique au carmin éclatant ne risquât point de toucher la matière cervicale : les innombrables accidents d'auto de la vie civile avaient enseigné aux chirurgiens que, pour les tissus déchirés, mieux valaient le savon vert et l'eau — et encore, sans trop frotter ! — que les divers badigeonnages à la teinture d'iode et autres antiseptiques caustiques qui, pendant des lustres, avaient été si abondamment en usage.

Craig glissa une serviette sous la tête de Larry. Les mouvements de rasage avaient occasionné de nouveaux écoulements de sang, et de rouges ruisselets irréguliers se formaient sur le sol. Il plaça un tampon de gaze sur la plaie, appuyant très légèrement, pour étancher d'abord, arrêter ensuite, cette hémorragie.

Puis il inséra horizontalement entre les os du crâne, mais loin du bord de la plaie, la fine et longue aiguille d'une seringue de novocaïne. Lorsqu'il la retira, elle laissa entre os et cuir une mince traînée en relief. Lentement, patiemment, à l'arrière de chaque déchirure, il recommença, bloquant ainsi progressivement tout le pourtour de la blessure. Il allait pouvoir, grâce à cette puissante anesthésie locale, opérer sans que Larry en éprouvât aucune souffrance, car le cerveau, sorte de tableau de distribution de tous les nerfs, transmetteur général des sensations, est en lui-même incapable d'éprouver la douleur.

Larry ne bougea pas de tout le temps que le major, à l'aide des pinces qui mordaient le cuir chevelu en même temps que le linge, drapa des compresses stériles sur tout le pourtour de la plaie : la novocaïne, bien placée, agissait comme il le fallait. Quand il eut fini, il posa sur l'ensemble une serviette, au centre de laquelle une ouverture était ménagée. Par cette sorte de fenêtre demeuraient seuls visibles la plaie déchiquetée et le crâne, ici traversé de sombres fêlures, là défoncé par une fracture compliquée.

Alors il énuméra rapidement la série des divers instruments dont il pouvait avoir à se servir : appareils de succion, d'électrochirurgie (puissants coagulateurs utilisés en d'autres circonstances, tantôt pour tuer le spirochète de la syphilis et tantôt pour désenflammer les articulations rhumatismales), les scalpels, les pinces hémostatiques et les bandes de caoutchouc destinées à maintenir les pinces groupées, l'appareil d'irrigation qui devait permettre de dégager les débris étrangers accumulés dans les tissus, les divers ciseaux, les aiguilles de tous types et de tous usages, et, à mesure qu'il les nommait, l'infirmière vérifiait du regard leur présence sur la table aux instruments.

Et puis un grand silence, un silence tendu, régna dans la salle.

-:-

Craig commença par couper les fragments de peau lacérée, de tissu fibreux où se voyaient les points noirs des racines de cheveux, et son scalpel était d'une infaillible précision. Au bout de quelques longues minutes, il n'y eut plus que deux bords de blessure, nets et propres. Il y fixa des pinces hémostatiques qui demeureraient en place pendant tout le temps qu'il aurait à travailler, empêchant les petits vaisseaux sanguins d'inonder le champ opératoire.

Longuement, attentivement, minutieusement, un des aides, utilisant l'appareil d'irrigation, décolla les bribes de peau, les caillots accumulés, les parcelles de bois et les divers débris dont la présence constituait un grave danger d'infection.

Craig fronçait les sourcils tout en travaillant; l'infection, qu'il ne pouvait pas ne pas redouter, représentait le péril majeur. L'infection cérébrale pouvait amener, en divers points inaccessibles, une lente et progressive inflammation des tissus. La présence de débris métalliques ne faisait qu'aggraver les risques. Un éclat d'obus ou de shrapnel eût été infiniment moins dangereux, car, au moment de leur pénétration, ces éclats sont en général rougis à blanc, ce qui stérilise leur surface.

Pour l'instant, le retrait de ces corps étrangers était d'une importance primordiale, avant qu'ils pussent susciter des nids de bactéries qui, au moment le moins prévisible, brûleraient comme un feu ardent la substance même du cerveau.

Paul vit le froncement de sourcils et en comprit la raison :

— Vous allez sonder?

— Il le faut bien ! Comment est la pression sanguine?

— Elle tient, répondit l'anesthésiste.

— Veillez attentivement et avertissez-moi si elle tombe.

Il considérait, en effet, un nouveau choc comme inévitable dès qu'il travaillerait sur le cerveau même. Avec des pinces minces aux lames étroites, aux dents vigoureuses et délicates, il souleva les tissus lacérés en profondeur, sous la peau, les coupa net aux ciseaux et les retira. Il en eut peut-être pour une quinzaine de minutes à supprimer tous les tissus dévitalisés. Et toujours l'irrigation enlevait jusqu'aux moindres filaments morts. Quelques minces vaisseaux saignaient, bien qu'il les eût épongés et pris dans des pinces : l'électrocautère toucha les hémostats, et le passage du courant laissa un bord grésillant et noirâtre qui ne saignait plus.

— La pression baisse, signala l'anesthésiste.

— Et le pouls?

— Plus rapide.

— Capitaine Seasons, dit Craig, il nous faut en venir à la transfusion...

— Tout est prêt, répondit le capitaine.

... Et l'égouttement du sang commença dans les veines de Larry : celui-ci bougea faiblement au moment où l'aiguille lui pénétra dans le bras.

— L'anesthésie locale nous permet d'agir sans précipitation. Mieux vaut, avant de continuer, laisser la transfusion commencer son effet. La hâte ne ferait qu'accroître le choc.

— Quel dommage d'avoir dû recourir à la transfusion, remarqua Blount.

Craig admit la chose d'un signe de tête. Il n'y avait pas eu recours plus tôt afin de ne pas détruire, en insérant du fluide dans les veines, l'équilibre de pression avec le cerveau. Mais l'état général, l'imminence du retour de choc exigeaient ce soulagement.

Ils attendirent plusieurs minutes, regardant le sang baisser dans le flacon et passer goutte à goutte à travers le cylindre de verre, qui, à mi-route du tube de caoutchouc, contenait un filtre métallique. Lent passage, monotone et régulier.

— La pression remonte, dit l'anesthésiste.

Craig se redressa :

— Bien. Allons-y.

Il enleva le pansement de gaze provisoirement posé sur la blessure, prit sur la table un petit instrument plat dont il inséra doucement l'extrémité dans une des crevasses qui zébraient si curieusement le crâne de Larry et souleva une section d'os qui vint d'elle-même, complètement détachée de toutes parts. Il la tendit à l'infirmière :

— Mettez ceci dans l'eau salée.

Même tentative sur une autre section d'os, qui ne se détacha que partiellement, maintenue par une bande de cuir chevelu. Il égalisa, grâce au lourd « rongeur », les bords libres de la plaque osseuse, qu'il enveloppa de gaze et rabattit en arrière : au-dessous, un tissu déchiré, lacéré, curieusement rose, mou d'apparence, semi-fluide de consistance.

— Matière cérébrale?

La voix de Paul était inquiète et tendue.

— Oui. Nous verrons mieux dans un instant.

Il était occupé à décoller une sorte d'enveloppe qui semblait interposée entre le crâne et le cerveau.

— La dure-mère est terriblement déchirée, dit Craig à Paul qui, debout sur un tabouret, regardait par-dessus son épaule.

» Il se peut que nous devions employer un morceau de fascia. »

Il souleva une autre section d'os encore. Cette fois, un rapide flot de sang jaillit de la matière cérébrale qui adhérait dessous, mais il l'arrêta promptement d'un tampon de gaze et commença par égaliser les bords de l'os, faisant de temps à autre couler de l'eau salée, dégageant des parcelles de tissu détachées ou des débris osseux.

Après quoi, il retira prudemment ce tampon de gaze : la surface du cerveau, d'un rose pâle et couverte du filet bleuâtre des veines, était profondément déchirée, et la déchirure s'étendait dans plusieurs directions. Presque toute la partie exposée était endommagée.

— Montrez-moi l'épreuve de la radio.

L'infirmier tourna un commutateur, et, dans la boîte de verre gris-bleu, fixée au mur, le film parut, éclairé par l'arrière : des échardes métalliques y étaient visibles, l'une, grande et enfoncée d'un pouce dans le cerveau.

— Oh! celle-là! murmura Blount. Que Dieu aide le gosse!

— Oui. (L'expression de Craig était tout ensemble épuisée et soucieuse.) Il y a une chance. Sauf infection, il y a une bonne chance.

Paul acquiesça d'un geste :

— Il faut essayer. Mais pour ce qui est du vol... Croyez-vous qu'il ait une chance de garder une vision suffisante? Il pourrait devenir aveugle à cause de ce fragment-là.

— Il y a une chance, répéta Craig. Si nous ne retirons pas cela, il meurt. Se penchant de nouveau sur l'ouverture du crâne :

— Aiguille à dure-mère, demanda-t-il.

C'était une grande aiguille, longue de près de trois pouces, émoussée du bout, avec une ouverture sur le côté, juste au-dessus de l'extrémité émoussée. Il la prit entre le pouce et l'index et commença de sonder délicatement la moelleuse matière cérébrale : celle-ci n'offrait aucune résistance évidente, et l'aiguille émoussée ne risquait pas d'écorcher un vaisseau sanguin.

Pendant un long moment, Craig ne trouva rien. Au troisième sondage, l'aiguille heurta quelque chose avec un cliquetis.

— En plein centre visuel, dit Craig, tourné vers Blount. Pour retirer ce fragment, nous allons causer de sérieux dégâts.

Paul le regardait attentivement entre ses paupières mi-closes. Il comprenait que, pour la première fois de sa vie, Craig cherchait un appui, qu'il avait besoin de quelqu'un pour partager sa responsabilité.

— Et qu'arrivera-t-il si vous ne le retirez pas?

— Infection, à peu près certainement. Probablement très grave.

— Oui, dit Paul Blount.

La décision se marqua tout à coup sur le visage de Craig.

— Spéculum.

L'infirmière lui tendit un forceps terminé par une structure conique. Quand il saisit le manche, les deux moitiés du cône se séparèrent. Il avait laissé l'aiguille en place. Avec précaution, il poussa l'instrument parallèlement à elle, qui lui servait de guide, et que Paul Blount maintenait stable et d'aplomb. De temps à autre, il écartait les branches et, dans l'espace ouvert de la sorte, enfonçait d'étroites bandes de gaze humide. Enfin l'instrument à son tour grinça contre un corps dur. Craig, lentement, fermement, écarta les manches, et il y eut un flot de sang. Pendant de longues minutes, il continua d'enfoncer, puis de retirer et de remplacer des bandes de gaze pour étancher le flot d'abord, puis l'arrêter. Finalement la plaie fut sèche. Alors, saisissant un long forceps mince, il le fit glisser par l'ouverture et chercha dans les profondeurs du cerveau jusqu'à ce qu'il pût saisir la pièce métallique. Par deux fois, le sang obscurcit le champ d'expérience. En tâtonnant, en travaillant avec une patiente et habile douceur, il parvint à dégager l'éclat et, progressivement, à l'amener dehors, en priant Dieu de l'aider à abîmer le moins possible les fibres visuelles.

Dans la pièce, nul ne semblait respirer, jusqu'à ce qu'enfin le fragment fût complètement extrait de la blessure. C'était une pièce de métal triangulaire et rugueuse, à laquelle des morceaux de cerveau adhéraient encore. Blount frissonna en la regardant.

Une heure et demie s'était écoulée déjà, et l'opération n'était pas terminée. D'autres éclats, moindres, demeuraient encore dans le cerveau. Mais Craig commença par verser au fond de la plaie de la poudre de sulfamide, que le cerveau absorberait. De hautes concentrations de la drogue se produiraient dans les cellules des tissus et des fluides, et, là où les bactéries en attente se préparaient à leur œuvre de destruction, les concentrations les arrêteraient, si elles se produisaient avant que le travail microbien fût trop avancé, ou, à tout le moins, on pouvait espérer qu'elles balanceraient l'effet des bactéries jusqu'à ce que le corps lui-même eût repris assez de force pour avoir une chance de se défendre contre l'infection.

C'était peut-être la plus grande chose que la médecine pouvait offrir à la chirurgie pendant cette guerre, presque une panacée qui, dans la vie civile, avait déjà réduit au dixième la mortalité par appendicite ou par fractures compliquées.

Près d'une heure encore s'écoula avant que Craig Thomas admît que tous les corps étrangers qu'il était possible d'extraire étaient effectivement extraits. Enfin il se redressa et, pendant quelques instants, pencha la tête en arrière. Ses yeux étaient ternes, ses épaules affaissées.

— C'est à peu près tout ce que nous pouvons retirer, dit-il avec lassitude. Les parcelles émiettées qui restent ne devraient pas causer grand dommage.

Il lava encore à l'eau salée le champ opératoire et couvrit le cerveau d'un mince pansement humide. Alors il examina le morceau d'os qui s'était trouvé complètement décollé et qu'il avait retiré : l'os était en très mauvais état, fêlé de part en part, et la face inférieure qui avait été brusquement enfoncée contre le cerveau était éraflée et rugueuse.

— Vous croyez pouvoir l'utiliser ? s'enquit Paul.

— Je ne crois pas.

Il retira le tampon de coton et inspecta les bords de la plaie osseuse. Il y avait une encoche à l'endroit où l'os avait été brusquement brisé, et, lorsqu'il tenta de l'ajuster au reste, la partie manquante empêcha l'ajustement. De même, lorsqu'il voulut remettre en place la bande de dure-mère qu'il avait repliée, il constata une lacune considérable. Il s'attendait d'ailleurs à ces deux anicroches.

— Il faudra une bande de fascia, dit-il à Paul qui, tout aussitôt, descendit de son tabouret et commença de retirer sa blouse, puis tendit les mains à une infirmière qui lui enleva ses gants.

Il remit aussitôt une blouse et des gants stérilisés. Dénudant la cuisse de Larry, il la peignit de mercurochrome, drapa le nouveau champ opératoire, injecta la novocaïne, fit une incision et, après quelques minutes de dissection, tendit à l'infirmière une petite bande d'un tissu blanc et brillant qu'elle plaça sur une serviette humide et chaude et présenta à Craig.

Craig prit le morceau de fascia lata et le posa délicatement à l'endroit où l'enveloppe était déchirée, le sutura à la dure-mère, afin qu'il s'y insérât comme une greffe et établît en ce point l'indispensable protection du cerveau.

Avant de laisser redescendre en place les os encore attachés, il étendit une nouvelle couche de sulfamide. Il restait toujours une ouverture dans le crâne.

— Passez-moi le tantalum.

L'infirmière lui remit une mince feuille carrée d'une substance métallique blanche. Il mesura les dimensions du trou et, à l'aide de lourds ciseaux, découpa une plaque de métal légèrement plus grande que la surface à remplacer.

Paul Blount, son travail sur la cuisse terminé, changeait à nouveau de blouse et de gants.

Craig courba le métal à la forme du morceau d'os supprimé. Lorsque ce fut prêt, il ouvrit une mince fente dans l'épaisseur des os autour de l'ouverture et y inséra avec adresse la plaque de tantalum. Nouvelle couche de sulfamide. Et puis il rabattit l'un en face de l'autre les bords de la peau. A points rapides, il les recousit et posa sur le tout un pansement, qu'il assujettit par un bandage.

C'était fini. L'opération était terminée. Il regarda la pendule et constata que trois heures s'étaient écoulées. Pendant tout ce temps, chacun de ses mouvements avait eu la précision et la sûreté d'un travail de machine. Cette opération, la plus difficile de sa carrière, la plus douteuse aussi quant au succès futur, il s'était obligé à l'accomplir comme un problème de laboratoire sur un cerveau de laboratoire. Ce n'était pas le cerveau de Larry, pas le cerveau de son propre frère, pas le cerveau du mari de la femme qu'il aimait. Avec les forceps, le rongeur, les ciseaux et le spéculum plongés dans la matière cérébrale, Craig avait travaillé pour leur malheur futur et pour le sien propre. Mais une vie devait être sauvée parce que c'était une vie. Et maintenant, pendant que Craig retirait sa blouse et ses gants, il était couleur de cendre. Les médecins et les infirmières, qui se préparaient à le féliciter, se turent en voyant son visage.

— Croyez-vous qu'il s'en tirera? murmura-t-il à l'adresse de Paul.

— Si la chose est possible. L'opération a été merveilleuse.

Merveilleuse! Craig hocha la tête. Le lobe occipital broyé et le morceau de métal en plein centre visuel signifiaient probablement, et bientôt ils le sauraient, le meurtre vivant de Larry, de Joan et de lui-même, Craig. Il dit, morne :

— Merci, Paul.

— Il n'y avait pas le choix! répondit Paul, inquiet et préoccupé. Vous n'aviez pas autre chose à faire. Personne n'aurait pu faire mieux. Il peut s'en tirer très bien.

— Oui. Il peut.

— C'était à risquer. Jeu de hasard !

— Oui. Nous avons joué, Paul. Croyez-vous que vous pourriez nous trouver à boire?

— Je n'en ai jamais eu autant besoin de ma vie ! admit Blount. Je vais m'informer auprès du capitaine.

Craig sortit pour aller retrouver Joan. Il faisait nuit à présent, et, comme il plongeait son regard dans la flèche lumineuse provenant du bureau du capitaine, il la vit là, assise, seule. Elle ne l'avait pas entendu venir, et son visage était un masque blême de chagrin et de désespoir. Il resta un long moment à la regarder, lui-même tremblant de détresse, débordant de pitié pour elle et cherchant comment il pourrait l'informer qu'il était fort probable qu'elle aurait à prendre, sa vie durant, soin d'un mari aveugle. Avant de se remettre en marche, il remua volontairement un pied sur le gravier et vit le visage de Joan se recomposer instantanément, se ressaisir. Quand il entra, elle le reçut avec un regard qui était une question :

— Craig ! (Elle glissa son bras autour de lui.) Vous avez l'air... Qu'y a-t-il?

— Larry est vivant, répondit-il. Il a de bonnes chances de s'en tirer, à présent.

Elle lui baisa la joue avec une prompte douceur, comme s'il était un petit garçon très fatigué.

— Cela a dû être terrible, Craig. Vous croyez qu'il pourra se rétablir complètement, maintenant?

— On ne peut pas encore savoir, dit-il. Nous pensons qu'il vivra.

Le pas lourd de Paul Blount ébranlait le corridor; il entra, portant une bouteille de whisky d'un demi-litre. Lui aussi était grisâtre et las.

— Seasons m'a donné ça. Il m'a dit qu'il y a des verres ici. Nous avons travaillé dur, mais Craig a travaillé comme un ange, dit-il à Joan avec une bonne humeur forcée. Ce fut une opération magnifique. Mais longue. Et Craig a besoin d'être ressuscité.

25

LARRY ne reprit véritablement conscience qu'au bout de trois jours, et puis trois jours encore s'écoulèrent avant qu'il fût possible de le transporter. Après quoi, huit jours pleins furent nécessaires pour permettre de discerner les effets définitifs de la chute et de l'opération. Toutefois, dès la première nuit, vers trois heures du matin, alors qu'il était sur la route de la mort, un traitement encore inconnu peu d'années auparavant lui sauva la vie.

Après minuit, il avait commencé de gémir. Puis il s'était agité de façon inquiétante, et des spasmes nerveux avaient contracté son visage; ses épaules se secouèrent, ses bras esquissèrent le geste de battre ou de se débattre. L'infirmière spécialement commise à sa garde lui fit une piqûre non de morphine, mais de sodium phénobarbital, très employé pour les blessures craniennes. Lentement, l'agitation s'apaisa ensuite, jusqu'à ce que la tête, lourdement bandée, reposât une fois de plus inerte et pâle.

De demi-heure en demi-heure, l'infirmière vérifiait les pulsations et la tension sanguine. A chaque fois, les chiffres variaient un peu, et elle les considérait de plus en plus attentivement. Le pouls se ralentissait, la tension montait. Elle finit par ne pas attendre la dernière demi-heure, et effectua un ultime contrôle au bout de quinze minutes. Et, aussitôt, elle gagna le téléphone.

Le capitaine Seasons avait donné à Craig la chambre d'un chirurgien de l'air en permission, et il y avait fait installer un lit pliant pour Blount. Craig parlait encore au téléphone que déjà le sommier métallique de Paul craquait et que ses pieds se posaient sur le sol. Un instant plus tard, en pantoufles et peignoir, les deux amis traversaient sans bruit le couloir faiblement éclairé qui menait à la salle des officiers.

Craig souleva les paupières de Larry afin d'examiner les pupilles dilatées. Il prit un poignet du blessé et compta, pendant une minute entière, puis entoura le bras du tensiomètre, appuya un stéthoscope sur l'artère brachiale, juste en avant du coude, et gonfla la manchette à coups précipités. Aucun son ne parvint à ses oreilles par les branches du stéthoscope, l'afflux de sang étant contenu par la pression de la manchette : il ouvrit la valve pour la dégonfler, et bientôt les battements lui arrivèrent en un violent pompom commençant à cent quarante et dégringolant à cent d'un seul coup sur la colonne de mercure d'un manomètre, sitôt le cours normal du flux sanguin rétabli. La respiration de Larry était rude et bruyante.

— Mauvais, fit Craig.

— C'est une bien violente poussée, admit Blount. Alors quoi?

Craig regarda la feuille établie par l'infirmière. Les tissus endommagés gonflent toujours, mais un gonflement considérable des tissus cérébraux était particulièrement à redouter. Cette enflure exerçait une pression sur le centre contrôlant le cœur, d'où ralentissement du pouls, tandis que, simultanément, la tension sanguine augmentait pour forcer le sang dans le cerveau obstrué, un cercle vicieux s'établissait et le cœur se trouvait menacé d'arrêt.

Les médecins avaient, dans des analyses, proposé de multiples procédés : la succion du fluide encombrant le cerveau, l'absorption de sels d'Epsom, par voie interne ou par piqûres, l'addition au sang de solutions de glucose et de sucrase avaient donné des résultats variés, mais uniformément peu satisfaisants. Jusqu'à ce que quelqu'un eût l'idée d'utiliser du plasma sec d'une manière encore inédite.

— Y a-t-il du plasma ici?

L'infirmière lui en tendit une boîte. Il fit dissoudre une ampoule de plasma dans le tiers d'une ampoule d'eau et obtint ainsi une riche solution brune qui contenait toute la protéine du sang dans un tiers du volume normal de liquide. Blount le regardait faire avec attention.

— J'ai entendu parler du procédé, dit celui-ci, mais je ne l'ai jamais vu expérimenter encore. Pour se diluer normalement, le plasma attire le liquide des tissus, et l'enflure en est soulagée d'autant? C'est bien cela?

Craig, acquiesçant de la tête, inséra l'aiguille. Larry ne tressaillit même pas, le gonflement avait accru son coma au-delà de la réaction et même de la sensation. Le fluide épais et sombre commença, à travers le filtre, son lent écoulement dans les veines de Larry, et quarante minutes passèrent avant que flacon et tube fussent totalement vidés. Petit à petit, un changement se produisit.

La respiration du blessé devint plus facile, un peu plus rapide, le ronflement bruyant qui indiquait une lutte pour l'air s'apaisa. Craig remit le pachot, reprit le stéthoscope et vit la colonne de mercure descendre lentement dans le manomètre.

Blount contrôla les pulsations :

— Quatre-vingt-dix. Plus amples aussi. D'un bon volume.

— Ça fait son effet, constata Craig. Ils en mouraient presque toujours...

L'infirmière souriait de soulagement.

— Merci, lui dit Craig. N'hésitez jamais à m'appeler au moindre changement.

Mais, quand ils regagnèrent leur chambre, ils ne purent dormir ni l'un ni l'autre et s'assirent sur leurs lits, avec des cigarettes.

— Il doit pouvoir dominer la crise maintenant, Craig.

— Je ne sais pas trop... Qu'en pensez-vous?

— Oui... Mais le centre visuel?

— J'ai la conviction qu'une partie est intacte.

— Mais une partie est endommagée. Et l'infection prend souvent une forme chronique dans ces cas.

— Oh! Je sais! fit Paul en secouant les épaules, comme devant une fatalité. Et, le pis, c'est qu'il faut longtemps pour être fixé.

— J'ai peur de l'infection, insista Craig. Je l'ai vue se produire après les opérations les mieux faites.

— Pas mieux que celle-ci.

Craig écarta l'interruption :

— J'en ai peur, vous dis-je. Si elle se produit,

nous ne disposons d'aucun moyen pour l'empêcher. Et, dans ce cas, il aurait mieux valu ne pas arracher Larry à la mort. Mieux pour lui. Mieux pour Joan. C'est affreux qu'une telle chose soit arrivée à Larry !...

— C'est affreux. Mais nous avons fait ce que nous avons fait parce que c'était cela que nous devions faire.

Blount considéra d'un œil pitoyable la tête baissée de Craig et se leva pour tirer la chaînette de la lumière :

— Il nous faut tâcher de dormir, mon vieux !

-:-

Le capitaine Blount avait regagné le camp par le train de l'après-midi. Craig et Joan, après l'avoir conduit à la gare, firent une courte promenade.

Et depuis, matin et soir, ils prenaient leurs repas ensemble et refaisaient ensemble une brève promenade. Lorsqu'ils se rencontraient et se parlaient, ils se tenaient l'un près de l'autre, et, tantôt lui, tantôt elle, posait sa main sur le bras de l'autre. Ils cherchaient toujours leur réconfort dans ces légers contacts ou dans leurs regards et ils se parlaient avec des voix différentes et basses. Au milieu de la catastrophe, ils connaissaient ainsi d'étranges et rapides minutes de bonheur, et Joan racontait en souriant comment, de sa voix stridente, Mrs Seasons lui disait : « Ma chère ! Regardez votre assiette ! Il faut manger, ma chère ! » Et Craig racontait que le capitaine Seasons était constamment à sa poursuite pour l'entraîner à l'examen de quelque nouveau cas.

Dans la chambre de Larry, où Joan passait le plus grand nombre de ses heures dans l'attente de son retour à la conscience et où Craig faisait de fréquentes apparitions pour vérifier l'état du patient, c'était comme si Larry avait été leur enfant à tous deux, un enfant terriblement malade.

L'après-midi qui suivit l'opération, Larry eut une nouvelle période d'agitation, et sa tension s'éleva, cette fois encore, dangereusement. Moins cependant que la première nuit. Une nouvelle injection de plasma concentré le soulagea vite, et il se rendormit d'un profond sommeil. Craig lui fit des piqûres de sulfadiazine aussi fréquentes qu'il osa le risquer, pour lutter, par la voie du flux sanguin, contre l'infection toujours menaçante du cerveau.

Presque constamment, l'un d'eux était dans la chambre avec les infirmières spécialement affectées à Larry, sauf pendant leurs repas et leurs brèves sorties à l'air du dehors. Cette familiarité donna à Craig le courage de parler :

— Joan, j'ai la certitude que Larry ne pourra plus voler. Jamais.

— Mais ce serait une chose épouvantable pour lui, Craig ! Ça l'accablerait ! Pourquoi le pensez-vous ?

— Je ne crois pas que sa vision le lui permette encore. Les dégâts touchaient le centre visuel. Nous ne pouvons pas prévoir ce qui se produira, ni jusqu'où s'étendront les ravages.

Elle l'arrêta d'un regard plein d'horreur terrifiée. Aussitôt, Craig précisa hâtivement :

— Il se peut qu'il conserve une vision suffisante pour la conduite générale de la vie. Il a des chances, en ce qui concerne les besoins visuels de tout un chacun. Mais, pour ce qui est d'un pilote... Joan, je crois que l'infection ne peut manquer de se déclarer. Et, s'il en est ainsi, nul ne peut prévoir où elle s'arrêtera.

— Craig ? Il risque de perdre totalement la vue ? C'est cela que vous voulez dire ?

— Rien ne l'affirme. Mais c'est possible. Tout est possible avec une blessure pareille. Nous jouons un jeu de hasard et qui peut tourner bien.

— Quelle horreur ! gémit-elle.

— C'est un jeu, un risque. C'était cela — ou la mort. Nous avons joué. Avec de bons atouts, Joan.

— Je m'apprêtais à quitter Larry.

— Oui.

— Mais, si les choses tournent mal, je ne pourrai pas! Certainement pas.

— Non.

Elle était mortellement pâle et se tenait contre lui, tremblante.

— Joan, dit-il lamentablement, rien n'est arrivé encore. Je veux seulement que vous soyez préparée à tout ce qui peut arriver. Peut-être n'y aura-t-il pas de dommage, mais probablement y en aura-t-il, Joan. Oh! Seigneur! combien je voudrais pouvoir vous épargner tout ceci!

— Je sais. (Elle lui offrit un pâle sourire.) Pauvre Craig!

— Tout ce qui pourra être fait pour qu'il s'en tire au mieux sera fait! promit-il d'une voix désespérée. Je vous aime.

— Oui, reprit-elle. (Et elle prit son bras pour continuer la promenade.) Oui, tout ce qui pourra être fait!

Mais elle n'alla pas plus loin. De grands buissons les accueillirent, tout flamboyants de fleurs écarlates dans leur verdure épaisse, et des oiseaux-mouches dansaient parmi les corolles. Les branches se refermèrent sur eux. Tout à coup, Joan jeta ses bras autour du cou de Craig et sanglota sur son épaule. Et lui, la tenant serrée, lui baisa le front.

-:-

Lorsque Larry revint pleinement à lui, ce fut comme un véritable réveil. Il avait eu déjà de courts moments de lucidité pendant lesquels il reconnaissait sa femme et posait quelques questions hésitantes au sujet de l'accident. La plupart du temps, il dormait, le plus souvent sous l'effet de piqûres qui permettaient aux tissus abîmés et fatigués de se reposer et de se refaire, cependant que les trois injections quotidiennes de sodium sulfadiazine que lui fai-

sait Craig combattaient l'infection. Elles maintenaient dans son sang une concentration dangereuse,
mais ce risque devait être couru, le danger d'inflammation étant de beaucoup le plus grave.

Lorsque Joan rentra de dîner, elle trouva son mari
les yeux ouverts, promenant autour de lui un regard
interrogateur !

— Hello, Joan !

— Hello, Larry ! répondit-elle en l'effleurant
d'un baiser. Comment te sens-tu ?

— Mal à la tête, douce. L'impression d'une
solide gueule de bois.

— Tu as subi un choc qui compte, tu sais !

— Raconte-moi. Je me rappelle jusqu'au moment
où j'ai coupé l'allumage. J'avais été pris dans une
petite rafale. Pas violente. Pas violente du tout.
Mais les commandes ont lâché.

— Il ne reste pas grand-chose de l'avion, Larry.

— Non.

Sa voix trahissait une sorte de fierté.

— Tu vois, tu as épousé un dur, un vrai dur !

Il voulut souligner ses paroles d'un signe de tête,
mais la souffrance le fit grimacer et pâlir.

— Pas si dur que ça, tout compte fait. Où som-
mes-nous ?

— A l'hôpital de Rand Field, Larry.

— J'ai donc fini par y arriver ? J'étais dans un
marécage, non ? Joan, qu'est-ce que j'ai de détraqué ?
J'ai un mal à la tête de tous les diables.

Craig entra juste à ce moment et sourit lorsqu'il
vit Larry.

— Eh bien ! Décidé à revenir à la vie, garçon ?

— Je suis dur ! dit Larry en souriant en réponse.
On t'a donc envoyé chercher, toi aussi ?

— Je suis venu.

— Lui et le capitaine Blount t'ont, ensemble,
sauvé la vie.

Les sourcils de Larry remontèrent, et il reprit sa
vieille expression de taquinerie :

— Alors, je commence à comprendre pourquoi

ma tête me fait tellement mal! C'est le travail de Craig. Est-ce que j'étais très amoché?

— Oh! Tu as brisé ta vieille coquille d'œuf en quelques endroits, répondit Craig se mettant à l'unisson. Tu as même assez bien réussi cet exploit. Je viens de parler avec le commandant en chef de l'aérodrome, Joan. Il nous renverra à l'hôpital du camp dans un avion-ambulance aussitôt que Larry sera en état de voyager.

— C'est-à-dire quand? interrogea celui-ci.

— Trois jours en verront la farce. Mais, là-bas, il te faudra garder le lit pendant une semaine au moins.

— Ça ne sera pas terrible, Craig, j'y retrouverai bien Chuck. Nous pourrons discuter de nos opérations. Nous pourrons continuer la guerre entre nous à coups de bassins et de bouillottes. Quelle veine quand on a perdu conscience dans un marécage de se réveiller entre vous deux! Joan, viens ici et embrasse-moi.

Il s'informa des nouvelles de la guerre, elle commença de lui en faire la lecture, mais elle vit ses paupières se fermer, et bientôt sa respiration prit le rythme régulier du sommeil.

-:-

Ils firent le trajet du retour avec le brancard de Larry fixé de telle sorte qu'il pouvait s'adapter aux changements de position dus au vol. Le colonel Flynn les attendait au débarquer. Le visage de Larry était crispé par la souffrance qu'il ressentait dans la tête, mais il sourit et tendit la main hors de sa couverture.

— Hello, Thomas! Content de vous revoir, dit le colonel.

— Content d'être de retour! Je regrette, monsieur, la perte de l'avion.

— Vous n'y pouviez rien, assura le chef. Aucune

faute à vous reprocher. On vous en donnera un autre dès que vous serez en état de le conduire.

— Prévenez-les de faire chauffer le moteur, monsieur.

Mais tout cela était épuisant. Après qu'il eut dormi longtemps grâce à un soporifique, quand il se réveilla dans sa chambre d'hôpital et qu'il vit Joan, et aussi Chuck qui lui souriait largement de son fauteuil à roulettes, il ne put parvenir à extérioriser la joie de la réunion.

— Vous faites partie du club des Fêlés, déclara Chuck. Mais, moi, quand je m'y suis mis, j'ai bien mieux réussi ma fêlure que vous.

— Ça se peut, admit Larry, mais il y a plus longtemps. Et puis vous pourriez vous amocher la tête sans jamais vous en douter et sans qu'on s'en aperçoive. Pour moi, c'est autre chose.

— Vous arriverez peut-être à me vider d'ici le premier, remarqua Chuck.

Mais la faiblesse de Larry l'avait effrayé et, avec un regard d'angoisse à l'adresse de Joan, il s'en fut sur ses roulettes.

De jour en jour, Joan devenait plus pâle et plus silencieuse. Avec Larry, comme avec Mary Waller et Chuck, elle souriait gaiement. Bravement, Siz Marrell vint un jour jusqu'à la porte et, voyant Larry endormi, dit avec une sincère douceur :

— Je suis navrée, Mrs Thomas. Nous espérons tous que tout ira bien. Mais Dieu aide les épouses, ne pensez-vous pas?

Craig passait dans la chambre de Larry à intervalles courts et réguliers et montrait une apparence toujours souriante. Il y avait quantité d'autres besognes qui le requéraient à l'hôpital, car, outre les cas habituels, un civil ivre avait foncé avec sa voiture dans une colonne d'hommes en marche, retour d'une manœuvre de nuit. Mais, quel que fût le cran de Larry, ses maux de tête exigeaient souvent un soporifique pour les apaiser, et une fièvre légère, mais continuelle, accompagnée, quand il s'asseyait dans son lit, d'une sensation de vertige, préoccupait Craig. Cela pouvait ne rien signifier de plus que la guérison généralement douloureuse d'un grave traumatisme au cerveau; cela pouvait signifier aussi que l'infection exerçait ses ravages au fond des tissus déchirés.

Après une analyse du sang au laboratoire, Craig consulta Paul Blount :

— Niveau de sulfadiazine, neuf milligrammes. Globules rouges, quatre millions. C'est plutôt maigre, mais pas radicalement significatif. Hémoglobine, soixante-huit, ça c'est nettement bas. Mais les globules blancs! Paul! Trois mille seulement. Et un très faible pourcentage des séries leucocytes.

Blount hocha gravement la tête :

— C'est le commencement de la leucopénie...

— Que pensez-vous de Larry?

— Dans l'ensemble, son cerveau paraît plutôt ralenti, Craig. Mais il n'est pas impossible que ce soit le résultat de toute la sulfadiazine qu'il reçoit. J'ai l'impression qu'il faudrait supprimer tout produit sulfamidé.

— Je viens d'interrompre. Nous ne pouvons nous permettre de réduire encore les globules blancs. Au début des sulfamides, on a tué du monde comme cela.

— Arrivé à trois mille, il faut de toute évidence arrêter.

— Ce qui me tracasse encore, c'est la fièvre.

— Ne peut-elle, elle aussi, provenir de la drogue?

— Elle peut, dit Craig avec accablement. Et elle ne peut pas. Il y a parfois cette réaction. Mais je soupçonne Larry de souffrir plus cruellement de maux de tête qu'il ne l'avoue.

— Pourquoi ne pas attendre calmement, Craig? Laissez-le évacuer la sulfadiazine de son organisme, et nous pourrons mieux apprécier les choses ensuite.

— Je crains que nous ne puissions rien faire d'autre.

Le second jour où il fut possible à Larry de s'asseoir un peu dans un fauteuil roulant, Craig le fit conduire jusqu'à la salle où il pourrait lui examiner les yeux. Il déguisait son but véritable en examinant d'abord les réflexes, puis en disant que les maux de tête dont il souffrait provenaient peut-être d'une fatigue visuelle excessive.

— Bon, ça va, dit assez brusquement Larry. Tout ce que tu voudras, si ça me débarrasse de ces damnés maux de tête! Même des lunettes, si tu crois qu'elles me délivreront de ça!

Larry lut les tableaux de test de vision. Il lut des journaux. Craig l'éprouva au stéréocampimètre : comme Craig déplaçait l'index, le point apparut à un autre angle de vision.

— Maintenant, signala Larry.

— C'est parfait, répondit Craig. Quelques lectures encore.

En cinq minutes, ce fut terminé et Larry ramené dans sa chambre.

— Je passerai te voir ce soir, promit Craig, qui fila tout droit au laboratoire de Paul Blount, emportant la feuille de vision de Larry qu'il étala sur le pupitre.

Blount l'étudia d'un œil expert, mais un instant à peine :

— Jésus! s'exclama-t-il.

— Allez-y. Dites-moi ce que vous découvrez.

— Destruction partielle du cristallin de l'œil gauche. Et ça, déjà, c'est assez grave!

Du doigt, il suivit la courbe de la limite du champ visuel de l'œil droit. En un certain point, elle plongeait et se rapprochait fortement du cristallin. A l'extérieur de cette courbe, qui délimitait le champ actuel de la vision, la destruction partielle du nerf et du tissu cérébral avait annihilé toute capacité visuelle. Dans l'espace que cette courbe enfermait, la surface de vision normale était réduite d'une façon alarmante.

— Comment ayez-vous pu arriver à laisser ignorer à Larry que son œil gauche est condamné?

— En jonglant quelque peu.

— Je l'imagine aisément.

— Ces tracés vous donnent-ils l'image d'une destruction plus grave que ce que vous prévoyiez au moment de l'opération?

Lourdement, tristement, Blount répondit :

— Oui. Tel est le cas.

— C'est mon avis, dit Craig. Sans en avoir la certitude, j'ai le sentiment que l'infection continue à détruire le cerveau.

— Puis-je faire quelque chose?

— Rien que je sache. Des cas de ce genre ont toujours abouti à la cécité, Paul, si c'est de l'infection. Je ne puis pas pousser plus loin les sulfamides.

— Nous ne connaissons pas la rapidité d'évolution, remarqua Paul. Peut-être ne se passe-t-il rien en ce moment. Nous le saurons en contrôlant ces constatations dans une semaine.

Ils se regardèrent gravement, sans mot dire, mais partageant la même pensée. Probablement, presque certainement, l'opération avait été pire qu'inutile, coupable : elle avait sauvé la vie de Larry.

26

LE soldat Henry Smith était redevenu un héros
dans un lit d'hôpital. La fois précédente, il avait les
mains brûlées. Cette fois-ci, il avait au crâne une
large coupure et une bosse grosse comme un œuf
d'oie : il lui semblait que, pour être un héros, il
fût indispensable d'avoir quelque partie du corps
enveloppée de gaze et de bandages. Ses visiteurs
étaient nombreux, plus nombreux même qu'après
l'écrasement de l'avion du lieutenant Waller,
parce que tous les mécaniciens d'aviation débor-
daient de détails documentaires, conséquences de sa
bagarre avec le caporal Tyce. Et Chuck Waller lui-
même, dans son fauteuil à roulettes, vint lui faire
une longue visite et lui donner les dernières nouvelles du lieutenant Thomas, qui était encore, à
l'époque, à l'hôpital de Rand Field.

Tout cela était très bien, mais, secrètement,
Henry formait le vœu que Dolly Varn pût le voir
une fois auréolé de gaze blanche. Le sergent, qui,
lorsque Smith souffrait de son bras vacciné, l'avait
en somme aiguillé sur la voie de l'héroïsme en lui
donnant son après-midi de congé et l'ordre d'aller
se promener, était le plus important de ses visiteurs parmi les équipages à terre. Il en fut aussi
le premier, car il vint dès le premier jour, sitôt
son travail terminé.

— Smitty, disait-il, je suis l'un de ceux qui ont

arraché Tyce de dessus toi. Il était parti pour te tuer,
ça, j'en mettrais ma main au feu! Et sais-tu ce
que j'ai entendu dire? C'est là un tuyau qui vient
tout droit du bureau du colonel. Il travaillait pour
les Allemands! Et sais-tu combien ils lui donnaient?
J'ai entendu dire cinq cents dollars par avion, et
j'ai entendu mille. Tu aurais pu croire ça, toi? Ce
rat!

— Je ne l'aurais pas cru hier. Maintenant, je
suis tout prêt à le croire.

— Ils sont parvenus à le lui faire dire. Ça, tu
comprends, c'est des trucs avec lesquels l'armée
ne blague pas. On assure qu'il a signé une confession complète. Il n'est même plus ici maintenant. Tu pourrais croire qu'il y est, enfermé dans
la prison. Pas lui! Il est parti.

— Parti? Où ça?

Le sergent prit un air mystérieux :

— L'armée ne raconte pas ces fourbis-là. Rien n'en
passe dans les journaux. Il est parti. Dans une
voiture. Il y aura une cour martiale quelque part.
Le colonel ira. Peut-être que tu iras, Smitty.
Peut-être qu'ils prendront tes déclarations par
écrit. Le matin suivant, on entendra des coups de
feu. On fera un trou. C'est tout. L'armée ne four-
nit pas de commentaires sur des histoires de ce style.

C'était une histoire à faire frémir, oui! Le caporal, qui s'était tellement fichu de lui et l'avait
tant harcelé et lui avait raconté tant de succès
auprès des femmes, allait avoir six pieds de terre
tassés sur lui. Mais le frisson d'Henry ne dura
guère :

— C'est bien trop bon pour lui, dit-il.

— Tu as raison, Smitty. Je ne te blâme pas de
ne pas avoir découvert plus vite ce qu'il était. Moi-
même, je n'ai rien deviné. Mais je lui trouvais
cependant quelque chose de bizarre.

— Pour être bizarre, il l'était.

— J'aurais bien observé et alors découvert quelque chose, seulement ce n'était pas un Allemand.

Et je ne supposais pas qu'un type qui n'était pas un Allemand pourrait travailler pour eux. Tu ne sais pas ce qu'on a trouvé en cherchant dans ses affaires? Il collectionnait les photos d'accidents d'avions. Tu ne crois pas que c'est une fameuse saloperie, ça, non?

— Il les montrait de temps en temps. Vous les aviez bien vues, sergent.

— Si ce n'était pas un Allemand, c'était un dingo, conclut fermement le sergent. Personne, sinon un dingo, ne s'amuserait à démolir de bons avions américains et de bons pilotes américains. Dieu du Ciel! Smitty, et ce type vivait avec nous! Est-ce que ça n'est pas terrible?

La même secousse ébranla si violemment tous les hommes des équipes au sol que le second jour ils firent une collecte en faveur du soldat Smith qui avait découvert le sabotage. Trois délégués arrivèrent avec cent vingt dollars et un compliment admiratif signé par tous les donateurs, en même temps qu'arrivait Dolly Varn.

Parce qu'une lettre était trop lente et qu'il n'y avait aucun messager à qui il pût confier ses affaires, il avait prié l'infirmière d'envoyer un télégramme à Dolly.

— Je ne savais pas que vous étiez marié, remarqua l'infirmière.

— Personne d'autre non plus ne le sait, reconnut-il. Je voudrais que vous le gardiez en quelque sorte pour vous!

L'infirmière le regarda longuement, puis promit.

-:-

Dolly Varn et les trois hommes des équipages à terre entrèrent donc en même temps. Ils la suivaient avec des airs admiratifs et se regardèrent les uns les autres sous des sourcils baissés pendant qu'elle jetait ses bras autour du cou d'Henry.

Jamais elle n'avait paru aussi vive, aussi animée et colorée, dansant presque d'excitation.

— Henry ! Comment va ta tête ? s'écria-t-elle. J'ai entendu ces trois messieurs qui parlaient de toi dehors. Je trouve que c'est absolument splendide, Henry, et tout le monde est fier de toi !

L'infirmière entra pour les avertir de ne pas l'exciter ni le fatiguer.

— Oh ! ce n'était rien de bien épatant, dit Henry, mal à son aise. Je n'ai fait que cogner dessus, moi. Voici Miss Varn, dit-il encore en la présentant aux trois garçons.

Mais il sentit sa tête soudainement bourdonnante et battante.

Un caporal nommé Clafter tendit une enveloppe :

— Je suis censé faire un petit discours, Smitty. Mais cette dame m'a fait sortir de la tête tout ce que j'avais préparé. Les garçons ont fait passer le chapeau. Et voilà le résultat, mon vieux. Tu es prié de t'en servir pour faire une riche nouba quand tu sortiras d'ici. Et, comme Madame l'a dit, nous sommes fiers de toi.

— Merci. Remerciez-les tous, voulez-vous ? bredouilla Henry. Mais n'importe qui aurait pu en faire autant. Je n'ai fait que cogner dessus !

— Tu as employé ta cervelle, oui, dit Clafter. Et c'est ça qui compte. Maintenant, comment vas-tu ? Quand sortiras-tu d'ici ? Est-ce que tu as entendu dire que ce cochon touchait mille dollars par avion ?

— Je l'ai entendu dire, oui, fit Henry.

— C'est assez dégueulasse, oui ? demanda le soldat Diamond. Nous aimerions entendre ton explication, ton récit, du pris sur le vif. Raconte-nous ça en détail, Smitty. Tous les coups, un par un.

Dolly regardait coquettement Smith. Elle lui posa sur l'épaule une main douce et le fit se tourner vers elle, les yeux dans les yeux.

— Et ils ne savent pas tout, n'est-ce pas ? Tu

te rappelles ce que je t'avais dit, Henry. Avais-je raison? N'avais-je pas sérieusement raison?

Elle baissa la voix un peu, mais pas trop, juste assez :

— L'homme du F. B. I.

— Ecoute, protesta Henry, j'ai vraiment mal à la tête. Mais vraiment !

— Nous allons partir, dit le soldat Diamond parce que tu dois te reposer, Smitty. Mais qu'est-ce que cet homme du F. B. I.? Qu'est-ce que le F. B. I. vient faire dans tout cela?

Dolly parla d'une voix fleurant le mystère :

— Henry et moi devons faire grande attention à ce que nous disons. Mais nous savions à quoi nous en tenir au sujet du caporal. Et c'est pour cela que tu lui as sauté dessus et que tu as cogné, n'est-ce pas Henry?

— Ecoutez, le garçon a mal à la tête, il faut le laisser se reposer, déclara le caporal Clafter. La seule chose, Smitty, tu devrais permettre à Madame de venir avec nous, et nous réunirions les garçons et elle nous raconterait tout cela.

— Je souhaite lui parler, fit Henry, exaspéré jusqu'au désespoir. Non, elle ne peut pas aller avec vous. Je veux lui parler. Je vous raconterai plus tard...

Dolly acquiesça du geste :

— C'est un secret militaire.

A tour de rôle, ils serrèrent la main d'Henry et firent bien à contrecœur leurs adieux à Dolly. Le soldat Diamond laissa un avertissement derrière lui en s'éloignant :

— Il faudra absolument que tu nous racontes cette histoire du F.B.I., Henry. Si seulement tu n'avais pas mal à la tête... Nous reviendrons te voir.

— Henry ! s'exclama Dolly avec un regard d'enthousiasme extasié, Henry, tu es un héros ! Est-ce que ça paraîtra dans les journaux?

— Et moi qui étais si content de te voir, Dolly! Veux-tu te calmer un peu?

L'humeur de la belle, son caractère né de ses cheveux rouges, prirent feu :

— Tu trouves que je parle hors de propos? C'est cela?

— Bien sûr, que je trouve. Nous n'avons pas à raconter nos histoires à ces babouins, non? Je veux dire, ce sont de braves garçons, bien sûr, mais enfin qu'est-ce que j'ai à leur raconter à propos de F.B.I.? Et de secrets militaires? Un secret militaire !...

— Tu es un homme calme et réservé, Henry, dit-elle. (Et elle se calma aussi.) Est-ce que tu crois que c'est amusant déjà de rester sans rien dire dans cet appartement, de passer toute la journée rien qu'à attendre? Est-ce que, simplement parce que tu es un héros, nous n'avons pas le droit d'en parler? Et est-ce que je n'avais pas tout découvert au sujet de ce caporal? Est-ce que ce n'est pas un service rendu à la patrie?

— Mais si, Dolly. C'est très bien. Tu as vraiment montré un flair remarquable. Seulement... Oh! tiens, laisse tomber, parlons d'autre chose.

— Il doit bien y avoir un moyen pour que je tire quelque honneur ou profit de l'aventure, Henry. Une fille ne peut pas « laisser tomber » une opportunité comme celle-là. Pourquoi l'armée ne donne-t-elle pas un article aux journaux?

— Elle s'en garde bien, Dieu merci.

Dolly secoua la tête, perplexe et déroutée :

— J'aimerais avoir un carnet de coupures de presse! Je n'ai jamais eu ma photo dans les journaux. Et toi?

— Dolly! implora-t-il, ne pense pas à des choses de ce genre! Tu vas nous attirer des ennuis graves et à n'en pas finir. De toute manière, l'armée nierait et désavouerait. Alors... Oublie tout ça. Je sais bien que nous n'oublierons pas, mais nous ferions mieux de n'en plus parler. Tu n'as que trop parlé déjà.

— Si c'est ce que tu décides, répondit-elle d'une voix pincée. (Elle lui caressa gentiment le front.) Quand vas-tu pouvoir sortir de nouveau?

— Dans quelques jours. Alors nous fêterons, nous célébrerons tout ce que tu voudras. Garde l'enveloppe et pense au moyen de célébrer dignement, comme cela te fera plaisir.

— Il faut que ce soit quelque chose de bien, remarqua-t-elle. C'est le moins qu'ils pouvaient faire pour nous, d'ailleurs. Ils pourraient, à cette minute même, continuer à perdre des avions et des officiers. Ils devraient faire de toi un officier, tiens, Henry !

Alors, elle sourit, rêveusement, à la façon d'autrefois, en regardant le plafond, comme elle l'avait fait au soir de leur première rencontre à l'*Alligator*.

— Ça, ça vaudrait la peine, murmura-t-elle. Je t'ai apporté des petites choses, Henry. (Et elle tira de son sac des cigarettes et des sucreries). Est-ce qu'ils sont bons pour toi ici? Je voudrais être ton infirmière !

Quand elle fut partie, il se laissa aller contre ses oreillers et, à son tour, regarda le plafond. Il maudit la malchance qui avait fait se rencontrer Dolly et les mécanos. Il s'était senti attentif et nerveux en la leur présentant. Probablement aucun d'eux ne l'avait encore rencontrée, mais ils allaient tous à Boomtown de temps en temps. Il ferma les yeux avec une grimace de lassitude. Dolly était épatante. Mais souvent elle était trop impulsive et légère, et, chaque fois qu'il songeait au passé, il en était étouffé.

— Envie de quoi? questionna l'infirmière.

— J'aimerais assez quelque chose pour dormir.

Elle secoua la tête en signe de refus et sourit :

— La vie conjugale ne vous réussit-elle pas?

Dolly ne revint pas le lendemain. Pendant que

des mécanos entouraient son lit et que s'écoulaient les heures de visite, il regardait la porte avec une panique croissante. Elle viendrait. A moins que quelque chose ne lui soit arrivé. Après que la salle fut fermée aux visiteurs, il évoqua diverses possibilités : maladie, accident d'auto. Peut-être, arrivée en retard, était-elle là, dehors, désappointée. Il se souvint avoir été dur et mécontent avec elle et se demanda si elle était fâchée. Il appela l'infirmière et lui demanda d'envoyer un autre télégramme.

Le lendemain, elle était là, éblouissante avec une permanente fraîche et des ongles laqués.

— Je n'ai pas pu avoir de taxi, dit-elle. Et après il était trop tard.

Elle lui tenait la main et, tout à coup, elle eut des larmes aux yeux.

— Comment va ta tête, maintenant, Henry? T'ai-je beaucoup manqué?

— Terriblement. C'était affreux. J'ai pensé que tu avais été blessée. J'ai pensé qu'une auto t'avait renversée. Ne recommence jamais, Dolly! As-tu trouvé un moyen de fêter ça?

— J'ai déjà commencé, dit-elle. Tu ne remarques pas la différence? Quand sortiras-tu, Henry? Je ne puis plus rester à attendre, seule, assise dans cet appartement.

— Ils ne veulent rien me dire! gémit-il. Je me sens très bien, maintenant. Ne peux-tu pas aller au cinéma? Ça ne peut plus être bien long, Dolly. Si seulement ils me laissaient circuler autrement que dans ce peignoir rouge, je filerais par la fenêtre! J'ai bien envie de demander au major Thomas de me lâcher.

— Tu sortiras bientôt, dit-elle.

— Prends soin des pétunias pour moi!

-:-

Pourtant, lorsqu'elle fut partie, il demeura troublé, anxieux soupçonneux. Peut-être n'avait-elle pas du tout cherché à avoir un taxi. Une jalousie impuissante et désespérée l'emplit. Peut-être cette histoire de sabotage l'excitait-elle trop pour qu'il lui fût possible de rester seule. Il essaya de se rappeler si elle s'était montrée différente. Il pensa que oui. Mais il y avait cette nouvelle « mise en beauté » qui la changeait. Pourquoi aussi n'avait-elle pas attendu pour cela qu'il fût juste sur le point de sortir? Il appela de nouveau l'infirmière :

— Quand pensez-vous qu'on va me lâcher? Je vais tout à fait bien maintenant. N'importe qui peut s'en rendre compte.

C'était une petite femme maigre et brune avec de sages yeux bruns qui louchaient un peu :

— La guerre n'est pas finie, dit-elle et je ne suis pas le patron.

Mais, le lendemain matin, le médecin militaire le déclara bon pour la sortie :

— Revenez quand il vous plaira, Smith, dit-il en riant et en lui serrant la main. Il y aura toujours une place pour vous! Allez, maintenant, et bonne chance.

Henry Smith remit son uniforme et carra ses épaules. Il aurait aimé se rendre auprès de Dolly avant d'aller à l'aérodrome, mais il fut averti d'avoir à s'y présenter tout de suite. Et, là, le sergent lui dit :

— Au rapport, au bureau du colonel. Je pense qu'il va vous donner un cigare.

Henry Smith s'y rendit avec un large sourire. Tout ce qu'avait dit Dolly, qu'il n'obtenait aucun avancement parce que l'équipe était en observation, prenait une apparence logique. Mais, à présent, aucune suspicion ne pesait plus sur lui, et il avait même des notes favorables. Il lui fallut attendre plus d'une heure, tandis que les officiers allaient et venaient. Et, quand enfin il entra, la nervosité d'autrefois l'avait ressaisi. Il salua le plus correctement du monde.

Le colonel Flynn sourit et demanda :

— Comment va la tête, Smith?

— Très bien, monsieur.

— Dur à tuer, eh? Asseyez-vous.

— Merci, monsieur.

— Smith, êtes-vous marié? s'informa le patron.
Henry balbutia :

— Non, monsieur.

Le colonel sembla se référer à un papier posé devant lui :

— En êtes-vous tout à fait certain, Smith? La chose est importante pour vous.

— Je ne suis pas encore marié, monsieur.

— J'avais l'impression d'une sorte d'arrangement matrimonial, Smith. Et vous ne touchez pas une paie d'homme marié, hein !

Il semblait poser une question sans y mettre de point d'interrogation.

— Monsieur, dit Henry, je ne suis pas marié. Pas encore.

— Ce serait difficile sur une paie de simple soldat, n'est-ce pas? Comment un homme s'en tirerait-il pour le loyer?

Alors Henry se dit que le rapport de l'inconnu que Dolly considérait comme appartenant au F.B.I. était devant le colonel, sur son bureau. Il ne voyait le colonel que dans les occasions où chacun lui assurait qu'il avait mérité de l'avancement, mais, chaque fois, l'entrevue était hérissée de difficultés.

— J'ai hérité une rente mensuelle de soixante-quinze dollars, monsieur.

— Vraiment?

Le colonel sourit et parut soulagé.

— Je ne tiens pas à connaître vos affaires personnelles, Smith. Je voulais m'assurer que vous n'êtes pas marié, je ne sais pas ce qui m'avait donné cette impression. L'armée a une dette envers vous, Smith. J'ai fait vérifier vos états de service. Vous avez essayé de passer l'examen de pilote et vous avez échoué.

— Oui, monsieur.

— Pourquoi? Vous êtes-vous trompé de beaucoup? Vous êtes-vous vraiment trompé?

— Eh bien, monsieur, dit Smith, très embarrassé, j'ai voulu être trop fort! A peine avais-je quitté la pièce que les réponses exactes étaient dans mon esprit. Je pourrais passer cet examen sans faillir à cet instant même si la chance m'en était donnée.

— La chance n'en est pas donnée aux hommes mariés. C'est pourquoi je tenais à être fixé sur ce point. La semaine prochaine, un groupe passe l'examen à l'aérodrome Mac Dill. Aimeriez-vous voler jusque-là et puis essayer de nouveau?

— Oh! monsieur! Si j'aimerais! Oui, monsieur. C'est là ce que je voulais faire quand je me suis engagé dans cette arme.

— Très bien. Je donnerai des instructions pour qu'une place vous soit réservée dans un avion. Ils seront sévères avec vous, Smith, parce que vous avez raté une fois. Mais je pense que vous pourrez réussir. Je suis sûr que vous le pouvez.

Il tendit la main :

— Bonne chance, Smith. Veillez à vos fréquentations et vous réussirez très bien « dans cette arme ».

— Merci, monsieur. Je réussirai cet examen. Je passerai cette épreuve. Merci beaucoup.

Peut-être y avait-il un reproche voilé dans les paroles du colonel. Henry avait le sentiment assez net qu'il en était ainsi. Mais il avait à présent bien d'autres sujets pour occuper sa pensée. Il sortit du bureau et considéra longuement deux avions-école qui volaient en cercle autour du terrain pour rentrer et se poser, et toutes les questions de l'examen lui revenaient à l'esprit.

— Smith, s'informait le sergent, le colonel vous a-t-il donné un cigare? Quel est votre grade actuel?

— Je passe l'examen de vol à Mac Dill la semaine prochaine. Le colonel m'y envoie en avion.

— Ah! gronda le sergent. C'est moi qui finirai

par devoir vous saluer. Mais c'est très bien, Smith. J'espère qu'il en sera ainsi. Toutefois, je ne commence pas encore. Allez changer l'huile de l'avion au bout du hangar.

Sitôt sa journée terminée, Henry attrapa l'autobus à la porte du camp, avec une permission de la nuit dans sa poche. Et, en ville, il prit un taxi jusqu'à l'appartement. Il le trouva fermé et gémit tout à coup, pensant qu'il avait oublié d'avertir Dolly de son départ de l'hôpital et que vraisemblablement elle s'y était rendue. Il ouvrit avec sa propre clef et trouva les lieux impeccablement propres, sentant un peu le renfermé avec leurs fenêtres closes. La fiche de prise de courant du petit frigidaire était sur le sol. Le placard était vide.

Là où Dolly avait évolué avec sa grâce légère, joué avec ses fards, l'avait embrassé, lui avait souri, avait ri joyeusement, il n'y avait plus qu'un appartement vide, silencieux comme la mort. Un gémissement s'échappa de sa poitrine, et il s'assit, le visage dans les mains. Un coup fut frappé à la porte.

La propriétaire boulotte entra et le dévisagea curieusement.

— Quand est-elle partie? demanda-t-il.

— Il y a deux jours. Elle voulait que je lui rende le surplus du loyer. Ça ne se fait pas. Vous avez pris l'appartement pour un mois. Elle m'en a raconté! Je n'aime pas la discussion, monsieur Smith. J'aime que tout soit paisible et cordial. Mais elle m'en a raconté! C'est une chose que je lui concède, elle a une langue!... Après ce coup-ci, j'y regarderai de plus près. Je n'ai rien contre vous, monsieur Smith. Je crois que vous êtes un monsieur. Mais je lui ai quasiment dit que je n'étais pas sûre que vous fussiez mariés. Jamais rien de pareil n'est arrivé chez moi, et je ne sais encore ce qu'il faut en penser. Tout ce qu'elle faisait de toute la journée, c'était de marcher de long en large en fumant des cigarettes. Je pouvais la voir de ma fenêtre. Jamais je n'ai vu une femme fumer autant de cigarettes. Je me demande pourquoi vous avez pris un appartement tous les deux?

— J'étais à l'hôpital, dit Henry. Où est-elle allée?

— Sais pas. Elle n'a pas voulu le dire. Elle a retiré le dépôt de garantie à la compagnie d'électricité. Elle a laissé votre valise chez moi et a pris un taxi. Elle a dit.. .ah ! vraiment, je ne puis pas vous répéter ce qu'elle a dit de mes pétunias !

— Je n'avais pas de valise, dit Henry en lui rendant la clef.

— Dès le début, je n'ai pas su que penser, remarqua la propriétaire. C'est comme cet homme qui faisait des enquêtes sur les logements. Je ne suis pas seule à louer un appartement, et il n'a questionné aucun de mes voisins. Tout ça ne semble pas naturel. J'espère que vous n'êtes pas dans de vilains ennuis?

Henry secoua la tête sans mot dire et sortit.

— Venez que je vous donne la valise, M. Smith.

Elle alla la chercher dans sa maison, une valise d'avion flambant neuve, sur laquelle ses yeux effarés virent briller ses propres initiales dorées.

— Elle ne vous a même pas dit où elle allait?

Henry, sans répondre, prit la valise et dit : « Merci, madame. » Dans la rue, il l'ouvrit, espérant y trouver un billet. Elle ne contenait que ses vêtements d'intérieur neufs, le pyjama rouge qu'elle lui avait donné, la brosse à dents assortie et le rasoir. Il retourna au camp et glissa la valise sous son lit.

— Smitty, vous n'avez pas l'air plus chaud que ça ! lui dit un voisin de tente, levant les yeux de dessus son journal. Peut-être vous ont-ils lâché trop tôt? Comment va votre tête?

— Elle me taquine encore un peu, répondit Henry en s'étendant sur son lit.

— Faudrait y aller doucement pendant deux ou trois jours.

Henry demeurait immobile, allongé, s'efforçant à l'indignation. Dolly était partie avec l'argent que les garçons avaient réuni pour lui. Il n'aurait pas dû le lui remettre à garder. C'était trop, et ça l'avait décalée. Il ne pouvait pas l'épouser, désormais, à cause de ses espérances de pilotage. Il n'avait jamais su bien clairement s'il voulait l'épouser, car la roulotte se profilait à l'arrière de sa mémoire comme un spectre indélogeable; mais il pensait à ses baisers rieurs, à sa chaude étreinte, et il se tordait de jalousie impuissante.

Le soir, il se rendit à Boomtown et parcourut le sentier de sciure de bois qui conduisait à la roulotte *Lovely One*. La lumière y brillait, bien que les stores fussent relevés, et il entendait à l'intérieur des pas courts et rapides. Subitement, la lumière s'éteignit, la porte s'ouvrit et la fille qui sortait la referma du dehors. C'était une grande blonde osseuse.

— Hello, soldat ! Vous cherchez une compagnie?

Henry se détourna et mit le cap sur l'enseigne verte et clignotante de l'*Alligator*. Peut-être y était-elle venue ou y avait-elle laissé un mot? Elle était peut-être venue ici le jour qu'elle n'était pas allée à l'hôpital. L'endroit était bourré d'une foule abondante, l'atmosphère traversée d'innombrables tourbillons de fumée. Une musique sauvage s'échappait du piano mécanique. Le parquet de danse était plein comme toujours de soldats qui traînaient les pieds et de filles aux épaules nues. Au bar, Henry commanda de la bière.

— Vous n'avez pas vu Miss Varn récemment? Miss Dolly Varn?

Le barman sourit :

— Dolly? Elle est allée en vacances, mais elle vient de rentrer. Restez ici. Elle peut arriver d'une minute à l'autre.

Le cœur lui défaillit. Plus rien ne demeurait au-dedans de lui, qu'une immense faiblesse. Il se tourna vers les boxes. Celui où il l'avait rencontrée le premier soir était occupé, le suivant était libre; il s'y installa.

— De la bière, dit-il.

Et ses regards s'attachèrent à la porte.

— De la bière encore, dit-il quelques minutes plus tard.

Alors il se redressa et demeura assis, tout raide. Car Dolly venait d'entrer. Elle se tenait à la porte ouverte, un vague sourire aux lèvres, promenant son regard autour d'elle et fixant une cigarette au bout de son long fume-cigarette. Elle l'alluma d'un geste précieux, secoua légèrement ses cheveux et, d'une démarche qui combinait l'ondulation et la glissade en avant et évoquait les burlesques, elle gagna le bar.

— Bonsoir, George, dit-elle au barman.

— Bonsoir, Dolly, fit-il. Quelqu'un vient précisément de vous demander.

Et, d'un signe de tête, il indiqua Henry. Elle regarda dans la direction du geste, pâlit un peu, mais vint droit à lui et se glissa près de lui sur la banquette.

— Henry! Es-tu tout à fait d'aplomb, maintenant? Quand es-tu sorti?

— Que désirez-vous? s'enquit le garçon.

— De la bière, dit Henry.

— Un jus d'orange, fit Dolly, qui se ravisa aussitôt. Non. Plutôt de la bière. Henry, es-tu retourné là-bas? As-tu la valise?

— Je l'ai, oui.

— Est-ce qu'elle te plaît? Elle coûte très cher. J'ai dépensé, pour l'acheter, une partie de l'argent qu'ils t'avaient donné. J'ai idée que j'en ai dépensé pour moi aussi, mais je puis te rendre ce qui reste.

— Garde-le, dit-il.

Elle baissa les yeux et soupira.

— J'ai idée que tu es furieux, Henry. Mais je ne pouvais plus durer comme cela. J'ai idée que je suis trop jeune pour m'établir déjà. Je ne pouvais pas le supporter davantage.

Henry but sa bière en silence, car il souffrait de regarder Dolly.

Elle haussa les épaules d'un air de fatalité tragique :

— Je ne suis pas faite comme ça, Henry. Je voudrais que tu partes maintenant. Il faut que je me mette au travail, et cela me rend nerveuse de te savoir ici. Je vais aller jusqu'à la porte avec toi.

Elle lui prit la main pour l'entraîner hors du box.

Henry regarda les soyeux cheveux roux qui bouffaient contre son épaule et les douces courbes du jeune visage.

— Seigneur ! Dolly..., soupira-t-il.

— Sors avec moi, Henry.

Elle l'entraîna hors des lumières aveuglantes et lui jeta ses bras autour du cou pour l'embrasser. Elle lui enleva sa casquette et lissa ses cheveux :

— Tu es la meilleure chose qui me soit jamais arrivée, Henry. Maintenant, pars, va-t'en...

Il la gardait serrée contre lui, ne trouvait rien à lui dire.

— Tu pourras toujours venir me voir, Henry, quand il te plaira. Et cela ne te coûtera jamais rien, dit-elle avec un baiser encore. J'ai une autre roulotte en aluminium : le *Rouge-Gorge*.

Alors, elle le repoussa. Il la suivit du regard, comme elle pénétrait dans l'*Alligator*, sa petite silhouette potelée mobile contre la vive lumière. Il la vit faire une pause, à l'intérieur, et fixer une cigarette dans son porte-cigarette. Puis il fit volte-face et retourna au camp.

Il marchait la tête basse, traînant lourdement les pieds, car un monde de chaleur et de douce clarté venait de finir. Comme il s'approchait du camp, un moteur ronfla au-dessus de sa tête. Et il regarda les lumières, une rouge et une verte, qui filaient dans le ciel. Il serait là-haut, lui aussi. Bientôt.

Et les rampants le salueraient lorsqu'il reviendrait à terre, lui, Henry Smith Qui en avait fini avec les femmes.

27

LES maux de tête ne cessaient pas. Larry avait
entendu dire quelque part qu'ils étaient inévitables
après une opération au crâne : peut-être ne signi-
fiaient-ils pas autre chose que la cicatrisation? Il se
le répétait pour se raccrocher à un espoir de soulagement. Ce qui était certain, c'est que la douleur
intérieure qu'ils lui causaient, incessante et terrifiante, n'avait connu aucun répit depuis le moment
où il était revenu à lui. Il en venait à penser qu'il
n'existait pas de remède qui pût le soulager et se
voyait condamné à cette torture perpétuelle, qui
creusait son visage de durs sillons grisâtres.

Pourtant, Craig lui avait permis de se lever et
lui avait enlevé son pansement. Ses cheveux com-
mençaient à pousser, et même, quand il posait sa
casquette suivant un certain angle particulièrement
effronté, les traces de l'opération n'apparaissaient
plus bien visibles.

Ce qui n'empêchait pas que, dans sa tête même,
la souffrance ne s'arrêtait pas un instant. Assis
dans sa chambre, il attendait l'heure de se rendre
chez le capitaine Blount pour un examen de vision,
et la douleur était à la fois brûlante et tellement
aiguë qu'il se demanda s'il pourrait passer par les
expériences qu'il connaissait si bien. Il décida qu'il
pouvait et donc qu'il devait : chaque pas dans cette
direction le rapprochait de la minute où il lui serait

permis de voler de nouveau. Il n'y avait qu'une seule façon d'oublier la souffrance, c'était de la nier ou, plus exactement, de l'ignorer. Si l'on n'y pensait pas, elle n'existait pas : ainsi tirait-il profit à sa manière des moments qu'il passait à attendre, inondé d'une sueur froide. Il prit un journal pour essayer de faire passer à la fois les maux de tête et les moments d'attente.

Mais, pendant que, sans se préoccuper du sens des mots, il lisait avec une détermination farouche, le mal le taraudait si cruellement que, malgré sa volonté d'ignorer sa présence, il se passa machinalement la main sur le front et s'arrêta, la paume couvrant l'œil droit : il venait de s'apercevoir que les caractères d'imprimerie se brouillaient subitement, ne formaient plus sur la page qu'une sorte de voile cendré.

Après un instant d'angoisse éperdue, il se ressaisit et, des deux yeux, fixa le journal aussi attentivement qu'il le put. Les deux extrémités du titre, sortant par la droite et par la gauche d'une grise tache centrale, lui apprirent qu'il s'agissait d'une bataille navale. Alors il ferma l'œil droit, et les mots s'effacèrent. Il ne lui restait plus qu'une très vague impression de lumière.

Il se rendit à la fenêtre et regarda au-dehors, vers le brun et le vert des palmes, le rouge ardent des hibiscus, et, au-delà, l'eau étincelante et verte du golfe. Il remit la main sur son œil droit, et, cette fois encore, tout l'espace entre lui-même et le lointain n'était plus que brouillard cotonneux et cendré.

L'infirmière, debout à la porte ouverte, lui parla :

— Il est l'heure de vos essais, lieutenant Thomas. Voulez-vous que je vous y conduise en fauteuil roulant?

— J'irai à pied, dit-il, sombre. Merci.

Pendant qu'ils longeaient les corridors, il recommença son expérience : chaque fois qu'il fermait l'œil droit, les cloisons de sapin disparaissaient dans une brume vide.

— Vous n'avez pas bonne mine, Larry, remarqua Paul Blount dès son entrée. Vous êtes blême. Est-ce que vous n'en faites pas trop à la fois?

— J'ai un mal à la tête infernal.

— C'est dur, mais il faut s'y attendre. Ils ne dureront plus très longtemps, Larry. (Il hésitait à en parler, car il savait que de tels maux de tête avaient parfois rendu des hommes fous furieux.) Voulez-vous passer l'épreuve cet après-midi ou vous reposer? Je vous prendrai au moment qui vous conviendra le mieux.

— Non, monsieur. Merci. Allons-y.

Blount, pour qui ces expériences étaient routine quotidienne, l'examina promptement et attentivement. Quand il eut terminé, Larry considéra la feuille où s'inscrivaient ses chiffres et ses courbes.

— Avez-vous remarqué mon œil gauche? demanda-t-il. Savez-vous ce qu'il a?

— Oui, Larry. A quel point vous gêne-t-il?

Le jeune homme avala brusquement son souffle :

— Je ne puis rien voir du tout par cet œil-là. Est-ce définitif?

— Je ne fais qu'examiner, Larry. Je ne saurais dire.

— Est-ce que cela m'interdira le vol?

Paul Blount soupira sans répondre.

— Il faut que je parle à Craig, décida le pilote. Peut-être ne m'a-t-on pas tout dit? Il faut absolument que je le pousse dans ses derniers retranchements et qu'il parle.

— Il m'avait demandé de lui téléphoner les résultats de cet examen. Lui dirai-je que vous désirez le voir?

— Vous voulez bien? Merci, capitaine.

Une demi-heure s'écoula entre le moment où Larry regagna sa chambre et celui où Craig vint l'y rejoindre. Joan était avec lui. Ils entrèrent si graves, si pâles et si tirés de visage que Larry blêmit en les voyant. Il s'assit brusquement, et son regard n'était qu'une question anxieuse.

— J'ai examiné ta feuille avec Paul, fit Craig d'une voix appliquée et étudiée. Et puis j'ai appelé Joan. Nous ne pouvions être sûrs de rien jusqu'à l'examen de tout à l'heure, Larry.

— Continue !

— Mauvaise nouvelle. Mauvaise, frère. Pénible à entendre. (Sa voix trembla). Et pénible à dire !

Durcissant le menton, Larry respira profondément :

— Mon œil gauche est perdu?

— Oui. Il est perdu.

— Je ne pourrai plus voler? Je ne pourrai rien faire dans cette guerre? Je suis hors de question?

— Hors de question pour cette guerre, Larry.

Larry cacha son visage entre ses deux mains, répétant en un incessant murmure :

— Seigneur Jésus ! Seigneur Jésus !

Tout à coup, conscient d'une certaine nature de silence, il releva la tête et vit que Craig regardait Joan de qui le visage était tordu et tiré par la détresse et la compassion. Il se leva brusquement avec un cri :

— Il y a autre chose, Craig ! Est-ce tout? Y a-t-il autre chose?

— Oui, Larry, il y a autre chose. L'autre œil...

— Ne me dis pas qu'il est condamné aussi? Ce n'est pas cela, Craig? Ce n'est pas cela que tu veux dire?

— Si, Larry. C'est cela. Il est condamné.

— Je serai aveugle.

— Tu distingueras la lumière. Tes deux yeux seront alors comme est à présent ton œil gauche.

Larry respirait bruyamment, d'un souffle court et comme désespéré. Il faisait songer à un animal acculé, quand vient la fin de la chasse.

— Craig ! Oh ! Craig ! N'y a-t-il aucun moyen d'empêcher cela? Il faut, Craig, il faut ! Comment peut-on?

— Larry ! Tu sais bien que je donnerais n'importe quoi pour pouvoir... Il n'y a aucun moyen...

— Mais...

Et, soudainement, il parut s'effondrer :

— Quand, ça, Craig? Quand?

— Deux semaines, peut-être.

— Deux semaines? (Le gémissement de Larry était la désolation même.) Deux semaines. Et aucune façon d'en sortir? On ne peut pas empêcher?

— Aucun moyen, Larry! Oh! combien je voudrais qu'il y en ait un!

— Tu le savais lorsque tu m'as opéré, Craig? Le savais-tu?

— Tu avais une chance, répondit Craig, au désespoir. Sans quoi... Mais, Larry, il fallait te donner ta chance...

— Je serais mieux mort! gémit Larry, Damné avion! Il aurait mieux fait de me tuer.

— Larry! Non!... pleura Joan. Nous t'avons, tu es là! (Elle lui embrassa la joue, mais il n'y prit point garde.) Non, non, Larry. Nous t'avons!

— Ah! dit-il. Oui, Joan. Brave Joan. (Il se redressa complètement.) Oui, bien sûr!

Alors il fit une chose inoubliable et magnifique :

— Deux semaines, et puis plus rien? Le coup d'éponge, quoi? Deux semaines pour regarder, deux semaines pour voir? Je veux te regarder, Joan, je veux regarder Craig. Vous deux, et que tout le reste aille au diable!

Il laissa tomber sa tête sur la poitrine de sa femme, avec des sanglots à coups pressés dont il n'était pas maître. Des larmes coulaient sur le visage de Joan. Sa main caressait et caressait encore les cheveux de Larry. Craig sortit de la pièce, referma la porte et s'adossa à la cloison de bois, les yeux clos.

Une infirmière vint et s'arrêta près de lui :

— Major? (Elle s'informait nerveusement.) Est-ce que tout va bien là-dedans? Y a-t-il quelque chose que je puisse faire?

— Mon frère a besoin d'une piqûre qui le fasse dormir, répondit Craig. Donnez-la-lui dans un quart

d'heure. Non, donnez-la-lui dans cinq minutes...
Donnez-la-lui tout de suite.

— Oui, monsieur, dit-elle.

-:-

Larry voulait voir des avions aussi. Chaque matin, il revêtait son uniforme, qu'en principe il n'aurait pas dû remettre encore, et s'en allait de plus en
plus loin de l'hôpital, ce qu'en principe il n'aurait
pas dû faire, en direction de l'aérodrome, où, en
principe, il n'aurait pas dû aller. Chuck Waller, fei-
gnant de s'inquiéter d'une prochaine mise aux ar-
rêts, l'accompagnait. Chuck, qui ne savait pas le
sort promis à Larry, attendait son propre permis de
sortie d'un jour à l'autre, et cette circonstance le
mettait de bonne humeur :

— Je suis entré ici avant toi et j'en sortirai
avant toi, tu ne trouves pas ça juste, peut-être?

— Bien sûr ! Qui est-ce qui grogne?

— Toi, tu grognes.

— Bien sûr, que je grogne !

C'était tout. La plupart du temps, le silence rè-
gnait entre eux, que rompaient seuls d'imprévus gémissements de Larry. Chuck les portait au compte
de ses maux de tête presque ininterrompus. Mais
toujours, d'une manière sombre, il était disposé à
parler d'avions. Ils savaient tous les deux à présent pourquoi leurs appareils respectifs s'étaient
écrasés au sol. Après une explosion de rage où ils
avaient échangé leur ressentiment indigné, ils
n'étaient plus revenus sur le sujet, car leur fierté
était profondément blessée, leur fierté du service.
Mais leur aérodrome, Minafer, était plus actif que
jamais. Des histoires se faisaient jour. Des avions
étaient modifiés de manière à transporter des bombes. Des chasseurs étaient essayés chaque jour en
vue d'en faire des bombardiers en piqué, à basse altitude, afin que, si la transformation s'avérait nécessaire, elle pût se faire instantanément. Des

avions de la base survolaient journellement le golfe pour convoyer les bateaux depuis qu'il y en avait eu deux coulés par un sous-marin allemand et qu'un de leurs avions avait eu le sous-marin.

Chaque matin, en se réveillant, Larry regardait de sa fenêtre un grand pin térébinthe, seul survivant de l'époque du défrichement et de l'installation du camp. La longue trace blanchâtre laissée par la hache d'un collecteur de gomme ressortait clairement sur le tronc brun. Chaque matin, Larry vérifiait sa présence et la voyait nettement. Sa vie était suspendue à la vision de cette tache. Un espoir s'était formé en son cœur que, peut-être, Craig et Paul se trompaient, que, s'il agissait comme si sa vue devait revenir, il ne la perdrait pas. Il commença des expériences attentives afin de vérifier si son œil gauche s'améliorait. Mais une semaine après que Craig l'avait mis au courant de l'état des choses, la traînée de térébenthine lui parut brouillée. Le lendemain, elle avait disparu. L'arbre était toujours là, transformé en colonne vague et sans consistance.

Joan venait passer avec lui les après-midi et revenait dans la soirée, apportant son tricot ou des journaux, ou des magazines pour les lui lire, et ils se tenaient en une étroite et douloureuse camaraderie, dissimulant la douleur, comme si tout allait bien. Larry dépassa son habituelle gaieté le jour où il constata le départ de la traînée de gomme, il fit allusion à sa vue :

— Craig s'est peut-être trompé, Joan ! Je ne remarque pas de changement.

— Magnifique, dit-elle. Tiens bon ! Tu as meilleure mine.

— Viens à la fenêtre, je veux te montrer quelque chose. Tu vois ce pin ? Eh bien ! maintenant, regarde la traînée gris clair sur le tronc ! Sais-tu ce que c'est ? C'est une traînée de térébenthine.

Il embrassa Joan, puis la garda un moment serrée contre lui.

-:-

Le lendemain matin, il marcha jusqu'à l'aéro-drome. Au portail, les sentinelles armées se mirent au garde-à-vous à la vue des ailes brodées sur son uniforme et saluèrent. Larry continua jusqu'à la route qui dominait le terrain. Deux chasseurs ron-flèrent sur la piste de départ et s'élevèrent en une ascension quasi verticale. Trois avions-école fai-saient de grands cercles en l'air en attendant que le moniteur donnât le signal d'atterrissage. Tout ce que Larry désirait était réuni là. Son avenir était là aussi. Il ne serait pas bien difficile de prendre un avion et de voler au-dessus du golfe jusqu'à ce que l'essence fût épuisée. Le seul ennui, ce serait de pen-ser à l'expression sur le visage du colonel quand il apprendrait qu'un appareil de plus avait disparu alors que le pays avait besoin d'avions. Il pivota sur ses talons et retraversa le portail en direction de l'hôpital.

-:-

— Où, s'enquit Chuck, où donc es-tu allé et pourquoi ne m'as-tu pas attendu?

— Je me suis levé très tôt, répondit sèchement Larry, et je suis allé trop loin pour un infirme comme toi !

Il se leva de bonne heure encore le lendemain et regarda un avion, pareil à celui dans lequel il s'était écrasé, atterrir en une descente si rapide qu'il sif-flait comme un obus sur la piste. Le pin était tou-jours là. Un homme à qui il restait assez de vision pour le distinguer devait encore avoir en lui de quoi effectuer un ultime vol, dussent tous les chirurgiens de l'air en être bouleversés d'horreur !

Le matin suivant, il y avait quelque chose de dé-traqué dans la routine régulière de l'aérodrome.

Un étranger peut-être ne s'en fût point aperçu, mais Larry, se tenant discrètement dans un coin écarté, avait l'impression qu'un commutateur avait été tourné, établissant le circuit, et que l'électricité coulait. Un coureur galopait à toutes jambes. Et trois moteurs se mirent en marche. Des équipes au sol allèrent chercher sous le hangar un chariot de bombes. A côté d'un des avions dont l'hélice tournait, il vit un pilote casqué : les épaules voûtées, les jambes torses lui dirent que c'était Pete Ryan. Larry se hâta vers l'avion :

— Hello ! Pete ! Qu'est-ce qu'il se passe?

Pete étendit promptement la main :

— Vous, Larry? Je ne me doutais pas qu'on vous avait déjà lâché là-bas ! Admirez-moi ça !

Des hommes fixaient trois bombes sous les ailes et le fuselage de l'avion. Puis ils gagnèrent avec le char aux bombes l'appareil suivant.

— Nous avons reçu un S. O. S. à trente milles à l'ouest. Voilà le colonel qui arrive.

Le long bras mince du colonel appela du geste Ryan et les deux autres pilotes :

— Excusez-moi, Larry.

Larry eut son ancien large sourire. Quelque chose lui revint de son audacieuse gaieté d'autrefois, avec un jaillissement si spontané qu'il en résulta dans sa tête une douleur aiguë, et qu'en même temps Larry se sentit comme séparé de cette douleur, la voyant en dehors de lui, en dehors de sa joie folle. Oh ! bien sûr, Pete Ryan allait l'avoir sec. Il ne pouvait certes pas blâmer Pete parce qu'il allait être furieux : mais Pete aurait un autre avion ! Larry grimpa dans la carlingue; un coup d'œil pardessus l'épaule lui montra les trois pilotes groupés autour du colonel Flynn, et les quatre hommes étaient trop absorbés pour s'occuper de lui. Un mécano arriva devant l'appareil. Larry agita la main et, d'un geste impérieux, désigna les cales. Pendant quelques secondes fatales, tout demeura en suspens. L'homme semblait perplexe. Larry agita la main avec une autorité furieuse, et l'homme obéit, retirant les cales.

Malgré le ronflement du moteur qu'il fit donner

pleins gaz, Larry entendit des cris. Le mécano le regarda, terrifié, tandis qu'il roulait devant lui à toute allure et que Pete Ryan avec le colonel arrivaient en courant.

Comme une flèche, l'avion traversa le terrain, laissant derrière lui une large traînée blanche, quand, à mi-piste, Larry lui fit, d'un seul coup, prendre de la hauteur. Alors, se retournant, Larry vit les deux autres avions, qui, déjà, se mettaient à sa poursuite. Il regarda la boussole. Ouest, avait dit Pete Ryan. Un acte de ce genre vaudrait la cour martiale au pilote qui aurait la valeureuse folie de le tenter. Sur le visage de Larry, un sourire désespéré s'était fixé.

Bientôt, les deux autres avions arrivèrent à sa hauteur, l'encadrant sur chaque bord. Et sa radio lui répétait avec violence : « L'aérodrome de Minafer appelle le lieutenant Thomas. Vous avez sous vous des bombes amorcées. Lâchez-les dans l'eau et rentrez immédiatement. L'aérodrome de Minafer appelle le lieutenant Thomas. Vous avez... »

Déjà, sous le fuselage, il pouvait voir s'étaler le golfe vert, transparent, étincelant. Tout près et de chaque côté, les pilotes lui faisaient signe de lâcher son lest et de rentrer. Larry leur sourit et fit signe à son tour qu'il allait de l'avant.

Subitement, il lui vint à l'esprit qu'ils auraient, eux, l'orientation exacte et il ralentit légèrement pour se maintenir juste un peu au-dessous et juste un peu en arrière d'eux. Dans sa radio, la voix changea : « L'aérodrome de Minafer appelle le lieutenant Thomas. » C'était la voix dure et sèche du colonel Flynn, tremblante de fureur : « Remplissez la mission, Thomas. »

Le sourire figé de Larry ne bougea pas : la voix du colonel bouillonnait de promesses de châtiment, mais un fait était certain, on ne pouvait pas se permettre de gaspiller les bombes. « Le lieutenant Thomas appelle l'aérodrome de Minafer, répondit-il. Merci, colonel Flynn ! »

Il ne lui restait plus beaucoup de paroles à prononcer. Les deux autres avions étaient à présent au-dessus de lui. Il descendait comme, à ce qu'il avait entendu raconter, Jimmy Doolittle avait fait à Tokyo, mais il regardait anxieusement son altimètre, incertain de juger correctement sa distance au-dessus de l'eau. Et puis, le navire qui avait lancé le S. O. S. apparut, tache, bâton, boîte, citerne, grandissant avec une soudaineté, une rapidité formidables. Un sillage argenté suivait et de la fumée s'échappait de la gueule d'un canon. Larry le balaya littéralement, et, pendant quelques secondes, des faces terrifiées apparurent sous ses ailes. Il haleta de peur, car il était véritablement descendu très près, et reprit une légère hauteur. Et moins de trente secondes plus tard, le sous-marin poursuivant devenait à son tour visible. Son long et mince canon de pont tirait sur le réservoir du navire pour tenter de le percer sans gaspiller ses torpilles.

« Thomas appelle Minafer, clama-t-il. Sous-marin en vue. Je descends. » Le canon se leva vers lui. Ses servants, affolés, plongèrent dans toutes les directions, coururent le long du pont étroit. C'était comme si le pin était monté à sa rencontre, montrant nettement sa claire couleur de térébenthine. Il ne pouvait pas rater. C'était exactement comme d'aller emboutir un arbre. « Je l'ai ! » hurla-t-il par sa radio à l'instant où le canon traversa son hélice et son cadre à bombes.

-:-

— Il devenait aveugle et le savait, dit Craig.

— Monsieur ! Ça me dépasse ! C'est à ne pas le croire possible ! dit l'un des deux pilotes. Nous ne verrons plus rien de pareil pendant cette guerre. Non, monsieur !

Il regarda Joan, comme son camarade et le colonel Flynn l'avaient regardée. Mais sa présence même, très silencieuse et immobile sur sa chaise, avec ses yeux gris profondément creusés dans son blanc et pâle visage, ne suffisait pas à calmer leur joie orgueilleuse :

— C'était parfait. Il leur a fait une peur du tonnerre de Dieu. Il a sauté sur leur canon, monsieur, juste comme s'il avait été projeté par leur propre canon et retombait dessus. Seulement tout le reste a sauté aussi. Pas de sursauts, pas d'agonies, pas d'hommes se débattant sur la mer...

Il donna un nouveau coup d'œil vers Joan et conclut :

— Ce fut parfait.

Et il ajouta d'une voix plus basse :

— Le sous-marin s'est ouvert, a éclaté comme un œuf.

— Ah ! fit le colonel Flynn, aspirant l'air profondément avec une expression de satisfaction totale. Merci, monsieur. Veuillez chacun écrire votre rapport, je vais demander une décoration posthume pour votre camarade. Cette action donne un grand éclat glorieux à notre base aérienne ! Merci, messieurs.

Avec des saluts compassés, maladroits et gênés, à l'adresse de Joan, un embarras qui, durant quelques brèves secondes, éteignit la jubilation dans leurs prunelles, les pilotes sortirent, bras dessus, bras dessous.

Le colonel Flynn regarda Craig et Joan, debout, maintenant l'un près de l'autre. Il arpenta son bureau pendant quelques instants.

— Pour ce qui est de moi, fit-il soudainement, je ne puis éprouver beaucoup de chagrin, j'éprouve trop de fierté, comprenez-vous?

Il passa un bras autour des épaules de chacun d'eux et les conduisit ainsi vers la porte :

— Major, je ne puis que vous féliciter pour votre frère.

Se penchant alors sur la main de Joan qu'il tenait doucement, il fit un petit salut contraint et correct :

— Madame, pour votre mari... Dans le cas des

femmes, évidemment... Mrs Thomas, j'ai beaucoup de peine pour vous.

Joan et Craig sortirent et se dirigèrent vers la voiture du major. Tout était arrivé si vite qu'il n'était pas encore midi. Sur le terrain, devant eux, les hommes discutaient en petits groupes. Quand les deux pilotes qui avaient en quelque sorte servi d'escorte à Larry parurent sur le terrain, un groupe les enveloppa, les avala, se referma sur eux, et d'autres hommes se dispersèrent, trottant dans toutes les directions.

— Ils sont fiers! dit Craig. Ils sont extrêmement fiers!

Mais le travail de l'aérodrome reprenait, continuait. Un avion faisait un bruit de mitrailleuse. Un commandement crié les fit se hâter nombreux vers le hangar, d'où ils firent sortir un avion. Ils chauffèrent aussitôt le moteur. En peu d'instants, moteur ronflant sur un ton grave, l'appareil roulait et très vite décollait et prenait de la hauteur. Craig tenait toujours le bras de Joan. Ensemble, ils regardèrent l'avion devenir dans les profondeurs du ciel oiseau, tache, point noir et disparaître dans le bleu.

— Oui, murmura-t-elle, Larry!... C'est ainsi que les choses se sont passées, Craig.

Ils tremblaient tous les deux en montant dans la voiture.

— Ramenez-moi à la maison, Craig, dit-elle, nous sommes si fatigués tous les deux.

Et elle appuya sa tête contre l'épaule de Craig.

FIN

COLLECTION
PRESSES POCKET

ACHEVÉ D'IMPRIMER LE
15 JANVIER 1971 SUR LES
PRESSES DE L'IMPRIMERIE
BUSSIÈRE, SAINT-AMAND (CHER)

— No d'édit. 6. — No d'imp. 1614. —
Dépôt légal : 3e trimestre 1962.
Imprimé en France